고등 수학의 **첫 걸음**

풍산자

수학Ⅱ

쉽고 정확한 개념 학습은 **자신감**으로

개념-문제 연계 학습은 **실력**으로 쌓이는 **풍산자**입니다.

시작은 그 일의 가장 중요한 부분이다.

- 플라톤 -

읽으면서 이해하는 **개념 학습 비법서**

풍산자

교재 활용 로드맵

문제와 유기적으로 개념을 익히는
예제와 유제 및 풍산자 비법

개념 확인 및 응용을 익힐 수 있는
필수 확인 문제

풍산자식으로 핵심 내용을 정리한
중단원 마무리

실전형 문제를 2단계로 제시한
실전 연습문제

주제별 짧은 흐름으로 이해하기 쉬운
명쾌하고 간결한 개념 설명

주제별 개념 정리와 명쾌한 추가 설명	풍산자만의 명료하고 유쾌한 개념 설명과 짜임새 있는 해설
개념 이해를 위해 엄선된 예제와 유제	문제 해결의 핵심을 개념과 문제를 연결하여 짚어주는 풍산자 曰, 풍산자 비법
개념 확인과 응용 연습에 최적인 엄선된 문제	개념 확인과 응용, 시험 대비에 꼭 필요한 필수 확인 문제, 실전 연습문제

풍산자

수학Ⅱ

수학 공부는 어떻게 해야 할까요?
먼저 개념을 익혀야 합니다.
개념 학습은 문제와 융합된 형태로 이루어져야 합니다.
풍산자는 개념과 문제를 유기적으로 결합하여
개념 공부가 문제 공부이고 문제 공부가 개념 공부인
시스템을 지향하며 만들었습니다.
개념과 문제를 하나의 흐름으로 공부하되
직관적인 그림과 비유를 통한 구어체 설명으로
개념은 좀 더 쉽고 빠르게 익히고,
문제 풀이는 단계별로 짧게 구성하여
어려운 문제도 명쾌하게 이해할 수 있도록 하였습니다.
골치 아픈 수학이지만 풍산자로 공부하면서
때로는 소설책을 읽는 듯한 재미와 통쾌함도 느끼고
고향 같은 푸근함도 느끼면서 수학의 기초를 든든하게
닦을 수 있기를 바랍니다.

풍산자수학연구소

풍산자만의 매력

1

학습자의 눈높이에 맞는 개념서

개념 설명이 아무리 자세하더라도 여러분의 눈높이에 맞지 않다면 아무 소용이 없습니다. 풍산자는 궁금해 하는 부분만을 바로 옆에서 콕콕 짚어 설명해 주는 과외 선생님같은 개념서입니다.

2

지루하지 않고 재미있는 개념서

딱딱하고 어려운 용어 때문에 수학이 지루하고 재미없게 느껴졌나요? 풍산자 특유의 유쾌하고 명쾌한 설명으로 지루할 틈 없이 수학을 쉽고 재미있게 공부할 수 있습니다.

3

짧은 호흡으로 간결하게 읽는 개념서

많은 양의 개념을 한 번에 읽고 문제를 풀려면 그 개념을 문제에 어떻게 적용해야 할지 몰라 어렵게 느껴집니다. 풍산자는 개념 설명을 읽고 그 개념을 바로 문제에 적용하도록 구성하여 짧은 호흡으로 공부할 수 있습니다.

미니 단원

개념을 주제별로 나누어 짧은 호흡으로 익힐 수 있도록 구성하였습니다.

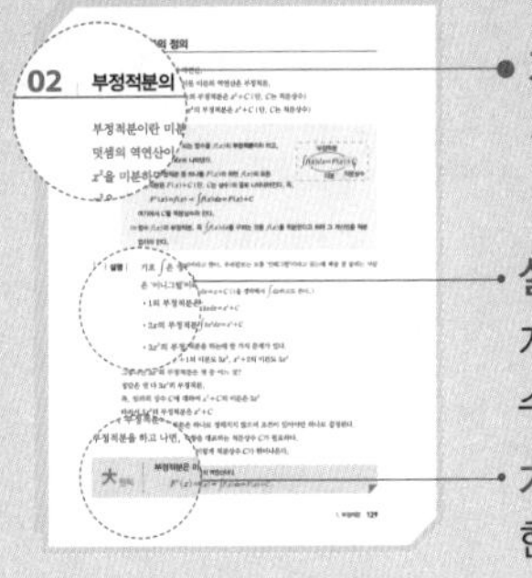

- 개념 설명
  군살을 쏙 빼 명료하고 간결하게 설명하였습니다.
- 설명, 증명, 참고, 개념확인
  개념의 원리를 쉽게 이해할 수 있도록 도와 줍니다.
- 大원칙 개념의 핵심이 되는 한마디를 콕 짚어 줍니다.

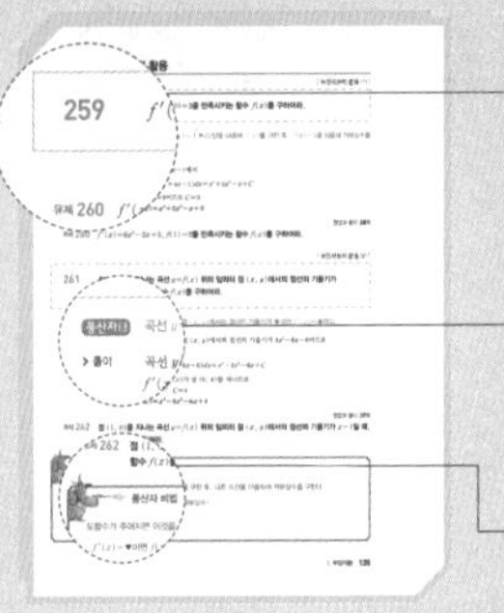

- 예제와 유제
  개념 이해에 꼭 필요한 문제들만 엄선하였습니다.
- 풍산자日 문제를 풀기 위해 알아야 할 핵심 개념을 알려 줍니다.
- 풍산자 비법 학습의 흐름에 따라 내용을 정리합니다.

필수 확인 문제

개념의 확인과 응용을 위해 스스로 풀어 볼 문제를 수록하였습니다.

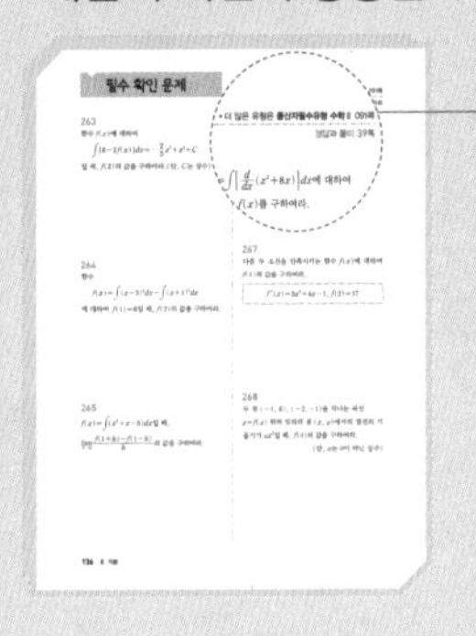

- 더 많은 유형의 문제를 풀어 볼 수 있도록 풍산자필수유형의 관련 쪽수를 안내하였습니다.

중단원 마무리

단원별 핵심 내용을 한눈에 살펴볼 수 있도록 표로 정리하였습니다.

실전 연습문제

실전에 꼭 필요한 문제들을 2단계로 나누어 수록하였습니다.

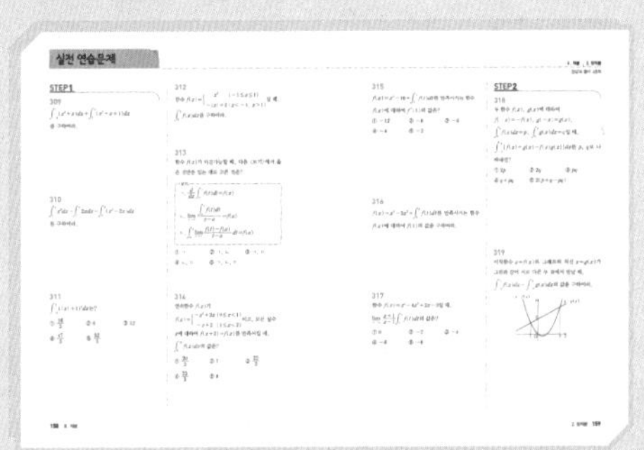

I 함수의 극한과 연속

CONTENTS

II 미분

1 미분계수와 도함수

2 도함수의 활용

III 적분

함수의 극한과 연속

미분과 적분을 배우려면, 먼저 **극한**부터

극한을 알아야 미분을 하고,
미분을 알아야 적분을 한다.
극한과 미분과 적분은 서로 의지하는
한 지붕 세 가족.

미분이란 시간에 따른 어떤 양의 '변화율'
자연계의 여러 현상들은 미분에 의해 묘사된다.
공기와 같은 유체의 운동을 기술할 때,
컴퓨터 소프트웨어를 개발할 때,
경제에서 벌어지는 현상들을 해석할 때 등
모두 미적분이 사용된다.
적분은 미분의 역연산.
그리고 미적분의 기초가 되는 것이
바로 극한이다.

함수의 극한

x가 어떤 값에 한없이 가까워지거나
한없이 커질 때 또는 한없이 작아질 때
$f(x)$의 값이 어떻게 변화하는지 살펴보는 것이 바로 함수의 극한.

1 함수의 극한

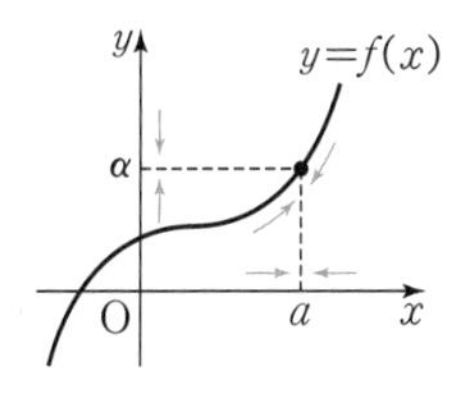

2 극한값의 계산

$\frac{0}{0}$

인수분해

약분

3 함수의 극한의 활용

$$\lim_{x\to 2}\frac{x-2}{x^2+ax+b}=1$$

1 함수의 극한

01 함수의 수렴

함수 식 $y=f(x)$와 x의 값이 a로 주어지면 함숫값 $f(a)$를 쉽게 구할 수 있다.

즉, $y=f(x)$, $x=a \Rightarrow f(a)$

그런데 이때 x의 값이 하나의 수로 딱 주어진 것이 아니라 단지 어떤 수에 한없이 가까워지고 있다면? 이에 따라 $f(x)$가 어떤 수에 가까워지고 있다면?

$y=f(x)$, $x \to a \Rightarrow f(x) \to \square$

이것이 바로 극한.

함수의 수렴과 극한

(1) 함수 $f(x)$에서 x의 값이 a와 다른 값을 가지면서 a에 한없이 가까워질 때 $f(x)$가 α에 한없이 가까워지면, $f(x)$는 α에 **수렴**한다고 하고, α를 $x \to a$일 때의 $f(x)$의 **극한값** 또는 **극한**이라 하며, 기호로 다음과 같이 나타낸다.

$\lim_{x \to a} f(x)=\alpha$ 또는 $x \to a$일 때 $f(x) \to \alpha$

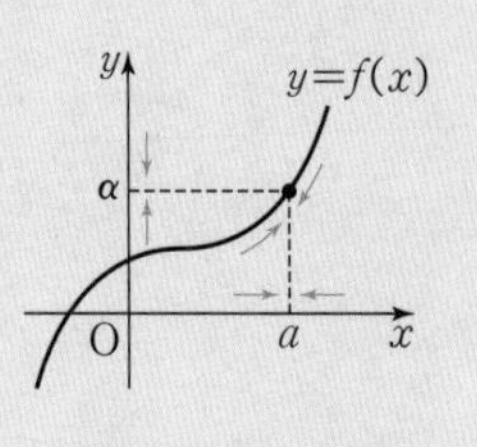

(2) 상수함수 $f(x)=c$ (c는 상수)는 모든 x의 값에 대하여 함숫값이 항상 c이므로 a의 값에 관계없이 다음이 성립한다.

$\lim_{x \to a} f(x)=\lim_{x \to a} c=c$

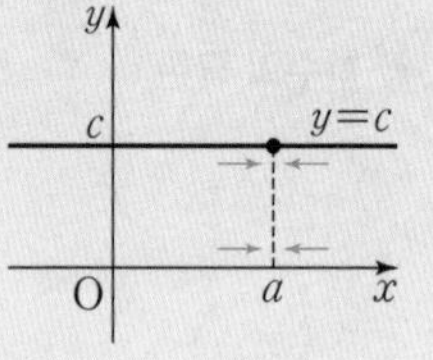

| 참고 | 기호 lim는 극한을 뜻하는 영어 limit의 약자이며, '**리미트**'라 읽는다.

| 설명 | 다음 표현은 모두 같은 표현이다.

$\lim_{x \to a} f(x)=\alpha$

$\Longleftrightarrow$ x가 a에 한없이 가까워질 때, $f(x)$는 α에 한없이 가까워진다.

$\Longleftrightarrow$ x가 a에 한없이 가까워질 때, $f(x)$는 α에 수렴한다.

$\Longleftrightarrow$ $x \to a$일 때 $f(x)$의 극한값은 α이다.

$\Longleftrightarrow$ $x \to a$일 때 $f(x) \to \alpha$

함숫값과 극한값은 다르다. 그러나 다항함수처럼 우리에게 친근한 함수들은 대부분 $f(x)$에 $x=a$를 대입한 값, 즉 $f(a)$가 극한값이 된다.

001 **그래프를 이용하여 다음 극한값을 구하여라.**

(1) $\lim_{x \to 2}(x^2+1)$ (2) $\lim_{x \to 2} \frac{x^2-4}{x-2}$ (3) $\lim_{x \to 2} 3$

풍산자日 $\lim_{x \to 2}$ ●의 값을 구하려면 $x \to 2$일 때 ●가 어떤 수에 가까워지는지를 관찰하면 된다.

> 풀이 (1) $f(x)=x^2+1$로 놓으면 함수 $y=f(x)$의 그래프는 그림과 같다.
x의 값이 2에 한없이 가까워질 때, $f(x)$의 값은 5에 한없이 가까워지므로
$\lim_{x \to 2}(x^2+1)=\mathbf{5}$

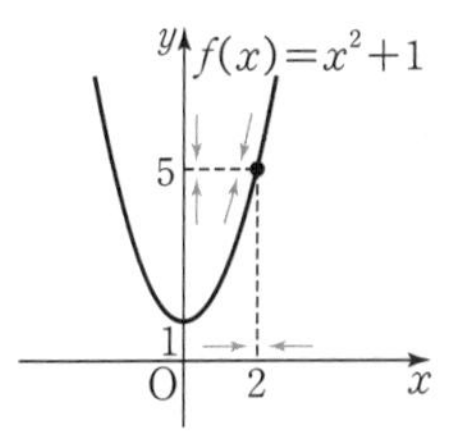

(2) $f(x)=\frac{x^2-4}{x-2}$로 놓으면
$x \neq 2$일 때
$f(x)=\frac{x^2-4}{x-2}=\frac{(x-2)(x+2)}{x-2}=x+2$
이므로 함수 $y=f(x)$의 그래프는 그림과 같다.
x의 값이 2에 한없이 가까워질 때, $f(x)$의 값은 4에 한없이 가까워지므로
$\lim_{x \to 2} \frac{x^2-4}{x-2}=\mathbf{4}$

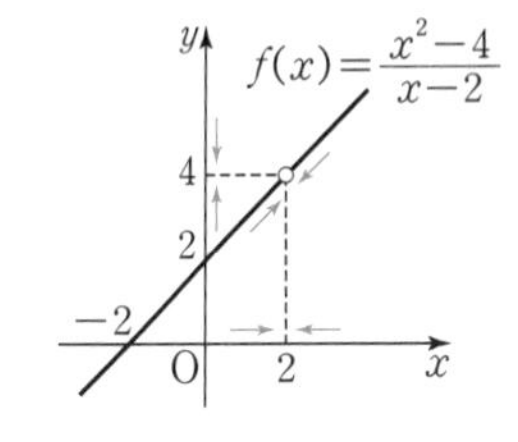

(3) $f(x)=3$으로 놓으면 함수 $y=f(x)$의 그래프는 그림과 같다.
모든 x의 값에 대하여 함숫값 $f(x)$가 항상 3이므로
$\lim_{x \to 2} 3=\mathbf{3}$

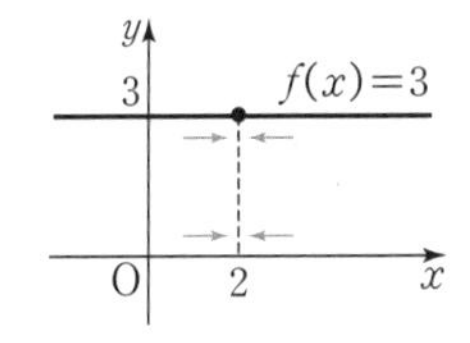

정답과 풀이 **2쪽**

유제 **002** **그래프를 이용하여 다음 극한값을 구하여라.**

(1) $\lim_{x \to 3}(x^2-2x)$

(2) $\lim_{x \to -2} \frac{x^2+3x+2}{x+2}$

(3) $\lim_{x \to 0} 7$

02 함수의 발산

x의 값은 어떤 수에 한없이 가까워지고 있는데 $f(x)$는 특정한 값에 가까워지지 않는다면?
이게 바로 발산! 수렴하지 않는 경우는 전부 다 발산이다.
그 중에서도 특별한 경우는 두 가지. 그 값이 아주 커지거나, 아주 작아지거나.

함수의 발산

함수 $f(x)$가 수렴하지 않으면 발산이라 한다.

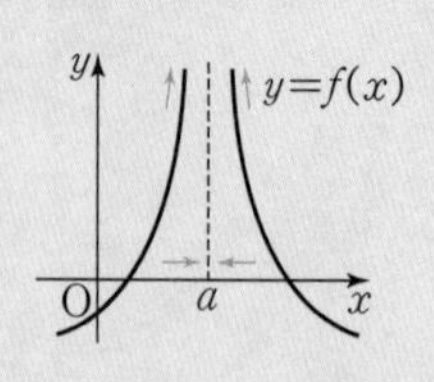

(1) 함수 $f(x)$에서 x의 값이 a에 한없이 가까워질 때, $f(x)$의 값이 한없이 커지면 $f(x)$는 **양의 무한대로 발산**한다고 하며, 기호로 다음과 같이 나타낸다.

$\lim_{x \to a} f(x)=\infty$ **또는** $x \to a$**일 때,** $f(x) \to \infty$

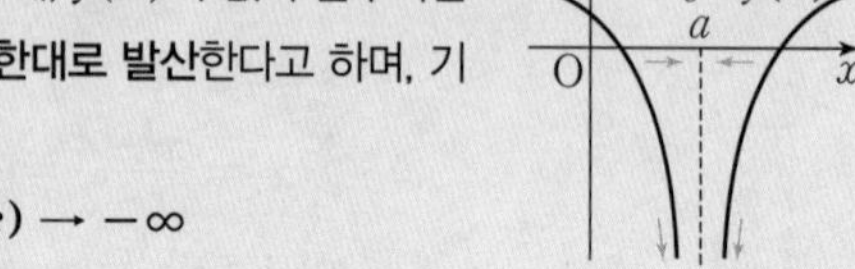

(2) 함수 $f(x)$에서 x의 값이 a에 한없이 가까워질 때, $f(x)$의 값이 음수이면서 그 절댓값이 한없이 커지면 $f(x)$는 **음의 무한대로 발산**한다고 하며, 기호로 다음과 같이 나타낸다.

$\lim_{x \to a} f(x)=-\infty$ **또는** $x \to a$**일 때,** $f(x) \to -\infty$

| 설명 | 기호 ∞는 '무한대'라 읽고, $x \to \infty$는 x가 한없이 커지는 상태를 의미한다.

| 함수의 발산 |

003 **다음 극한을 조사하여라.**

(1) $\lim_{x \to 2} \frac{1}{(x-2)^2}$　　　(2) $\lim_{x \to 1} \frac{-1}{|x-1|}$

풍산자日 양의 무한대로 발산할 때는 그래프가 하늘 높이 솟구칠 때이고,
음의 무한대로 발산할 때는 그래프가 땅속으로 내려갈 때이다.

> 풀이 (1) $f(x)=\frac{1}{(x-2)^2}$로 놓으면 x의 값이 2에 한없이 가까워질 때, $f(x)$의 값은 양수이면서 그 절댓값이 한없이 커지므로

$\lim_{x \to 2} \frac{1}{(x-2)^2}=\infty$

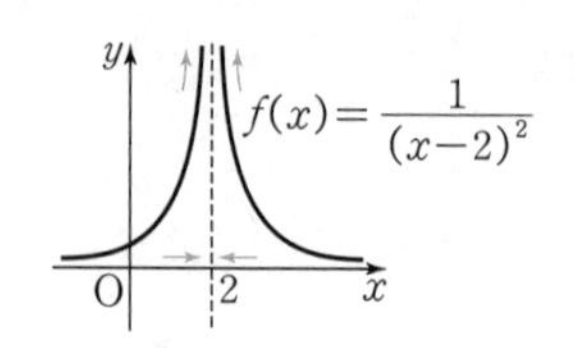

(2) $f(x)=\frac{-1}{|x-1|}$로 놓으면 x의 값이 1에 한없이 가까워질 때, $f(x)$의 값은 음수이면서 그 절댓값이 한없이 커지므로

$\lim_{x \to 1} \frac{-1}{|x-1|}=-\infty$

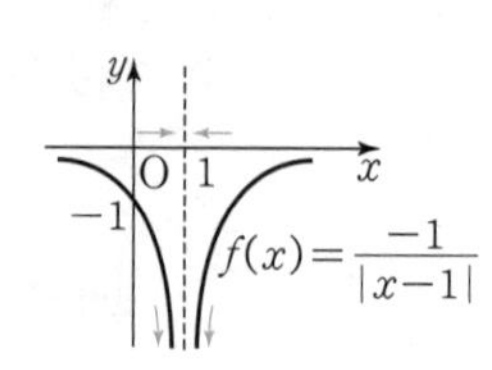

정답과 풀이 **2쪽**

유제 **004** **다음 극한을 조사하여라.**

(1) $\lim_{x \to 0}\left(-\frac{3}{x^2}\right)$　　　(2) $\lim_{x \to 0} \frac{5}{|x|}$

03 | $x \to \infty$, $x \to -\infty$일 때의 극한

$x \to \infty$는 x가 한없이 커진다는 것이고, $x \to -\infty$는 x가 한없이 작아진다는 것.
이 경우에도 극한을 구하는 방법은 똑같다. 극한값이 어디로 가는지 관찰하면 된다.

$x \to \infty$, $x \to -\infty$일 때의 극한

(1) x의 값이 양수이면서 그 절댓값이 한없이 커질 때, 즉 $x \to \infty$일 때 함수 $f(x)$의 극한을 $\lim_{x \to \infty} f(x)$로 나타낸다.

(2) x의 값이 음수이면서 그 절댓값이 한없이 커질 때, 즉 $x \to -\infty$일 때 함수 $f(x)$의 극한을 $\lim_{x \to -\infty} f(x)$로 나타낸다.

| 설명 | 함수의 극한 $x \to a$와 $x \to \infty$, $x \to -\infty$일 때 3가지를 비교해 보자.

① $\lim_{x \to a} f(x) = \alpha$ ➡ x가 a의 좌우에서 a에 한없이 가까워질 때, $f(x)$가 α에 한없이 가까워진다.

② $\lim_{x \to \infty} f(x) = \beta$ ➡ x가 양수이면서 그 절댓값이 한없이 커질 때, $f(x)$가 β에 한없이 가까워진다.

③ $\lim_{x \to -\infty} f(x) = \gamma$ ➡ x가 음수이면서 그 절댓값이 한없이 커질 때, $f(x)$가 γ에 한없이 가까워진다.

| $x \to \infty$, $x \to -\infty$일 때의 함수의 극한 |

005 **다음 극한을 조사하여라.**

(1) $\lim_{x \to \infty}(x^2+3)$　　　(2) $\lim_{x \to -\infty}\left(-\frac{2}{x}\right)$

풍산자日 값이 어떻게 될지 생각만으로도 풀 수 있다. 그래프를 그려 보면 더욱 명확하다.

> 풀이 (1) $f(x)=x^2+3$으로 놓으면 그래프에서 x의 값이 양수이면서 그 절댓값이 한없이 커질 때, $f(x)$의 값이 한없이 커지므로

$\lim_{x \to \infty}(x^2+3) = \boldsymbol{\infty}$

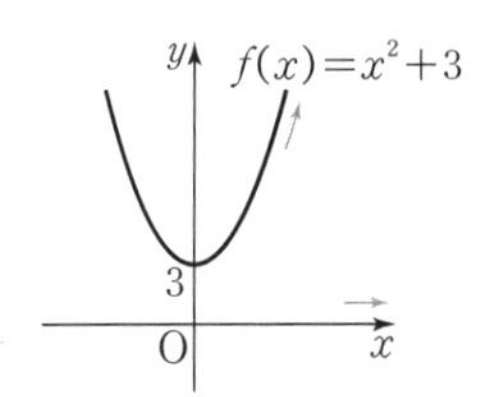

(2) $f(x)=-\frac{2}{x}$로 놓으면 그래프에서 x의 값이 음수이면서 그 절댓값이 한없이 커질 때, $f(x)$의 값은 0에 한없이 가까워지므로

$\lim_{x \to -\infty}\left(-\frac{2}{x}\right) = \mathbf{0}$

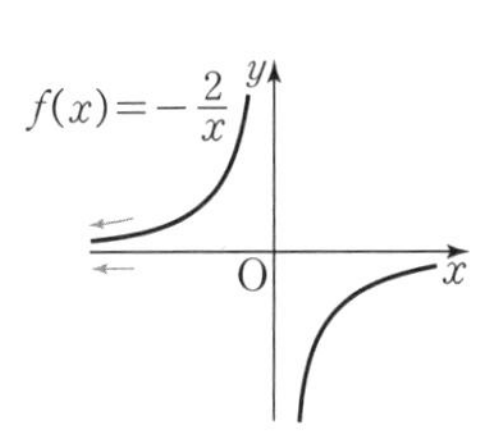

정답과 풀이 **2**쪽

유제 **006** **다음 극한을 조사하여라.**

(1) $\lim_{x \to \infty}(2x-5)$　　　(2) $\lim_{x \to -\infty}\frac{1}{x-1}$

04 좌극한과 우극한

x가 어떤 수에 한없이 가까워지는 상황을 둘로 나누어 볼 수 있다.

왼쪽에서 가까워지느냐 오른쪽에서 가까워지느냐.

왼쪽에서 접근하면 좌극한, 오른쪽에서 접근하면 우극한.

좌극한과 우극한

(1) x가 a보다 작은 값을 가지면서 a에 한없이 가까워지는 것을 $x \to a-$로 나타낸다. 이때 $f(x)$가 일정한 값 α에 한없이 가까워지면 $\lim_{x \to a-} f(x) = \alpha$로 나타내고, α를 $x=a$에서의 함수 $f(x)$의 **좌극한**이라 한다.

(2) x가 a보다 큰 값을 가지면서 a에 한없이 가까워지는 것을 $x \to a+$로 나타낸다. 이때 $f(x)$가 일정한 값 α에 한없이 가까워지면 $\lim_{x \to a+} f(x) = \alpha$로 나타내고, α를 $x=a$에서의 함수 $f(x)$의 **우극한**이라 한다.

좌극한과 우극한이 같지 않은 경우가 있다.

예를 들어 $y=f(x)$의 그래프가 그림과 같이 계단 모양일 때,

$x=2$에서의 $f(x)$의 좌극한은 1이므로 $\lim_{x \to 2-} f(x) = 1$

$x=2$에서의 $f(x)$의 우극한은 3이므로 $\lim_{x \to 2+} f(x) = 3$

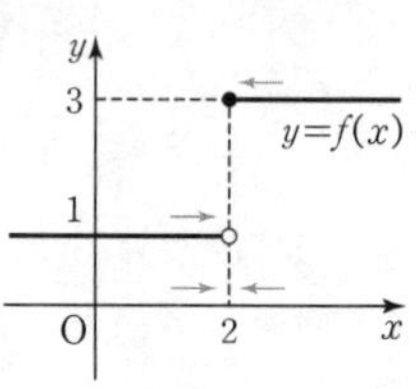

이와 같이 그래프가 계단 모양일 때는 계단이 꺾이는 지점에서 항상 좌극한과 우극한이 다르다.

함수의 극한값이 존재할 조건 중요!

$x=a$에서 함수 $f(x)$의 극한값이 존재하려면 $x=a$에서 함수 $f(x)$의 좌극한과 우극한이 모두 존재하고, 그 값이 서로 같아야 한다.

$$\lim_{x \to a} f(x) = \alpha \iff \lim_{x \to a-} f(x) = \lim_{x \to a+} f(x) = \alpha$$

| 설명 | 우극한과 좌극한이 같을 때만 극한이 존재한다. 우극한과 좌극한이 다르면 극한값이 존재하지 않는다.

그래프를 고속도로라고 생각하자.

우극한은 오른쪽에서 돌진할 때의 목표 지점.

좌극한은 왼쪽에서 돌진할 때의 목표 지점.

목표 지점이 다르면? 극한은 없다.

또, 극한값과 함숫값은 다를 수 있다.

그림의 $x=2$ 근처를 본다.

약간 왼쪽의 $f(x)$의 값은 1 ➡ (좌극한) $= \lim_{x \to 2-} f(x) = 1$

약간 오른쪽의 $f(x)$의 값은 1 ➡ (우극한) $= \lim_{x \to 2+} f(x) = 1$

좌극한과 우극한이 1로 같다. 따라서 극한값은 1 ➡ $\lim_{x \to 2} f(x) = 1$

하지만 $x=2$일 때 함숫값은 3 ➡ $f(2)=3$

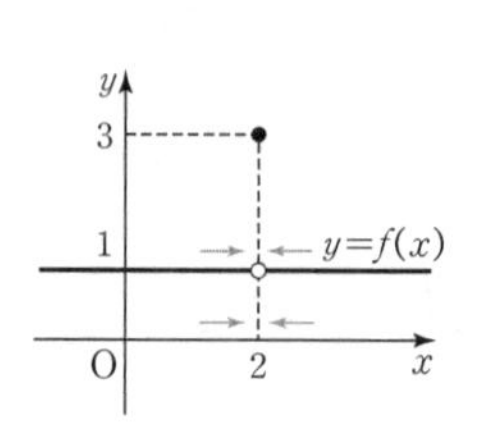

$\lim_{x \to 2} f(x)$는 $f(2)$와는 상관이 없다.

$x \to 2$란 $x \neq 2$이면서 x가 2에 가까이 가는 것.

007 함수 $y=f(x)$의 그래프가 그림과 같을 때, 다음 극한을 조사하여라.

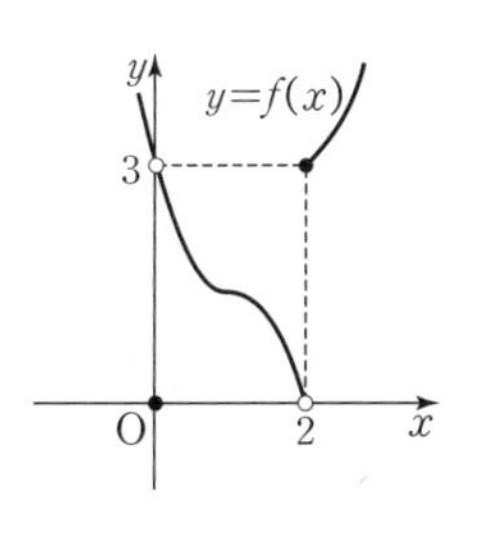

(1) $\lim_{x \to 0-} f(x)$ (2) $\lim_{x \to 0+} f(x)$

(3) $\lim_{x \to 0} f(x)$ (4) $\lim_{x \to 2-} f(x)$

(5) $\lim_{x \to 2+} f(x)$ (6) $\lim_{x \to 2} f(x)$

풍산자日 주어진 그래프는 $x=0$과 $x=2$에서 모두 끊어져 있지만 상황이 조금 다르다.
$x=0$에서는 좌극한과 우극한이 같다. 극한이 존재한다.
그러나 $x=2$에서는 좌극한과 우극한이 다르다. 극한이 존재하지 않는다.

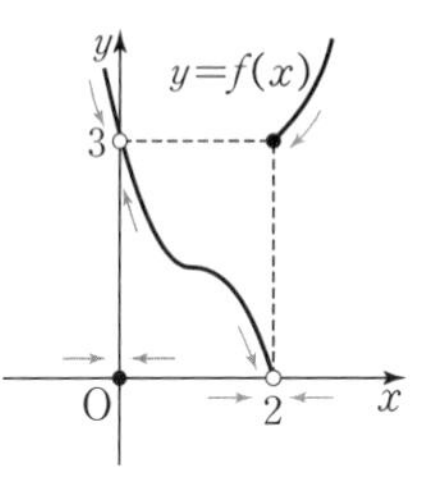

(1) $\lim_{x \to 0-} f(x)=\mathbf{3}$

(2) $\lim_{x \to 0+} f(x)=\mathbf{3}$

(3) $\lim_{x \to 0} f(x)=\mathbf{3}$

(4) $\lim_{x \to 2-} f(x)=\mathbf{0}$

(5) $\lim_{x \to 2+} f(x)=\mathbf{3}$

(6) $\lim_{x \to 2-} f(x) \neq \lim_{x \to 2+} f(x)$이므로 $\lim_{x \to 2} f(x)$의 값은 **존재하지 않는다.**

정답과 풀이 **2**쪽

유제 **008** 함수 $y=f(x)$의 그래프가 그림과 같을 때, 다음 극한을 조사하여라.

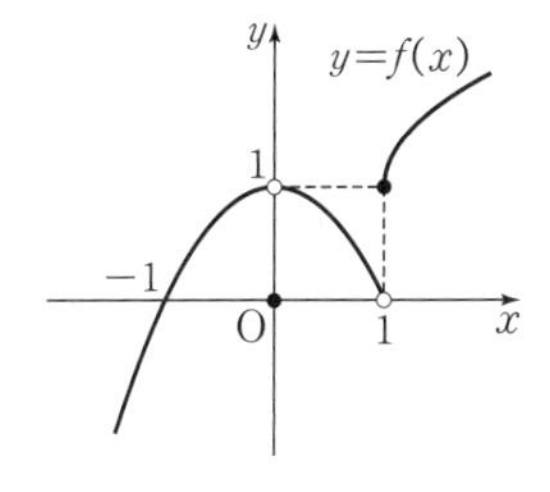

(1) $\lim_{x \to 0-} f(x)$ (2) $\lim_{x \to 0+} f(x)$

(3) $\lim_{x \to 0} f(x)$ (4) $\lim_{x \to 1-} f(x)$

(5) $\lim_{x \to 1+} f(x)$ (6) $\lim_{x \to 1} f(x)$

009 **다음 극한을 조사하여라. (단, $[x]$는 x보다 크지 않은 최대의 정수이다.)**

(1) $\lim_{x\to 2}\frac{1}{x-2}$　　(2) $\lim_{x\to 2}\frac{x-2}{|x-2|}$　　(3) $\lim_{x\to 2}[x]$

풍산자Ⓑ 주어진 함수의 그래프를 그려 좌극한과 우극한이 같은지 조사한다.

> 풀이 (1) 함수 $y=\frac{1}{x-2}$의 그래프는 그림과 같으므로

$\lim_{x\to 2-}\frac{1}{x-2}=-\infty$, $\lim_{x\to 2+}\frac{1}{x-2}=\infty$

따라서 좌극한과 우극한이 다르므로 주어진 극한은 **존재하지 않는다.**

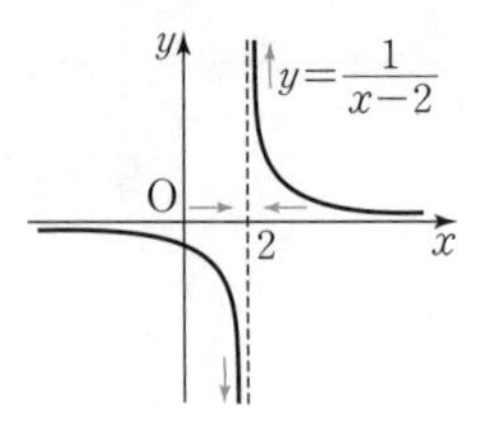

(2) 함수 $y=\frac{x-2}{|x-2|}$의 그래프는 그림과 같고,

$x \to 2-$일 때, $|x-2|=-(x-2)$

$\therefore \lim_{x\to 2-}\frac{x-2}{|x-2|}=\lim_{x\to 2-}\frac{x-2}{-(x-2)}=-1$

$x \to 2+$일 때, $|x-2|=x-2$

$\therefore \lim_{x\to 2+}\frac{x-2}{|x-2|}=\lim_{x\to 2+}\frac{x-2}{x-2}=1$

따라서 좌극한과 우극한이 다르므로 주어진 극한은 **존재하지 않는다.**

(3) 함수 $y=[x]$의 그래프는 그림과 같으므로

$\lim_{x\to 2-}[x]=1$, $\lim_{x\to 2+}[x]=2$

따라서 좌극한과 우극한이 다르므로 주어진 극한은 **존재하지 않는다.**

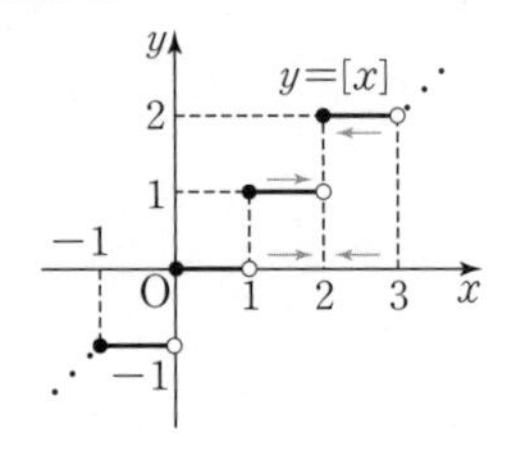

정답과 풀이 **2**쪽

유제 **010** **다음 극한을 조사하여라. (단, $[x]$는 x보다 크지 않은 최대의 정수이다.)**

(1) $\lim_{x\to 0}\frac{1}{x}$　　(2) $\lim_{x\to 0}\frac{|x|}{x}$　　(3) $\lim_{x\to 0}[x]$

풍산자 비법

- $\lim_{x\to a}f(x)=\alpha \Longleftrightarrow x$가 a에 한없이 가까워질 때, $f(x)$는 α에 한없이 가까워진다.
- 함수의 수렴과 발산은 그래프를 떠올리면 명쾌하게 이해할 수 있다.
- $x=a$에서 함수 $f(x)$의 극한이 존재하려면 좌극한과 우극한이 모두 존재하고, 그 값이 서로 같아야 한다.

$\lim_{x\to a}f(x)=\alpha \Longleftrightarrow \lim_{x\to a-}f(x)=\lim_{x\to a+}f(x)=\alpha$

05 | 함수의 극한의 성질

두 함수의 극한값을 알면 그 함수들을 짬뽕한 함수의 극한값도 구할 수 있다.

함수의 극한에 관한 성질

$\lim_{x\to a} f(x)=\alpha$, $\lim_{x\to a} g(x)=\beta$ (α, β는 실수)일 때

(1) $\lim_{x\to a} kf(x)=k\lim_{x\to a} f(x)=k\alpha$ (단, k는 상수)

(2) $\lim_{x\to a}\{f(x)\pm g(x)\}=\lim_{x\to a} f(x)\pm\lim_{x\to a} g(x)=\alpha\pm\beta$ (복부호 동순)

(3) $\lim_{x\to a} f(x)g(x)=\lim_{x\to a} f(x)\cdot\lim_{x\to a} g(x)=\alpha\beta$

(4) $\lim_{x\to a}\dfrac{f(x)}{g(x)}=\dfrac{\lim_{x\to a} f(x)}{\lim_{x\to a} g(x)}=\dfrac{\alpha}{\beta}$ (단, $g(x)\neq 0$, $\beta\neq 0$)

위 성질은 $x\to a+$, $x\to a-$, $x\to\infty$, $x\to-\infty$일 때에도 성립한다.

| 개념확인 | $\lim_{x\to 0} f(x)=2$, $\lim_{x\to 0} g(x)=-1$일 때, 다음 극한값을 구하여라.

(1) $\lim_{x\to 0}\{f(x)+g(x)\}$ (2) $\lim_{x\to 0}\{2f(x)-3g(x)\}$ (3) $\lim_{x\to 0}\dfrac{f(x)}{g(x)}$

> 풀이

(1) $\lim_{x\to 0}\{f(x)+g(x)\}=\lim_{x\to 0} f(x)+\lim_{x\to 0} g(x)=2+(-1)=\mathbf{1}$

(2) $\lim_{x\to 0}\{2f(x)-3g(x)\}=\lim_{x\to 0} 2f(x)-\lim_{x\to 0} 3g(x)=2\lim_{x\to 0} f(x)-3\lim_{x\to 0} g(x)$
$=2\cdot 2-3\cdot(-1)=4+3=\mathbf{7}$

(3) $\lim_{x\to 0}\dfrac{f(x)}{g(x)}=\dfrac{\lim_{x\to 0} f(x)}{\lim_{x\to 0} g(x)}=\dfrac{2}{-1}=\mathbf{-2}$

| 참고 | 함수의 극한에 관한 성질에서 자주 나오는 거짓 명제를 소개한다. 참으로 착각하면 불행한 결과를 낳는다.

- $\lim_{x\to a}\{f(x)+g(x)\}$가 수렴하면 $\lim_{x\to a} f(x)$, $\lim_{x\to a} g(x)$는 각각 수렴한다. (거짓)
  ➡ (반례) $f(x)=\begin{cases}-1 & (x\geq 0)\\ 1 & (x<0)\end{cases}$, $g(x)=\begin{cases}1 & (x\geq 0)\\ -1 & (x<0)\end{cases}$이고 $x\to 0$일 때
- $\lim_{x\to\infty} f(x)$, $\lim_{x\to\infty}\{f(x)g(x)\}$가 각각 수렴하면 $\lim_{x\to\infty} g(x)$도 수렴한다. (거짓)
  ➡ (반례) $f(x)=\dfrac{1}{x^2}$, $g(x)=x$
- $\lim_{x\to 0} f(x)=\infty$, $\lim_{x\to 0} g(x)=\infty$이면 $\lim_{x\to 0}\dfrac{f(x)}{g(x)}=1$이다. (거짓)
  ➡ (반례) $f(x)=\dfrac{1}{x^2}$, $g(x)=\dfrac{1}{x^4}$
- $\lim_{x\to\infty} f(x)=0$, $\lim_{x\to\infty} g(x)=\infty$이면 $\lim_{x\to\infty} f(x)g(x)=0$이다. (거짓)
  ➡ (반례) $f(x)=\dfrac{1}{x}$, $g(x)=x^2$
- $\lim_{x\to a}\{f(x)-g(x)\}=0$이면 $\lim_{x\to a} f(x)=\lim_{x\to a} g(x)$이다. (거짓)
  ➡ (반례) $f(x)=g(x)=\begin{cases}-1 & (x\leq 0)\\ 1 & (x>0)\end{cases}$이고 $x\to 0$일 때
- $\lim_{x\to a} f(x)$와 $\lim_{x\to a}\dfrac{f(x)}{g(x)}$의 값이 존재하면 $\lim_{x\to a} g(x)$의 값도 존재한다. (거짓)
  ➡ (반례) $f(x)=\dfrac{a}{x+a}$, $g(x)=\dfrac{a}{x-a}$ (단, $a\neq 0$)

011 두 함수 $f(x)$, $g(x)$에 대하여 $\lim_{x\to a} f(x)=5$, $\lim_{x\to a}\{2f(x)-3g(x)\}=4$일 때, $\lim_{x\to a}\{f(x)+g(x)\}$의 값을 구하여라.

풍산자曰 주어진 함수 $2f(x)-3g(x)$를 $h(x)$로 놓고 $g(x)$를 $f(x)$와 $h(x)$로 나타낸다.
➡ 두 함수 $f(x)$, $h(x)$가 각각 수렴하므로 $g(x)$도 수렴한다.

> **풀이** $2f(x)-3g(x)=h(x)$로 놓으면

$\lim_{x\to a} h(x)=4$이고 $g(x)=\frac{2f(x)-h(x)}{3}$이므로

$$\begin{aligned}\lim_{x\to a} g(x)&=\lim_{x\to a}\frac{2f(x)-h(x)}{3}\\&=\frac{2\lim_{x\to a}f(x)-\lim_{x\to a}h(x)}{3}\\&=\frac{2\cdot5-4}{3}\\&=2\end{aligned}$$

$\therefore \lim_{x\to a}\{f(x)+g(x)\}=5+2=\mathbf{7}$

> **다른 풀이** 함수 $g(x)$가 수렴한다는 조건은 없지만 $\lim_{x\to a} f(x)$, $\lim_{x\to a}\{f(x)+g(x)\}$가 수렴하면 $\lim_{x\to a} g(x)$도 수렴하므로 극한의 기본 성질을 이용하여 풀 수도 있다.

$$\begin{aligned}\lim_{x\to a}\{2f(x)-3g(x)\}&=2\lim_{x\to a}f(x)-3\lim_{x\to a}g(x)\\&=2\cdot5-3\lim_{x\to a}g(x)=4\end{aligned}$$

$\therefore \lim_{x\to a} g(x)=2$

$\therefore \lim_{x\to a}\{g(x)+f(x)\}=2+5=7$

> **참고** $\lim_{x\to a} f(x)=\alpha$, $\lim_{x\to a}\{f(x)+g(x)\}=\beta$ (α, β는 실수)일 때, $f(x)+g(x)=h(x)$라 하면

$g(x)=h(x)-f(x)$

$$\begin{aligned}\therefore \lim_{x\to a} g(x)&=\lim_{x\to a}\{h(x)-f(x)\}\\&=\lim_{x\to a}h(x)-\lim_{x\to a}f(x)\\&=\beta-\alpha\ (\text{수렴})\end{aligned}$$

정답과 풀이 3쪽

유제 **012** 두 함수 $f(x)$, $g(x)$에 대하여 $\lim_{x\to 3}\{2f(x)+g(x)\}=10$, $\lim_{x\to 3} g(x)=2$일 때, $\lim_{x\to 3}\frac{f(x)}{g(x)}$의 값을 구하여라.

013 **함수의 극한에 대하여 옳은 것만을 〈보기〉에서 있는 대로 골라라.**

보기

ㄱ. $\lim_{x \to a}\{f(x)-g(x)\}$와 $\lim_{x \to a} f(x)$의 값이 존재하면 $\lim_{x \to a} g(x)$의 값도 존재한다.

ㄴ. $\lim_{x \to \infty} f(x)=0$, $\lim_{x \to \infty} g(x)=\infty$이면 $\lim_{x \to \infty} f(x)g(x)=0$이다.

ㄷ. $\lim_{x \to a} f(x)$와 $\lim_{x \to a} f(x)g(x)$의 값이 각각 존재하면 $\lim_{x \to a} g(x)$의 값도 존재한다.

풍산자日 합답형 문제를 풀 때에는 함수의 극한에 관한 성질 중 어떤 성질과 관련되었는지 파악한 후 극한에 사용된 함수를 한 덩어리로 보아 참이 될 수 있는지 유도해 본다.
참으로 유도해내기 어렵다면 반례를 찾아본다.

> 풀이 ㄱ. $\lim_{x \to a} \{f(x)-g(x)\}=p$, $\lim_{x \to a} f(x)=q$라 하면

$\lim_{x \to a} g(x)=\lim_{x \to a}[f(x)-\{f(x)-g(x)\}]=\lim_{x \to a} f(x)-\lim_{x \to a}\{f(x)-g(x)\}=q-p$

$\therefore \lim_{x \to a} g(x)$의 값이 존재한다. (참)

ㄴ. (반례) $f(x)=\dfrac{1}{x}$, $g(x)=x^2$일 때, $\lim_{x \to \infty} f(x)=0$, $\lim_{x \to \infty} g(x)=\infty$이지만

$\lim_{x \to \infty} f(x)g(x)=\infty$이다. (거짓)

ㄷ. (반례) $f(x)=0$, $g(x)=\begin{cases} 1 & (x \geq 0) \\ -1 & (x<0) \end{cases}$이면 $f(x)g(x)=0$이므로

$\lim_{x \to 0} f(x)=0$, $\lim_{x \to 0} f(x)g(x)=0$이지만 $\lim_{x \to 0} g(x)$의 값은 존재하지 않는다. (거짓)

따라서 보기 중 옳은 것은 ㄱ이다.

정답과 풀이 **3**쪽

유제 **014** **함수의 극한에 대하여 옳은 것만을 〈보기〉에서 있는 대로 골라라.**

보기

ㄱ. $\lim_{x \to a} f(x)$와 $\lim_{x \to a} \dfrac{f(x)}{g(x)}$의 값이 존재하면 $\lim_{x \to a} g(x)$의 값도 존재한다. (단, $g(x) \neq 0$)

ㄴ. $\lim_{x \to a} g(x)$와 $\lim_{x \to a} \dfrac{f(x)}{g(x)}$의 값이 존재하면 $\lim_{x \to a} f(x)$의 값도 존재한다. (단, $g(x) \neq 0$)

ㄷ. $\lim_{x \to a} f(x)g(x)=0$이면 $\lim_{x \to a} f(x)=0$ 또는 $\lim_{x \to a} g(x)=0$이다.

풍산자 비법

- 함수의 극한에 대한 성질은 수렴하는 경우에만 성립한다.
- 수렴하는 함수끼리는 더해도, 빼도, 곱해도, 나눠도 (분모$\neq 0$)수렴한다.

필수 확인 문제

* 더 많은 유형은 **풍산자필수유형 수학Ⅱ** 007쪽

정답과 풀이 3쪽

015

다음 세 극한값의 크기를 비교하여라.

$$A=\lim_{x\to 1}\frac{x^2-4}{x-2}$$

$$B=\lim_{x\to 2}(\sqrt{x^2+5}-x)$$

$$C=\lim_{x\to 9}\frac{x-1}{\sqrt{x}-1}$$

016

함수 $y=f(x)$의 그래프가 다음과 같이 주어질 때, $\lim_{x\to 1} f(x)$가 존재하는 것은?

①
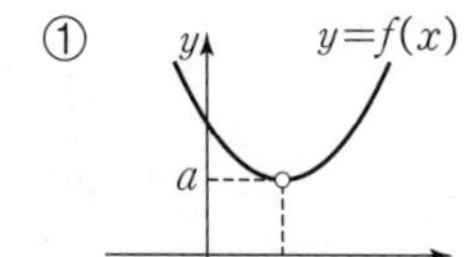

②
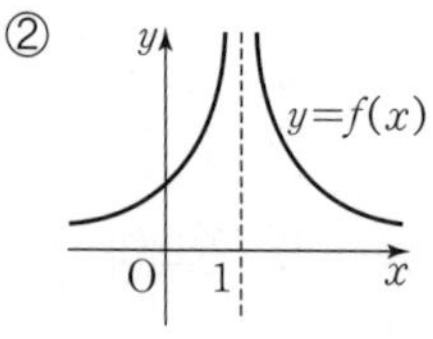

③
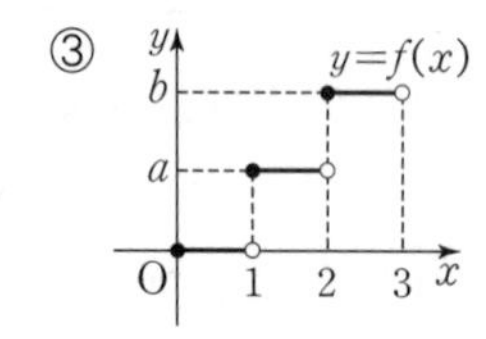

④
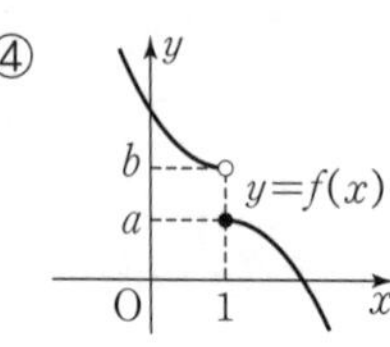

⑤
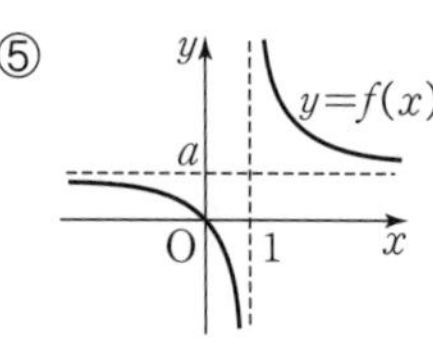

017

다음 세 극한값의 크기를 비교하여라.

$$A=\lim_{x\to 1+}\frac{|x-1|}{x-1}$$

$$B=\lim_{x\to 1-}\frac{|x-1|}{x-1}$$

$$C=\lim_{x\to -1}\frac{|x^2+3x|-2}{x+1}$$

018

두 함수 $f(x)$, $g(x)$에 대하여

$$\lim_{x\to 10} f(x)=3,\ \lim_{x\to 10} g(x)=a$$

일 때, $\lim_{x\to 10}\frac{f(x)+3g(x)}{f(x)g(x)-2}=\frac{1}{2}$이 성립한다. 이때 실수 a의 값을 구하여라.

2 극한값의 계산

01 함수의 극한을 구하는 방법

함수의 극한을 구하는 방법의 기본은 대입이다. 대입해서 탈이 생기면 딴생각을 한다. 대입했는데 0 또는 ∞가 나와서 이들의 곱이나 나눗셈 등으로 주어지면 난감하다.

먼저 분모가 0 또는 ∞인 경우에 대해 살펴보자.

(1) $\frac{1}{\infty}$ 꼴: 분모의 절댓값이 한없이 커지면 0에 가까워지므로 극한은 0이다.

즉, $\frac{1}{+\infty}\left(\doteqdot\frac{1}{10000\cdots}\right)=\frac{1}{-\infty}\left(\doteqdot\frac{1}{-10000\cdots}\right)=0$

(2) $\frac{1}{0}$ 꼴: 분모의 부호에 따라 ∞ 또는 $-\infty$이므로 좌극한, 우극한을 따로 알아본다.

그림은 함수 $y=\frac{1}{x}$의 그래프이다. $x \to 0$을 살펴보자.

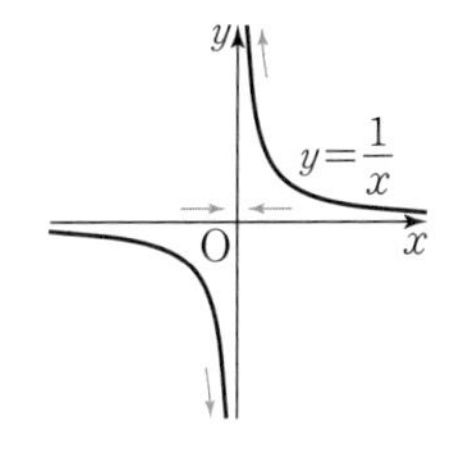

왼쪽에서 접근할 땐 땅끝까지 내려간다. ➡ $\lim_{x\to0-}\frac{1}{x}=-\infty$

오른쪽에서 접근할 땐 하늘 높이 치솟는다. ➡ $\lim_{x\to0+}\frac{1}{x}=\infty$

그러므로 $\lim_{x\to0}\frac{1}{x}$은 없다. ∞도 $-\infty$도 아니다.

즉, $\frac{1}{0-}=-\infty$이고 $\frac{1}{0+}=+\infty$이므로 $\frac{1}{0}$ 꼴의 극한은 없다.

(3) $\frac{0}{0}$꼴, $\frac{\infty}{\infty}$꼴, $\infty-\infty$꼴, $\infty\times0$꼴

$\lim_{x\to0}\frac{x}{x^2}$, $\lim_{x\to0}\frac{x^2}{x^2}$, $\lim_{x\to0}\frac{x^3}{x^2}$은 모두 $\frac{0}{0}$꼴이다. 이때 $x\neq0$이므로 각 함수를 약분하면

$\lim_{x\to0}\frac{1}{x}$, $\lim_{x\to0}1$, $\lim_{x\to0}x$이므로 각각의 극한은 (없음), 1, 0이다.

즉, 경우에 따라 답이 다르게 나와서 하나의 형태로 답을 정할 수가 없다.

$\frac{0}{0}$꼴, $\frac{\infty}{\infty}$꼴, $\infty-\infty$꼴, $\infty\times0$꼴이 이런 유형에 속한다.

그에 따른 풀이법에 대해 공부해 보자.

02 함수의 극한을 구하는 방법: $\frac{0}{0}$꼴

대입해서 탈이 생기는 대표적인 상황은 분모가 0이 되는 상황.
분수식은 인수분해하고, 무리식은 유리화한 후 약분한다.

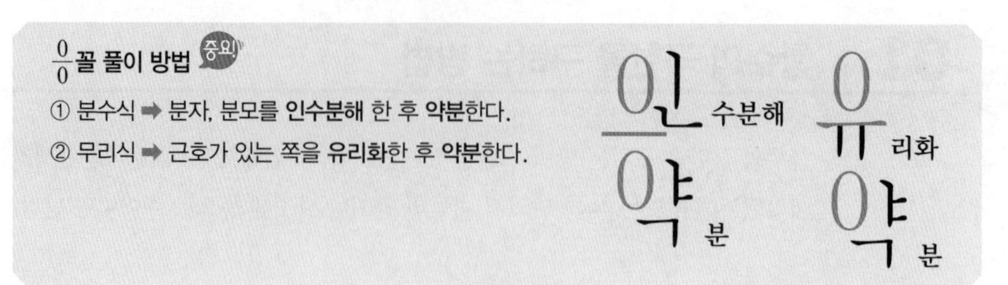

| $\frac{0}{0}$꼴의 극한값의 계산 |

019 다음 극한값을 구하여라.

(1) $\lim_{x\to1}\frac{x-1}{x^2+2x-3}$

(2) $\lim_{x\to1}\frac{x^3-x^2-4x+4}{x^2-1}$

(3) $\lim_{x\to1}\frac{x-1}{\sqrt{x}-1}$

(4) $\lim_{x\to1}\frac{\sqrt{x+3}-2}{x-1}$

풍산자日 (1), (2) $x=1$을 대입하면 $\frac{0}{0}$꼴의 분수식 ➡ 분자, 분모를 인수분해 한 후 약분!

(3), (4) $x=1$을 대입하면 $\frac{0}{0}$꼴의 무리식 ➡ 근호가 있는 쪽을 유리화한 후 약분!

> 풀이

(1) (주어진 식)$=\lim_{x\to1}\frac{x-1}{(x-1)(x+3)}=\lim_{x\to1}\frac{1}{x+3}=\boldsymbol{\frac{1}{4}}$

(2) (주어진 식)$=\lim_{x\to1}\frac{(x-1)(x-2)(x+2)}{(x-1)(x+1)}=\lim_{x\to1}\frac{(x-2)(x+2)}{x+1}=\boldsymbol{-\frac{3}{2}}$

(3) (주어진 식)$=\lim_{x\to1}\frac{(x-1)(\sqrt{x}+1)}{(\sqrt{x}-1)(\sqrt{x}+1)}=\lim_{x\to1}\frac{(x-1)(\sqrt{x}+1)}{(x-1)}$

$=\lim_{x\to1}(\sqrt{x}+1)=\mathbf{2}$

(4) (주어진 식)$=\lim_{x\to1}\frac{(\sqrt{x+3}-2)(\sqrt{x+3}+2)}{(x-1)(\sqrt{x+3}+2)}=\lim_{x\to1}\frac{x-1}{(x-1)(\sqrt{x+3}+2)}$

$=\lim_{x\to1}\frac{1}{\sqrt{x+3}+2}=\boldsymbol{\frac{1}{4}}$

정답과 풀이 **4**쪽

유제 **020** 다음 극한값을 구하여라.

(1) $\lim_{x\to2}\frac{x^2-4}{x-2}$

(2) $\lim_{x\to1}\frac{x^2-1}{x^3-x^2-2x+2}$

(3) $\lim_{x\to4}\frac{x-4}{\sqrt{x}-2}$

(4) $\lim_{x\to2}\frac{\sqrt{x+7}-3}{x-2}$

03 함수의 극한을 구하는 방법: $\frac{\infty}{\infty}$ 꼴

$\frac{\infty}{\infty}$ 꼴 풀이 방법

➡ 분모의 최고차항으로 분자, 분모를 나눈다.

| $\frac{\infty}{\infty}$ 꼴의 극한값의 계산 |

021 다음 극한값을 구하여라.

(1) $\lim_{x\to\infty}\frac{5x^2-3x-2}{2x^2+3x+2}$

(2) $\lim_{x\to\infty}\frac{2x+1}{3x^2-2x+1}$

(3) $\lim_{x\to\infty}\frac{3x^3+x+2}{x^2+2}$

(4) $\lim_{x\to\infty}\frac{3x}{\sqrt{x^2+2}-5}$

풍산자曰 $\frac{\infty}{\infty}$ 꼴의 극한 ➡ 분모의 최고차항으로 분모, 분자를 각각 나눈다.

> 풀이

(1) 분모, 분자를 x^2으로 나누면 (주어진 식)$=\lim_{x\to\infty}\frac{5-\frac{3}{x}-\frac{2}{x^2}}{2+\frac{3}{x}+\frac{2}{x^2}}=\mathbf{\frac{5}{2}}$

(2) 분모, 분자를 x^2으로 나누면 (주어진 식)$=\lim_{x\to\infty}\frac{\frac{2}{x}+\frac{1}{x^2}}{3-\frac{2}{x}+\frac{1}{x^2}}=\mathbf{0}$

(3) 분모, 분자를 x^2으로 나누면 (주어진 식)$=\lim_{x\to\infty}\frac{3x+\frac{1}{x}+\frac{2}{x^2}}{1+\frac{2}{x^2}}=\infty$

(4) 분모, 분자를 $\sqrt{x^2}$, 즉 x로 나누면 (주어진 식)$=\lim_{x\to\infty}\frac{3}{\sqrt{1+\frac{2}{x^2}}-\frac{5}{x}}=\mathbf{3}$

> 참고

사실 $\frac{\infty}{\infty}$ 꼴의 분수식의 극한을 분모의 최고차항으로 나누어 푸는 건 종이와 시간의 엄청난 낭비. 다음과 같이 분자, 분모의 차수와 최고차항의 계수만 관찰하면 된다.

① (분모의 차수)=(분자의 차수) ➡ 극한값은 $\frac{(\text{분자의 최고차항의 계수})}{(\text{분모의 최고차항의 계수})}$ 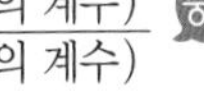

② (분모의 차수)$>$(분자의 차수) ➡ 극한값은 0

③ (분모의 차수)$<$(분자의 차수) ➡ ∞ 또는 $-\infty$로 발산한다.

정답과 풀이 4쪽

유제 **022** 다음 극한값을 구하여라.

(1) $\lim_{x\to\infty}\frac{6x^3+2x}{3x^3-4x^2+5x}$

(2) $\lim_{x\to\infty}\frac{3x-5}{4x^2-2x+1}$

(3) $\lim_{x\to\infty}\frac{2x^3-5x+3}{x^2+1}$

(4) $\lim_{x\to\infty}\frac{\sqrt{x^2+3}-3}{x+1}$

04 | 함수의 극한을 구하는 방법: $\infty-\infty$꼴, $\infty\times0$꼴

이제 $\infty-\infty$꼴, $\infty\times0$꼴만 하면 끝. 그리 복잡하지 않다.

(1) $\infty-\infty$꼴

① 다항식인 경우 ➡ 최고차항으로 묶는다.

② 무리식인 경우 ➡ 유리화한다.

(2) $\infty\times0$꼴 : 통분 또는 유리화하여 $\frac{0}{0}$꼴로 변형한다.

| $\infty-\infty$꼴의 극한값의 계산 |

023 다음 극한값을 구하여라.

(1) $\lim_{x\to\infty}(x^3-2x^2+4)$

(2) $\lim_{x\to\infty}(\sqrt{x^2+3x}-x)$

풍산자曰 (1) $\infty-\infty$ 꼴의 다항식 ➡ 최고차항으로 묶는다.

(2) $\infty-\infty$ 꼴의 무리식 ➡ 유리화한다.

> 풀이

(1) (주어진 식) $=\lim_{x\to\infty}x^3\left(1-\frac{2}{x}+\frac{4}{x^3}\right)=\infty\cdot1=\infty$

(2) (주어진 식) $=\lim_{x\to\infty}\frac{(\sqrt{x^2+3x}-x)(\sqrt{x^2+3x}+x)}{\sqrt{x^2+3x}+x}$

$=\lim_{x\to\infty}\frac{3x}{\sqrt{x^2+3x}+x}$

$=\lim_{x\to\infty}\frac{3}{\sqrt{1+\frac{3}{x}}+1}=\frac{3}{2}$

정답과 풀이 4쪽

유제 **024** 다음 극한값을 구하여라.

(1) $\lim_{x\to\infty}(x^4-3x-2)$

(2) $\lim_{x\to\infty}(\sqrt{x^2+x}-x)$

025 다음 극한값을 구하여라.

(1) $\lim_{x\to 0}\frac{1}{x}\left(\frac{1}{2+x}-\frac{1}{2}\right)$　　(2) $\lim_{x\to 0}\frac{1}{x}\left(\frac{1}{\sqrt{x+1}}-1\right)$

풍산자팁 $\infty\times 0$ 꼴의 극한은 괄호 안을 통분하여 $\frac{0}{0}$꼴로 생각하면 된다.

> 풀이 (1) $(\text{주어진 식})=\lim_{x\to 0}\left\{\frac{1}{x}\cdot\frac{-x}{2(2+x)}\right\}=\lim_{x\to 0}\frac{-1}{2(2+x)}=-\mathbf{\frac{1}{4}}$

(2) $(\text{주어진 식})=\lim_{x\to 0}\left(\frac{1}{x}\cdot\frac{1-\sqrt{x+1}}{\sqrt{x+1}}\right)=\lim_{x\to 0}\frac{(1-\sqrt{x+1})(1+\sqrt{x+1})}{x\sqrt{x+1}(1+\sqrt{x+1})}$

$=\lim_{x\to 0}\frac{-1}{\sqrt{x+1}(1+\sqrt{x+1})}=-\mathbf{\frac{1}{2}}$

정답과 풀이 5쪽

유제 **026** 다음 극한값을 구하여라.

(1) $\lim_{x\to 0}\frac{1}{x}\left(\frac{1}{x+1}-1\right)$　　(2) $\lim_{x\to 0}\frac{1}{x}\left(\frac{1}{\sqrt{x+2}}-\frac{1}{\sqrt{2}}\right)$

027 $\lim_{x\to-\infty}\frac{3x}{\sqrt{x^2+2}-5}$의 값을 구하여라.

풍산자팁 $x\to-\infty$일 때의 극한 ➡ $x=-t$로 치환하면 익숙한 $t\to\infty$일 때의 극한 문제가 된다.

> 풀이 $x=-t$로 놓으면 $x\to-\infty$일 때, $t\to\infty$이므로

$(\text{주어진 식})=\lim_{t\to\infty}\frac{-3t}{\sqrt{t^2+2}-5}=\lim_{t\to\infty}\frac{-3}{\sqrt{1+\frac{2}{t^2}}-\frac{5}{t}}=\mathbf{-3}$

정답과 풀이 5쪽

유제 **028** 다음 극한값을 구하여라.

(1) $\lim_{x\to-\infty}\frac{x}{\sqrt{x^2+1}+1}$　　(2) $\lim_{x\to-\infty}(\sqrt{x^2-x}+x)$

풍산자 비법

- $\frac{0}{0}$꼴 ➔ 인수분해 또는 유리화하여 약분한다.
- $\frac{\infty}{\infty}$꼴 ➔ 분모, 분자의 최고차항을 비교하여 차수가 같으면 계수의 비가 극한값이다.

필수 확인 문제

* 더 많은 유형은 **풍산자필수유형 수학Ⅱ** 007쪽

정답과 풀이 5쪽

029

다음 극한값을 구하여라.

(1) $\lim_{x\to-2}\frac{x^3-3x+2}{x^2+3x+2}$

(2) $\lim_{x\to2}\frac{\sqrt{x^2-3}-1}{x-2}$

030

다음 극한값을 구하여라.

(1) $\lim_{x\to\infty}\frac{(-5x-1)(6x-1)}{(2x+1)(3x+1)}$

(2) $\lim_{x\to\infty}\frac{3x+1}{\sqrt{3x^2+x+1}-1}$

031

다음 극한값을 구하여라.

(1) $\lim_{x\to\infty}(2x^6+3x^3-4)$

(2) $\lim_{x\to\infty}\sqrt{x}(\sqrt{x+1}-\sqrt{x})$

032

다음 극한값을 구하여라.

(1) $\lim_{x\to-4}\frac{1}{x+4}\left\{\frac{1}{(x+3)^2}-1\right\}$

(2) $\lim_{x\to0}\frac{4}{x}\left(\frac{1}{\sqrt{x+4}}-\frac{1}{2}\right)$

033

다음 극한값을 구하여라.

(1) $\lim_{x\to-\infty}\frac{\sqrt{x^2+2019}-2019}{2019x+2019}$

(2) $\lim_{x\to-\infty}(\sqrt{x^2-2x}-\sqrt{x^2+2x})$

3 함수의 극한의 활용

01 분수식의 극한에서의 미정계수

이제까지는 함수가 주어지면 극한값을 구했다. 반대로 함수의 수렴 여부 및 극한값에 따라 함수의 형태를 추측할 수 있다.

(1) 분수식의 극한에서 분모 또는 분자가 0으로 갈 때 중요!

① 분모가 0으로 가면, 분자도 0으로 가야 수렴한다.

$\lim_{x \to a} \frac{f(x)}{g(x)} = \alpha$일 때, $\lim_{x \to a} g(x) = 0$이면 $\lim_{x \to a} f(x) = 0$ (단, α는 상수)

② 분자가 0으로 가면, 분모도 0으로 가야 0이 아닌 값에 수렴한다.

$\lim_{x \to a} \frac{f(x)}{g(x)} = \alpha$일 때, $\lim_{x \to a} f(x) = 0$이면 $\lim_{x \to a} g(x) = 0$ (단, α는 0이 아닌 상수)

(2) 분수식의 극한에서 분모 또는 분자가 ∞로 갈 때

분자, 분모의 차수가 같을 때만 0이 아닌 값에 수렴한다.

| 미정계수의 결정: 분모가 0으로 가는 경우 |

034 $\lim_{x \to 2} \frac{a\sqrt{x-1}+b}{x-2} = 1$이 성립하도록 상수 a, b의 값을 정하여라.

풍산자日 극한값이 존재하고, $x \to 2$일 때 (분모) $\to 0$이므로 (분자) $\to 0$이어야 한다.

> 풀이 $\lim_{x \to 2}(x-2) = 0$이므로 $\lim_{x \to 2}(a\sqrt{x-1}+b) = 0$에서 $a+b=0$ $\quad \therefore b=-a$

$$\therefore (\text{주어진 식}) = \lim_{x \to 2} \frac{a\sqrt{x-1}-a}{x-2} = \lim_{x \to 2} \frac{a(\sqrt{x-1}-1)(\sqrt{x-1}+1)}{(x-2)(\sqrt{x-1}+1)}$$

$$= \lim_{x \to 2} \frac{a(x-2)}{(x-2)(\sqrt{x-1}+1)} = \lim_{x \to 2} \frac{a}{\sqrt{x-1}+1} = \frac{a}{2} = 1$$

$\therefore$ $\boldsymbol{a=2,\ b=-2}$

정답과 풀이 6쪽

유제 035 $\lim_{x \to 1} \frac{x^2+ax+b}{x-1} = 2$가 성립하도록 상수 a, b의 값을 정하여라.

036 $\lim_{x \to 2} \frac{x-2}{x^2+ax+b}=1$이 성립하도록 상수 a, b의 값을 정하여라.

풍산자日 0이 아닌 극한값이 존재하고, $x \to 2$일 때 (분자) $\to$ 0이므로 (분모) $\to$ 0이어야 한다.

> 풀이 $\lim_{x \to 2}(x-2)=0$이므로 $\lim_{x \to 2}(x^2+ax+b)=0$

$4+2a+b=0 \quad \therefore b=-2a-4$

$\therefore$ (주어진 식)$=\lim_{x \to 2} \frac{x-2}{x^2+ax-2a-4}=\lim_{x \to 2} \frac{x-2}{(x-2)(x+a+2)}$

$=\lim_{x \to 2} \frac{1}{x+a+2}=\frac{1}{a+4}=1$

$\therefore$ $\boldsymbol{a=-3,\ b=2}$

정답과 풀이 **6**쪽

유제 **037** $\lim_{x \to 1} \frac{x-1}{a\sqrt{x}-b}=\frac{1}{2}$이 성립하도록 상수 a, b의 값을 정하여라.

038 $\lim_{x \to \infty} \frac{f(x)}{2x^2+x+1}=1$, $\lim_{x \to 1} \frac{f(x)}{x-1}=4$를 만족시키는 다항식 $f(x)$를 구하여라.

풍산자日 $\frac{\infty}{\infty}$ 꼴과 $\frac{0}{0}$ 꼴의 조건이 동시에 주어질 때 ➡ 먼저 $\frac{\infty}{\infty}$ 꼴의 조건을 이용한다.

> 풀이 [1단계] $\frac{\infty}{\infty}$ 꼴의 극한값 조건을 이용한다.

$\lim_{x \to \infty} \frac{f(x)}{2x^2+x+1}=1$이려면 $f(x)$는 이차항의 계수가 2인 이차식이어야 하므로

$f(x)=2x^2+bx+c$로 놓을 수 있다. (b, c는 상수)

[2단계] $\frac{0}{0}$ 꼴의 극한값 조건을 이용한다.

$\lim_{x \to 1} \frac{f(x)}{x-1}=4$에서 $x \to 1$일 때, (분모) $\to$ 0이므로 (분자) $\to$ 0이어야 한다.

즉, $\lim_{x \to 1}(2x^2+bx+c)=0$이어야 하므로 $2+b+c=0$

$\therefore c=-2-b$

$\therefore \lim_{x \to 1} \frac{f(x)}{x-1}=\lim_{x \to 1} \frac{2x^2+bx-2-b}{x-1}=\lim_{x \to 1} \frac{(x-1)(2x+2+b)}{x-1}$

$=\lim_{x \to 1}(2x+2+b)=4+b=4$

$\therefore b=0,\ c=-2$

$\therefore$ $\boldsymbol{f(x)=2x^2-2}$

정답과 풀이 **6**쪽

유제 **039** $\lim_{x \to \infty} \frac{f(x)}{3x^2-x+1}=1$, $\lim_{x \to 2} \frac{f(x)}{x-2}=3$을 만족시키는 다항식 $f(x)$를 구하여라.

02 함수의 극한의 대소 관계

함수의 대소 관계가 함수의 극한에서도 성립할까? 결론부터 말하자면 그렇다!

(1) **극한과 부등식**

a에 가까운 모든 x의 값에 대하여 $f(x) \le g(x)$이고

$\lim_{x \to a} f(x) = \alpha$, $\lim_{x \to a} g(x) = \beta$이면 $\alpha \le \beta$

(2) **샌드위치 정리**

a에 가까운 모든 x의 값에 대하여 $f(x) \le g(x) \le h(x)$이고

$\lim_{x \to a} f(x) = \lim_{x \to a} h(x) = \alpha$이면 $\lim_{x \to a} g(x) = \alpha$

| 설명 | 위의 대소 관계는 $x \to a-$, $x \to a+$, $x \to \infty$, $x \to -\infty$일 때에도 성립한다.
샌드위치 정리는 같은 값으로 수렴하는 두 함수 사이에 있는 모든 함수 역시 그 값으로 수렴한다는 성질. 두 함수 사이에 끼워져 있다고 해서 샌드위치 정리라 한다. 샌드위치 정리를 이용하면 부등식의 꼴로 주어진 함수의 극한값을 계산할 수 있다.
하나 더! $f(x) < g(x)$일 때에도 $\lim_{x \to a} f(x) = \alpha$, $\lim_{x \to a} g(x) = \beta$이면 $\alpha \le \beta$이다.
함숫값이 크면 보통 함수의 극한값도 크지만, 때로 같은 경우가 있다. 즉, 주어진 부등식의 각 변에 lim를 취하면 등호가 생겨난다.

| 함수의 극한과 대소 관계 |

040 **모든 실수 x에 대하여 함수 $f(x)$가 $\frac{3x^2+1}{x^2+2} < f(x) < \frac{3x^2+2}{x^2+1}$를 만족시킬 때, $\lim_{x \to \infty} f(x)$의 값을 구하여라.**

풍산자日 부등호가 2개인 부등식이다. 이럴 땐 샌드위치 정리를 먼저 떠올린다.

> 풀이 $\frac{3x^2+1}{x^2+2} < f(x) < \frac{3x^2+2}{x^2+1}$에서 $\lim_{x \to \infty} \frac{3x^2+1}{x^2+2} = \lim_{x \to \infty} \frac{3x^2+2}{x^2+1} = 3$이므로
함수의 극한의 대소 관계에 의하여 $\lim_{x \to \infty} f(x) = \mathbf{3}$

정답과 풀이 **7**쪽

유제 **041** **모든 실수 x에 대하여 함수 $f(x)$가 $\frac{x-1}{2x^2+1} < f(x) < \frac{x+1}{2x^2+1}$을 만족시킬 때, $\lim_{x \to \infty} f(x)$의 값을 구하여라.**

풍산자 비법

- 분수식이 (0이 아닌 값에) 수렴할 때, 분모(분자)가 0으로 가면 분자(분모)도 0으로 가야 한다.
- 분수식이 0이 아닌 값에 수렴할 때, 분모, 분자가 모두 ∞로 가면 분자와 분모의 차수는 서로 같다.
- $f(x) \le g(x) \le h(x)$, $\lim_{x \to a} f(x) = \lim_{x \to a} h(x) = \alpha$이면 $\lim_{x \to a} g(x) = \alpha$

필수 확인 문제

* 더 많은 유형은 **풍산자필수유형 수학 Ⅱ** 010쪽

정답과 풀이 7쪽

042

$\lim_{x \to 2} \frac{x^2-(a+2)x+2a}{x^2-b}=3$이 성립하도록 하는 상수 a, b에 대하여 $a+b$의 값을 구하여라.

043

$\lim_{x \to 1} \frac{\sqrt{2x+a}-\sqrt{x+3}}{x^2-1}=b$가 성립하도록 하는 상수 a, b에 대하여 ab의 값을 구하여라.

044

$\lim_{x \to \infty} \frac{ax^3+bx^2+2x+3}{2x^2-3x+4}=5$일 때, 상수 a, b의 합 $a+b$의 값을 구하여라.

045

함수 $f(x)=x^2+ax+b$에 대하여

$\lim_{x \to 1} \frac{f(x)}{x-1}=3$이 성립할 때, $f(2)$의 값을 구하여라.(단, a, b는 상수)

046

x에 대한 다항식 $f(x)$가

$$\lim_{x \to \infty} \frac{2x^2-3x+4}{f(x)}=3,\ \lim_{x \to 2} \frac{x^2-3x+2}{f(x)}=\frac{1}{2}$$

을 만족시킬 때, $f(5)$의 값을 구하여라.

047

함수 $f(x)$가 모든 실수 x에 대하여

$$\frac{(3x+3)^3}{x^3+3}<f(x)<\frac{(3x+33)^3}{x^3+3}$$

을 만족할 때, $\lim_{x \to \infty} f(x)$의 값을 구하여라.

중단원 마무리

▶ 함수의 극한

함수의 수렴과 발산	① $\lim_{x \to a} f(x) = \alpha \iff x$가 a에 한없이 가까워질 때, $f(x)$는 α에 한없이 가까워진다. $\iff x$가 a에 한없이 가까워질 때, $f(x)$는 α에 수렴한다. ② 함수 $f(x)$가 수렴하지 않으면 발산이라 한다.
함수의 극한값의 존재 조건	$\lim_{x \to a} f(x) = \alpha \iff \lim_{x \to a-} f(x) = \lim_{x \to a+} f(x) = \alpha$

▶ 극한값의 계산과 미정계수 문제

$\frac{0}{0}$꼴	① 분수식 ➡ 분자, 분모를 인수분해한 후 약분한다. ② 무리식 ➡ 근호가 있는 쪽을 유리화한 후 약분한다.
$\frac{\infty}{\infty}$꼴	① (분모의 차수)=(분자의 차수) ➡ 극한값은 $\frac{(\text{분자의 최고차항의 계수})}{(\text{분모의 최고차항의 계수})}$ ② (분모의 차수)>(분자의 차수) ➡ 극한값은 0 ③ (분모의 차수)<(분자의 차수) ➡ ∞ 또는 $-\infty$로 발산한다.
$\infty - \infty$꼴	① 다항식 ➡ 최고차항으로 묶는다. ② 무리식 ➡ 유리화한다.
$\infty \times 0$꼴	통분 또는 유리화하여 $\frac{0}{0}$ 꼴로 변형한다.
분수식의 극한에서의 미정계수	① 분수식이 수렴할 때, 분모가 0으로 가면 분자도 0으로 가야 한다. ② 분수식이 0이 아닌 값에 수렴할 때, 분자가 0으로 가면 분모도 0으로 가야 한다. ③ 분수식이 0이 아닌 값에 수렴할 때, 분모, 분자가 모두 ∞로 가면 분자와 분모의 차수는 서로 같다.

▶ 함수의 극한의 정리

샌드위치 정리	a에 가까운 모든 x의 값에 대하여 $f(x) \le g(x) \le h(x)$이고 $\lim_{x \to a} f(x) = \lim_{x \to a} h(x) = \alpha$이면 $\lim_{x \to a} g(x) = \alpha$

실전 연습문제

STEP 1

048
$-1 \le x \le 3$에서 정의된 함수 $y=f(x)$의 그래프가 그림과 같을 때, 옳은 것만을 〈보기〉에서 있는 대로 고른 것은?

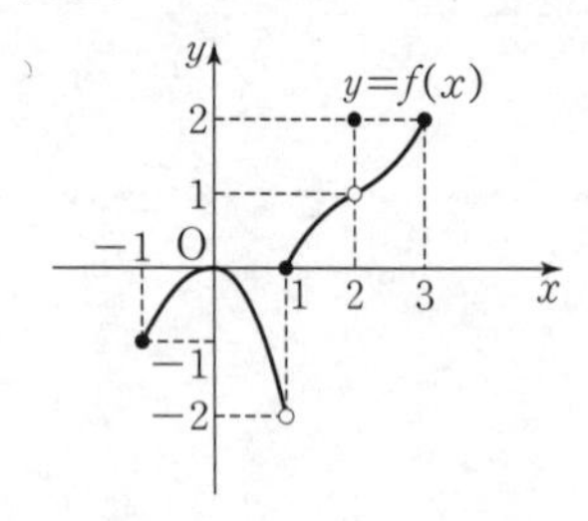

보기

ㄱ. $\lim_{x \to 1} f(x)$가 존재한다.

ㄴ. $\lim_{x \to 2} f(x)=2$

ㄷ. $-1<a<1$인 실수 a에 대하여 $\lim_{x \to a} f(x)$가 존재한다.

① ㄴ ② ㄷ ③ ㄱ, ㄴ
④ ㄴ, ㄷ ⑤ ㄱ, ㄴ, ㄷ

049
다항함수 $f(x)$에 대하여

$$\lim_{x \to 1} \frac{8(x^4-1)}{(x^2-1)f(x)}=1$$

일 때, $f(1)$의 값을 구하여라.

050
서로 다른 두 실수 α, β에 대하여 $\alpha+\beta=1$일 때,

$$\lim_{x \to \infty} \frac{\sqrt{x+\alpha^2}-\sqrt{x+\beta^2}}{\sqrt{4x+\alpha}-\sqrt{4x+\beta}}$$

의 값을 구하여라.

051
$\lim_{x \to 1} \frac{(x-1)(x^2+b)}{\sqrt{x+a}-3}=12$일 때, 상수 a, b의 곱 ab의 값을 구하여라.

052
$\lim_{x \to 0} \frac{1}{x}\left(\frac{x^2+1}{x+1}+a\right)=b$일 때, 상수 a, b의 합 $a+b$의 값을 구하여라.

053

두 다항식 $f(x)$, $g(x)$에 대하여

$$\lim_{x\to\infty}\frac{2x^2-2x+1}{f(x)}=1,\ \lim_{x\to\infty}\frac{g(x)}{3x+1}=1$$

일 때, $\lim_{x\to\infty}\frac{f(x)}{xg(x)}$의 값을 구하여라.

054

실수 전체에서 정의된 함수 $f(x)$가 양수 x에 대하여

$$3x-1\le f(x)\le 3x+2$$

를 만족시킬 때, $\lim_{x\to\infty}\frac{\{f(x)\}^2}{x^2+2}$의 값을 구하여라.

STEP2

055

다음 극한값 중 가장 큰 것은? (단, $[x]$는 x보다 크지 않은 최대의 정수이다.)

① $\lim_{x\to0-}\frac{x}{[x]}$ ② $\lim_{x\to0+}\frac{[x]}{x}$

③ $\lim_{x\to0-}\frac{[x-1]}{x-1}$ ④ $\lim_{x\to0+}\frac{[x-1]}{x-1}$

⑤ $\lim_{x\to0-}\frac{x-2}{[x-2]}$

056

두 함수 $f(x)$, $g(x)$가 $\lim_{x\to1}f(x)=\infty$, $\lim_{x\to1}\{f(x)-3g(x)\}=1$을 만족시킬 때, $\lim_{x\to1}\frac{f(x)-6g(x)}{2f(x)+9g(x)}$의 값을 구하여라.

057

두 함수 $f(x)$와 $g(x)$의 그래프가 그림과 같을 때, 극한값이 존재하는 것만을 〈보기〉에서 있는 대로 고른 것은?

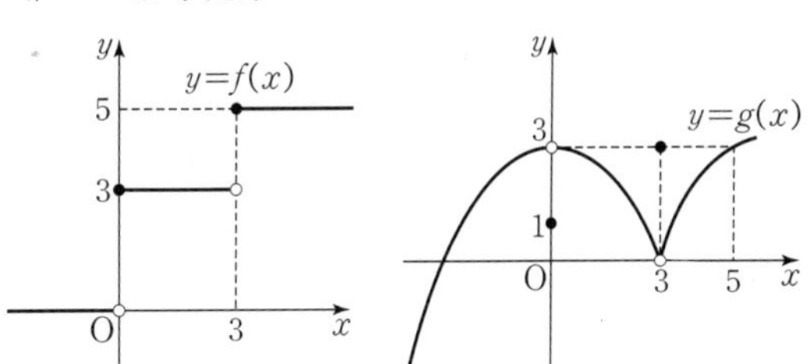

보기

ㄱ. $\lim_{x\to0}f(g(x))$

ㄴ. $\lim_{x\to0}g(f(x))$

ㄷ. $\lim_{x\to3}f(g(x))$

ㄹ. $\lim_{x\to3}g(f(x))$

① ㄱ, ㄴ ② ㄱ, ㄷ ③ ㄱ, ㄹ
④ ㄱ, ㄷ, ㄹ ⑤ ㄴ, ㄷ, ㄹ

2 함수의 연속

함수의 그래프가 끊어지지 않고 연결되어 있으면 연속이라 한다.
수학적으로 정의하면 (극한값)=(함숫값).
쭉 연결된 연속함수의 성질에 대해 알아보자.

1 함수의 연속

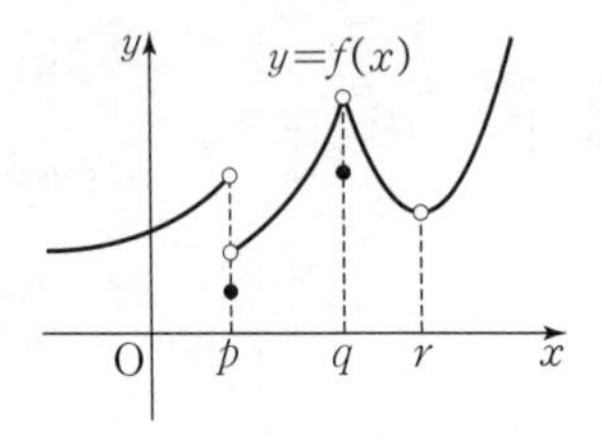

1 함수의 연속

01 함수의 연속

연속이란 이어진 것이고, 불연속이란 끊어진 것이다.

함수가 연속이려면 수학적으로 어떤 조건을 만족해야 하는 것일까.

함수의 연속과 불연속 중요!

(1) 함수 $f(x)$가 다음 세 가지 조건을 모두 만족시키면 $x=a$에서 **연속**이라 한다.

(i) $f(a)$의 값이 존재하고 ⬅ 함숫값이 존재한다.

(ii) $\lim_{x \to a} f(x)$의 값이 존재하고 ⬅ 극한값이 존재한다.

(iii) $\lim_{x \to a} f(x)=f(a)$ ⬅ (극한값)=(함숫값)

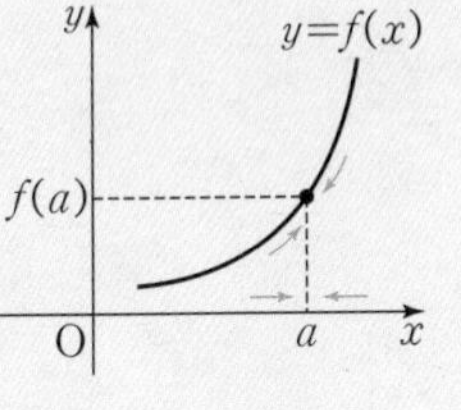

(2) 함수 $f(x)$가 위의 세 가지 조건 중 어느 한 가지라도 만족시키지 않으면 $x=a$에서 **불연속**이라 한다.

| 설명 | 함수가 연속인지 알아보는 가장 좋은 방법은 그래프를 그려 보는 것.

이어지면 연속이고, 끊어지면 불연속이다.

우리가 가지고 노는 함수의 대부분은 연속이다. 불연속이 일어나는 상황은 다음 3가지.

(i) $f(a)$의 값이 존재하지 않는다.

(ii) $\lim_{x \to a} f(x)$의 값이 존재하지 않는다.

(iii) $\lim_{x \to a} f(x) \neq f(a)$

위의 3가지 상황이 왜 불연속을 의미하는가? 3가지 그래프를 분석해 보자.

①

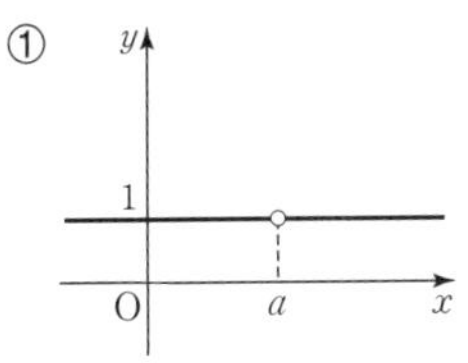

②

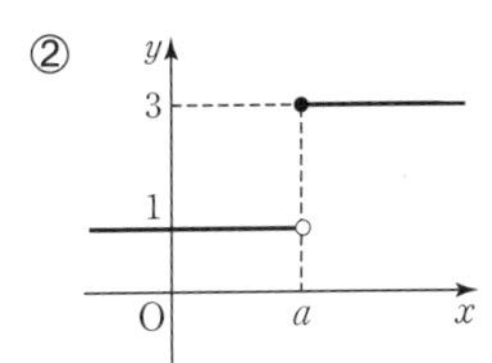

③

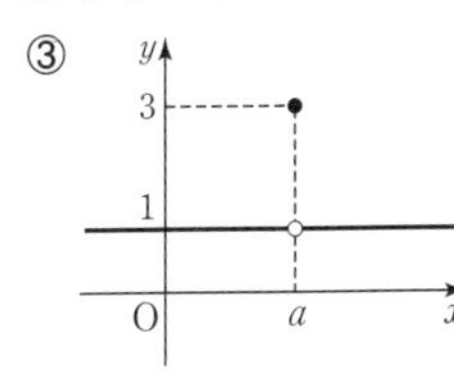

각 그래프가 불연속인 이유는 다음과 같다.

① $x=a$에서 구멍이 났기 때문 ➡ $f(a)$의 값이 존재하지 않는다.

② $x=a$에서 계단 모양을 형성했기 때문 ➡ $\lim_{x \to a} f(x)$의 값이 존재하지 않는다.

③ $x=a$에서 $f(a)$의 값이 엉뚱한 곳에 틀어박혀 있기 때문 ➡ $\lim_{x \to a} f(x) \neq f(a)$

① 연속이려면 구멍이 나면 안 된다.

② 연속이려면 계단 모양을 형성해서는 안 된다.

③ 연속이려면 극한과 똑같은 자리를 함숫값이 쏙 메꿔 줘야 한다.

그래프를 고속도로라고 생각하자. 극한이 존재한다는 건 왼쪽과 오른쪽에서 오는 두 자동차가 꽝하고 충돌하는 것. 그 충돌 지점에 함숫값이라는 접착제가 있어야 비로소 연속이 된다.

058 **다음 함수가 $x=1$에서 연속인지 불연속인지 조사하여라.**

(1) $f(x)=x+1$

(2) $g(x)=\dfrac{x^2-1}{x-1}$

(3) $h(x)=\begin{cases} \dfrac{x^2-1}{x-1} & (x\neq 1) \\ 1 & (x=1) \end{cases}$

풍산자비법 함수 $f(x)$가 $x=1$에서 연속임을 보이려면 $\lim\limits_{x\to1} f(x)=f(1)$ 임을 보이면 된다.

> 풀이 (1) $\lim\limits_{x\to1} f(x)=\lim\limits_{x\to1}(x+1)=2$이고, $f(1)=2$이므로

$\lim\limits_{x\to1} f(x)=f(1)$

따라서 함수 $f(x)$는 $x=1$에서 **연속**이다.

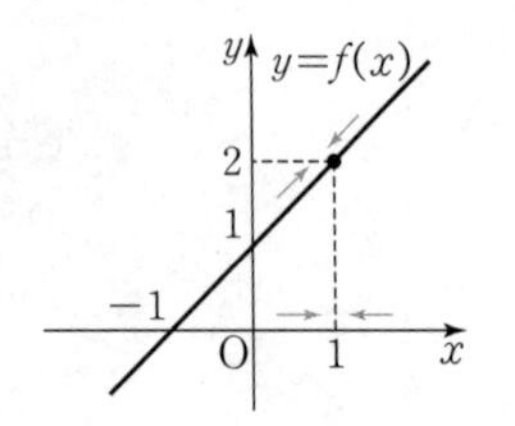

(2) 함숫값 $g(1)$이 정의되지 않으므로 함수 $g(x)$는 $x=1$에서 **불연속**이다.

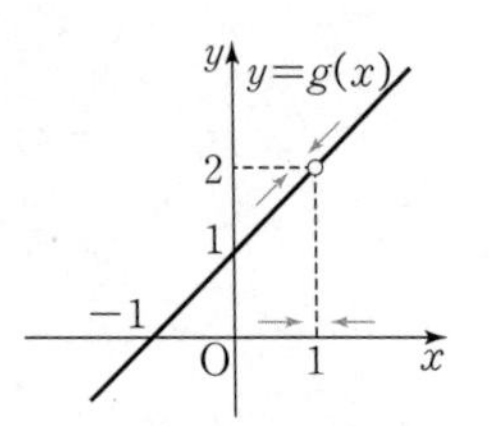

(3) $\lim\limits_{x\to1} h(x)=\lim\limits_{x\to1}\dfrac{x^2-1}{x-1}=\lim\limits_{x\to1}(x+1)=2$이고,

$h(1)=1$이므로

$\lim\limits_{x\to1} h(x)\neq h(1)$

따라서 함수 $h(x)$는 $x=1$에서 **불연속**이다.

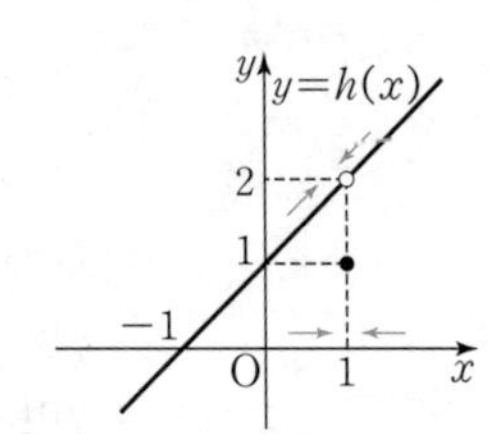

정답과 풀이 **10**쪽

유제 **059** **다음 함수가 $x=3$에서 연속인지 불연속인지 조사하여라.**

(1) $f(x)=\begin{cases} \dfrac{x^2-9}{x-3} & (x\neq 3) \\ 4 & (x=3) \end{cases}$

(2) $g(x)=\begin{cases} \dfrac{x^2-9}{x-3} & (x\neq 3) \\ 6 & (x=3) \end{cases}$

060 함수 $f(x)=\begin{cases} \dfrac{x^2+ax-12}{x-3} & (x\neq 3) \\ b & (x=3) \end{cases}$ 가 모든 실수 x에서 연속이 되도록 상수 a, b의 값을 정하여라.

풍산자日 모든 실수 x에서 연속이려면 $x=3$에서 연속이어야 하므로

$$\lim_{x\to 3} f(x)=f(3) \qquad \therefore \lim_{x\to 3}\frac{x^2+ax-12}{x-3}=b$$

이제 익숙한 극한 문제로 변신했다. $\frac{0}{0}$ 꼴이다. 이 극한 문제를 풀면 된다.

> 풀이

[1단계] 함수 $f(x)$가 모든 실수 x에서 연속이려면 $x=3$에서 연속이어야 하므로

$\lim_{x\to 3} f(x)=f(3)$

$\therefore \lim_{x\to 3}\dfrac{x^2+ax-12}{x-3}=b$ ...... ㉠

[2단계] ㉠이 수렴하고, $x \to 3$일 때 (분모) $\to 0$이므로 (분자)$\to 0$이어야 한다.

$\lim_{x\to 3}(x^2+ax-12)=0$에서 $9+3a-12=0$

$\therefore a=1$ ...... ㉡

[3단계] ㉡을 ㉠에 대입하면

$b=\lim_{x\to 3}\dfrac{x^2+x-12}{x-3}=\lim_{x\to 3}\dfrac{(x-3)(x+4)}{x-3}$

$=\lim_{x\to 3}(x+4)=7$

$\therefore$ **$a=1$, $b=7$**

정답과 풀이 10쪽

유제 **061** 함수 $f(x)=\begin{cases} \dfrac{x^2-x+a}{x+2} & (x\neq -2) \\ b & (x=-2) \end{cases}$ 가 모든 실수 x에서 연속이 되도록 상수 a, b의 값을 정하여라.

풍산자 비법

연속과 불연속을 판단하는 방법 두 가지.

(1) 그래프를 그려 본다.

(2) 연속의 조건을 이용한다.

$f(x)$가 $x=a$에서 연속 $\Longleftrightarrow$ (i) $f(a)$의 값이 존재하고 ← 함숫값이 존재한다.

(ii) $\lim_{x\to a} f(x)$의 값이 존재하고 ← 극한값이 존재한다.

(iii) $\lim_{x\to a} f(x)=f(a)$ ← (극한값)=(함숫값)

02 연속함수

한 점 $x=a$에서 연속인 것을 구간에서 연속인 것으로 확장한다.
먼저 구간을 정의하고 기호로 나타내는 방법을 배운다.

구간

(1) 두 실수 a, $b(a<b)$에 대하여 $[a, b]$를 **닫힌구간**, (a, b)를 **열린구간**, $[a, b)$와 $(a, b]$를 **반닫힌 구간** 또는 **반열린 구간**이라 하고, 다음과 같이 정의한다.

$\{x|a\le x\le b\}$ ➡ $[a, b]$

$\{x|a<x<b\}$ ➡ (a, b)

$\{x|a\le x<b\}$ ➡ $[a, b)$

$\{x|a<x\le b\}$ ➡ $(a, b]$

(2) 다음과 같이 정의된 집합 $(-\infty, a]$, $(-\infty, a)$, $[a, \infty)$, (a, ∞)도 모두 구간이라 한다.

$\{x|x\le a\}$ ➡ $(-\infty, a]$

$\{x|x<a\}$ ➡ $(-\infty, a)$

$\{x|x\ge a\}$ ➡ $[a, \infty)$

$\{x|x>a\}$ ➡ (a, ∞)

(3) 실수 전체의 집합도 하나의 구간으로 보고, 기호로 $(-\infty, \infty)$와 같이 나타낸다.

| 개념확인 | 함수 $f(x)=\sqrt{x-1}$의 정의역을 구간의 기호로 나타내어라.

> 풀이 $x-1\ge 0$에서 정의역은 $\{x|x\ge 1\}$
이것을 기호로 나타내면 $\mathbf{[1, \infty)}$

구간에서의 함수의 연속

함수 $f(x)$가 어떤 구간의 모든 점에서 연속이면 함수 $f(x)$는 그 구간에서 연속 또는 그 구간에서 연속함수라 한다.

| 설명 | 우리가 배운 주요 함수의 연속성을 정리해 보면 다음과 같다.
모두 정의역에서 연속이다.

(1) 다항함수: 일차함수, 이차함수, ⋯ ➡ $(-\infty, \infty)$에서 연속

(2) 유리함수: $y=\dfrac{f(x)}{g(x)}$ ➡ $g(x)=0$인 x에서 불연속 ➡ $g(x)\ne 0$인 x에서 연속

(3) 무리함수: $y=\sqrt{f(x)}$ ➡ $f(x)\ge 0$인 x에서 연속

| 개념확인 | 함수 $f(x)=\dfrac{1}{x-1}$이 연속인 구간을 구하여라.

> 풀이 주어진 함수는 $x-1\ne 0$, 즉 $x\ne 1$인 모든 점에서 연속이다.
이것을 기호로 나타내면 $\mathbf{(-\infty, 1)\cup(1, \infty)}$

03 연속함수의 성질

수렴하는 함수끼리 사칙연산을 한 새로운 함수도 수렴한다.
마찬가지로 연속인 함수끼리 사칙연산을 한 새로운 함수도 연속이다.

연속함수의 성질

두 함수 $f(x)$, $g(x)$가 $x=a$에서 연속이면 다음 함수도 $x=a$에서 연속이다.

(1) $cf(x)$ (단, c는 상수)
(2) $f(x)\pm g(x)$
(3) $f(x)g(x)$
(4) $\dfrac{f(x)}{g(x)}$ (단, $g(x)\neq 0$)

합성함수의 연속

함수 $f(x)$가 $x=a$에서 연속이고 함수 $g(x)$가 $x=f(a)$에서 연속이면 합성함수 $g(f(x))$도 $x=a$에서 연속이다.

| 연속함수의 성질 |

062 실수 전체에서 정의된 두 함수 $f(x)$, $g(x)$에 대하여 옳은 것만을 〈보기〉에서 있는 대로 골라라.

보기

ㄱ. $f(x)$와 $g(x)$가 연속함수이면 $f(g(x))$도 연속함수이다.
ㄴ. $f(x)$와 $f(g(x))$가 연속함수이면 $g(x)$도 연속함수이다.
ㄷ. $f(x)$와 $f(x)g(x)$가 연속함수이면 $g(x)$도 연속함수이다.

풍산자Ti 연속함수의 짬뽕도 연속이다.

> 풀이

ㄱ. 실수 전체에서 연속인 함수의 합성함수는 연속이다. (참)

ㄴ. (반례) $f(x)=|x|$, $g(x)=\begin{cases}-1 & (x<0)\\ 1 & (x\geq 0)\end{cases}$일 때,
$f(g(x))=1$이므로 연속함수이지만 $g(x)$는 $x=0$에서 불연속이다. (거짓)

ㄷ. (반례) $f(x)=0$, $g(x)=\begin{cases}-1 & (x<0)\\ 1 & (x\geq 0)\end{cases}$일 때,
$f(x)g(x)=0$이므로 연속함수이지만 $g(x)$는 $x=0$에서 불연속이다. (거짓)

따라서 옳은 것은 ㄱ이다.

정답과 풀이 10쪽

유제 **063** 실수 전체에서 정의된 두 함수 $f(x)$, $g(x)$가 $x=a$에서 연속일 때, $x=a$에서 항상 연속인 함수만을 〈보기〉에서 있는 대로 골라라.

보기

ㄱ. $g(f(x))$　　ㄴ. $|f(x)|$　　ㄷ. $\dfrac{f(x)}{g(x)}$　　ㄹ. $\{2f(x)-g(x)\}^2$

04 | 최대·최소 정리

두 점을 곡선으로 연결하면 항상 최고 높은 점과 최고 낮은 점이 생긴다. 이 싱거운 소리를 최대·최소 정리라 한다.
매우 당연한 소리다.

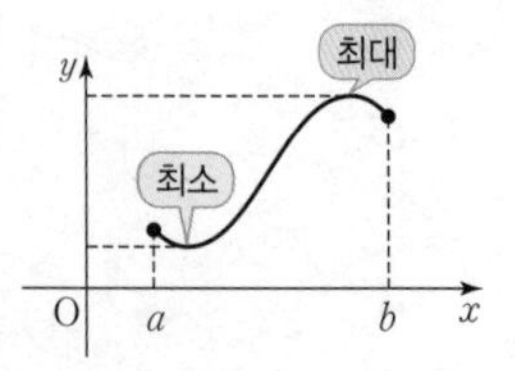

최대·최소 정리
함수 $f(x)$가 닫힌구간 $[a, b]$에서 연속이면 $f(x)$는 이 구간에서 반드시 최댓값과 최솟값을 갖는다.

| 설명 | 최대·최소 정리는 연속함수에 통하는 소리. 그리고 닫힌구간에서 통하는 소리.
연속함수가 아니거나 닫힌구간이 아니면 일반적으로 최대·최소 정리는 성립하지 않는다.
오른쪽 그림의 두 곡선이 이걸 보여 준다.

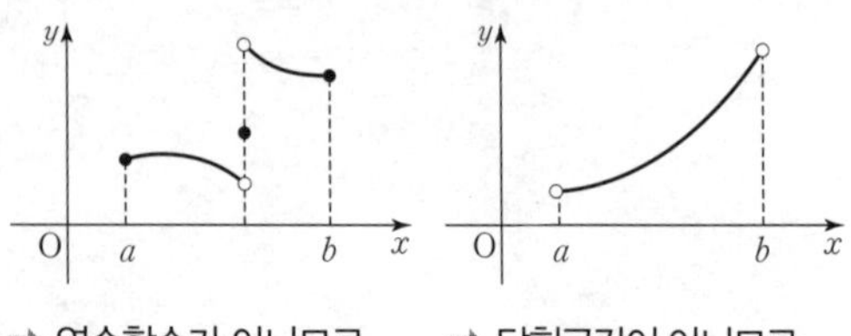

➡ 연속함수가 아니므로 최댓값과 최솟값이 없다.

➡ 닫힌구간이 아니므로 최댓값과 최솟값이 없다.

| 최대·최소 정리 |

064 **함수 $f(x)=x^2-2x-1$에 대하여 다음 구간에서 최댓값과 최솟값을 구하여라.**

(1) $[-1, 2]$　　　(2) $(-1, 2]$

풍산자曰 연속함수가 닫힌구간에서는 반드시 최댓값과 최솟값을 갖지만, 닫힌구간이 아니면 그렇지 않을 수도 있다.

> 풀이 $f(x)=x^2-2x-1=(x-1)^2-2$

(1) $f(x)$는 닫힌구간 $[-1, 2]$에서 연속이고
$f(-1)=2$, $f(1)=-2$, $f(2)=-1$
따라서 $x=-1$일 때 **최댓값 2**, $x=1$일 때 **최솟값 -2**를 갖는다.

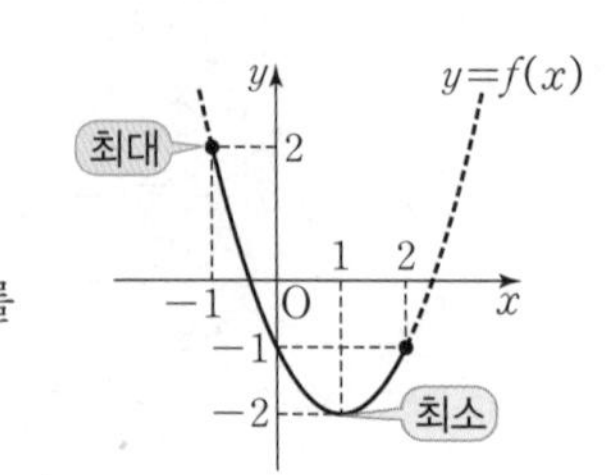

(2) $f(x)$는 구간 $(-1, 2]$에서 연속이고
$f(1)=-2$, $f(2)=-1$이지만 $x=-1$은 구간에 속하지 않으므로 최댓값은 정의되지 않는다.
따라서 $x=1$일 때 **최솟값 -2**를 갖고, **최댓값은 없다.**

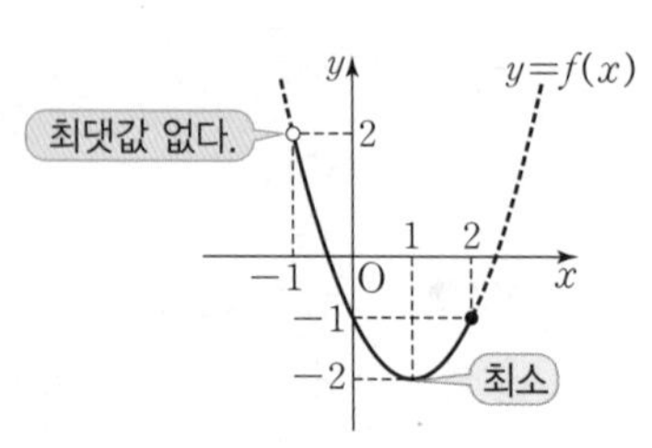

정답과 풀이 11쪽

유제 **065** **함수 $f(x)=-x^2+4$에 대하여 다음 구간에서 최댓값과 최솟값을 구하여라.**

(1) $[1, 2]$　　　(2) $[1, 2)$

05 사잇값의 정리

자동차로 서울에서 평양까지 간다. 휴전선을 반드시 통과할까?

'그렇다'는 것이 바로 사잇값의 정리.

어제 아침 기온은 10도였고, 오늘 기온은 30도다. 그 사이에 20도인 때가 있었을까?

'그렇다'는 것이 바로 사잇값의 정리.

사잇값의 정리

함수 $f(x)$가 닫힌구간 $[a, b]$에서 연속이고, $f(a) \neq f(b)$이면 $f(a)$와 $f(b)$ 사이의 임의의 값 k에 대하여 $f(c)=k$를 만족시키는 c가 열린구간 (a, b)에 적어도 하나 존재한다.

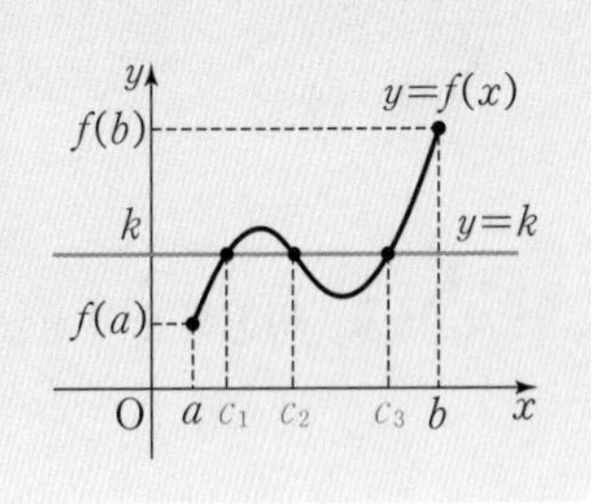

| 설명 | 아래 그림을 보자. $f(a)$와 $f(b)$ 사이에 k가 있다.

두 점 $(a, f(a))$, $(b, f(b))$를 곡선으로 연결하면 항상 직선 $y=k$와 만날까?

당연히 만난다. $f(a)$에서 $f(b)$까지 올라가는데, 어떻게 k를 거치지 않을 수가 있겠는가?

이것이 사잇값의 정리다.

사잇값의 정리는 매우 당연한 소리, 당연한 걸 이해했으면 제대로 이해한 것. 단, 연속함수에만 통하는 소리.

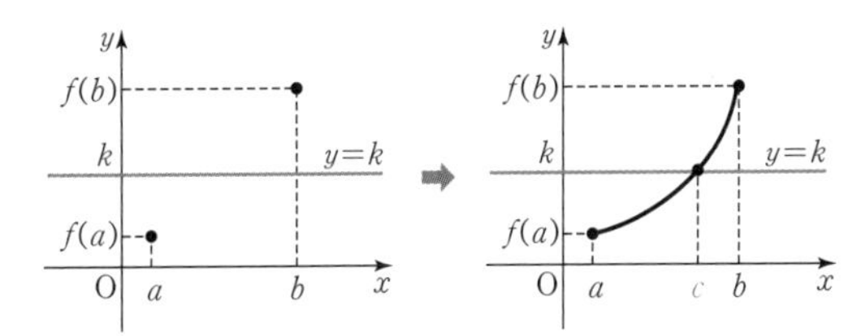

사잇값의 정리 중 $f(a)$와 $f(b)$의 부호가 다를 때가 특히 중요하다.

$f(a)$와 $f(b)$의 부호가 다르면 반드시 x축과 만난다.

즉, $f(x)=0$인 x가 존재해야 한다.

사잇값의 정리의 활용

함수 $f(x)$가 닫힌구간 $[a, b]$에서 연속이고, $f(a)f(b)<0$이면 방정식 $f(x)=0$은 열린구간 (a, b)에서 적어도 하나의 실근을 갖는다.

| 설명 | (1) 위의 정리는 사잇값의 정리에서 $k=0$일 때의 특수한 경우에 해당한다. $f(a)f(b)<0$이면 $f(a)$와 $f(b)$의 부호가 서로 다르므로 함수 $y=f(x)$의 그래프는 그림과 같이 반드시 x축과 만난다. 따라서 $f(x)=0$인 x가 반드시 존재한다.

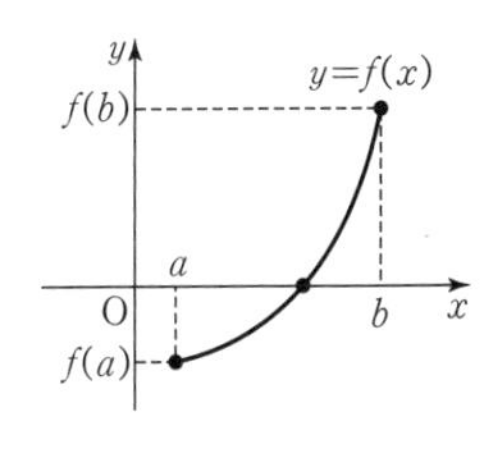

(2) 위의 정리는 방정식의 실근이 존재한다는 걸 보일 때 강력한 힘을 발휘한다. 즉, 방정식 $f(x)=0$이 열린구간 (a, b)에서 적어도 하나의 실근을 가짐을 보이려면 닫힌구간 $[a, b]$에서 연속이고, $f(a)f(b)<0$이 성립하는지만 보이면 된다.

066 방정식 $x^3+3x-2=0$은 열린구간 $(-1,\ 1)$에서 적어도 하나의 실근을 가짐을 보여라.

풍산자日 좌변은 다항식이므로 실수 전체의 집합에서 연속이다. 이 다항식에 $x=-1$과 $x=1$을 각각 대입하였을 때 부호가 서로 다른지만 알아보면 된다.

> 풀이 $f(x)=x^3+3x-2$로 놓으면 $f(x)$는 모든 실수 x에 대하여 연속이므로 닫힌구간 $[-1,\ 1]$에서 연속이고

$f(-1)=-6<0$, $f(1)=2>0$이므로 $f(-1)f(1)<0$

따라서 사잇값의 정리에 의하여 방정식 $f(x)=0$은 열린구간 $(-1,\ 1)$에서 적어도 하나의 실근을 갖는다.

정답과 풀이 **11**쪽

유제 **067** 방정식 $x^3+x-3=0$은 열린구간 $(1,\ 2)$에서 적어도 하나의 실근을 가짐을 보여라.

068 연속함수 $f(x)$가 $f(0)=a$, $f(1)=a-1$을 만족시킬 때, 방정식 $f(x)-x^3=0$이 0과 1 사이에서 적어도 하나의 실근을 갖도록 하는 실수 a의 값의 범위를 구하여라.

풍산자日 방정식의 좌변을 한 덩어리로 보고 $x=0$과 $x=1$을 각각 대입하여 알아본다.

> 풀이 $g(x)=f(x)-x^3$으로 놓으면 함수 $g(x)$는 연속함수이므로

$g(0)g(1)<0$일 때 방정식 $g(x)=0$은 0과 1 사이에서 적어도 하나의 실근을 갖는다.

$g(0)=f(0)-0=a$, $g(1)=f(1)-1=a-1-1=a-2$이므로

$g(0)g(1)=a(a-2)<0$ $\quad\therefore$ $\mathbf{0<a<2}$

정답과 풀이 **11**쪽

유제 **069** 연속함수 $f(x)$가 $f(1)=a^2+a+1$, $f(3)=a$를 만족시킬때, 방정식 $f(x)=x$가 1과 3 사이에서 적어도 하나의 실근을 갖도록 하는 양수 a의 값의 범위를 구하여라.

풍산자 비법

함수 $f(x)$가 닫힌구간 $[a,\ b]$에서 연속이고, $f(a)f(b)<0$이면 방정식 $f(x)=0$은 열린구간 $(a,\ b)$에서 적어도 하나의 실근을 갖는다.

필수 확인 문제

* 더 많은 유형은 **풍산자필수유형 수학Ⅱ** 023쪽

정답과 풀이 11쪽

070

함수 $f(x)$가 $x=a$에서 연속이기 위해서는 다음 세 가지가 성립하여야 한다.

ㄱ. $f(a)$의 값이 존재한다.
ㄴ. $\lim_{x\to a} f(x)$의 값이 존재한다.
ㄷ. $\lim_{x\to a} f(x)=f(a)$

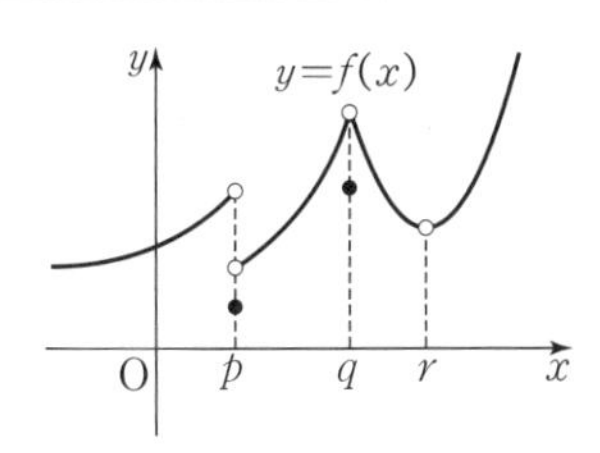

함수 $f(x)$의 그래프가 그림과 같을 때, $f(x)$가 $x=p$, q, r에서 불연속인 이유는 ㄱ, ㄴ, ㄷ 중 무엇이 성립하지 않기 때문인지 순서대로 적은 것은?

① ㄱ, ㄴ, ㄷ ② ㄱ, ㄷ, ㄴ ③ ㄴ, ㄱ, ㄷ
④ ㄴ, ㄷ, ㄱ ⑤ ㄷ, ㄱ, ㄴ

071

모든 실수 x에서 연속인 함수만을 〈보기〉에서 있는 대로 고른 것은?

보기

ㄱ. $f(x)=\dfrac{2x}{x^2+2}$

ㄴ. $g(x)=\begin{cases} x^2 & (x\geq 0) \\ x & (x<0) \end{cases}$

ㄷ. $h(x)=\begin{cases} \dfrac{x^2-4}{x-2} & (x\neq 2) \\ 2 & (x=2) \end{cases}$

① ㄱ ② ㄱ, ㄴ ③ ㄱ, ㄷ
④ ㄴ, ㄷ ⑤ ㄱ, ㄴ, ㄷ

072

함수 $f(x)=\begin{cases} x^2+x+a & (x\geq 2) \\ x+b & (x<2) \end{cases}$가 $x=2$에서 연속일 때, 상수 a, b에 대하여 $a-b$의 값을 구하여라.

073

함수 $f(x)=\begin{cases} \dfrac{a\sqrt{x+2}-b}{x-2} & (x\neq 2) \\ 3 & (x=2) \end{cases}$이 $x=2$에서 연속이 되도록 상수 a, b의 값을 정할 때, $a+b$의 값을 구하여라.

074

방정식 $x^3+3x-5=0$이 오직 하나의 실근을 가질 때, 다음 중 이 방정식의 실근이 존재하는 구간은?

① $(-2, -1)$ ② $(-1, 0)$ ③ $(0, 1)$
④ $(1, 2)$ ⑤ $(2, 3)$

중단원 마무리

▶ 함수의 연속

연속의 조건	$x=a$에서 함수 $f(x)$가 연속이다. $\Longleftrightarrow$ (i) $f(a)$의 값이 존재하고 (ii) $\lim_{x \to a} f(x)$의 값이 존재하고 (iii) $\lim_{x \to a} f(x)=f(a)$

▶ 연속함수의 성질

연속함수의 성질	두 함수 $f(x)$, $g(x)$가 $x=a$에서 연속이면 다음 함수도 $x=a$에서 연속이다. ① $cf(x)$ (단, c는 상수) ② $f(x) \pm g(x)$ ③ $f(x)g(x)$ ④ $\frac{f(x)}{g(x)}$ (단, $g(x) \neq 0$)
합성함수의 연속	함수 $f(x)$가 $x=a$에서 연속이고 함수 $g(x)$가 $x=f(a)$에서 연속이면 합성함수 $g(f(x))$도 $x=a$에서 연속이다.

▶ 연속함수의 정리

최대·최소 정리	함수 $f(x)$가 닫힌구간 $[a, b]$에서 연속이면 $f(x)$는 이 구간에서 반드시 최댓값과 최솟값을 갖는다.
사잇값의 정리	함수 $f(x)$가 닫힌구간 $[a, b]$에서 연속이고, $f(a) \neq f(b)$이면 $f(a)$와 $f(b)$ 사이의 임의의 값 k에 대하여 $f(c)=k$를 만족시키는 c가 열린구간 (a, b)에 적어도 하나 존재한다.
사잇값의 정리의 활용	함수 $f(x)$가 닫힌구간 $[a, b]$에서 연속이고, $f(a)f(b)<0$이면 방정식 $f(x)=0$은 열린구간 (a, b)에서 적어도 하나의 실근을 갖는다.

실전 연습문제

정답과 풀이 12쪽

STEP 1

075

$0<x<4$에서 정의된 함수 $y=f(x)$의 그래프가 그림과 같다. 이때, 옳은 것만을 〈보기〉에서 있는 대로 고른 것은?

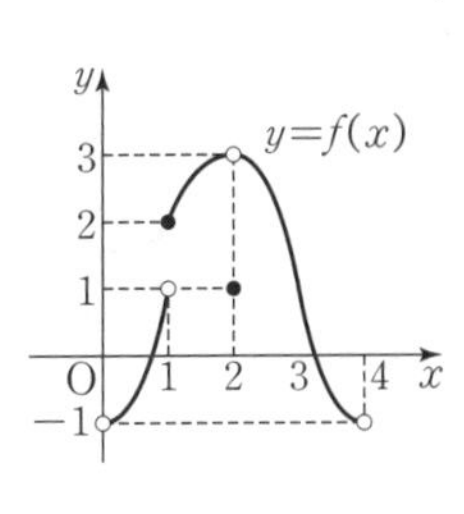

보기

ㄱ. $\lim_{x \to 2} f(x)=1$

ㄴ. $x=1$에서 함수 $f(x)$의 극한값이 존재하지 않는다.

ㄷ. 함수 $f(x)$는 두 개의 점에서 불연속이다.

① ㄱ ② ㄴ ③ ㄷ
④ ㄱ, ㄴ ⑤ ㄴ, ㄷ

076

함수

$$f(x)=\begin{cases} \dfrac{x^2-a}{x+2} & (x\neq -2) \\ b & (x=-2) \end{cases}$$

가 모든 실수 x에 대하여 연속일 때, 상수 a, b에 대하여 $a+b$의 값을 구하여라.

077

함수

$$f(x)=\begin{cases} \dfrac{\sqrt{x^2+a}+b}{x+1} & (x\neq -1) \\ -1 & (x=-1) \end{cases}$$

가 모든 실수 x에 대하여 연속일 때, 상수 a, b에 대하여 a^2+b^2의 값을 구하여라.

078

함수 $f(x)=\begin{cases} x^2-1 & (a\leq x\leq b) \\ 3 & (x<a \text{ 또는 } x>b) \end{cases}$ 이 실수 전체의 집합에서 연속이 되도록 하는 상수 a, b에 대하여 a^2+b^2의 값을 구하여라.

079

연속함수 $f(x)$에 대하여

$$f(0)=-\frac{1}{2},\ f\left(\frac{1}{3}\right)=\frac{1}{2},\ f\left(\frac{1}{2}\right)=\frac{1}{3},$$

$$f\left(\frac{2}{3}\right)=\frac{3}{4},\ f\left(\frac{3}{4}\right)=\frac{4}{5},\ f(1)=\frac{5}{6}$$

일 때, 방정식 $f(x)=x$는 $0<x<1$에서 적어도 몇 개의 실근을 갖는지 구하여라.

STEP 2

080

실수 전체에서 정의된 두 함수 $f(x)$, $g(x)$에 대하여 다음 중 옳은 것만을 <보기>에서 있는 대로 고른 것은?

보기

ㄱ. $\frac{1}{f(x)}$이 연속함수이면 $f(x)$도 연속함수이다.

ㄴ. $f(x)$와 $f(x)+g(x)$가 연속함수이면 $g(x)$도 연속함수이다.

ㄷ. $\{f(x)\}^2$이 연속함수이면 $f(x)$도 연속함수이다.

① ㄱ ② ㄴ ③ ㄷ
④ ㄱ, ㄴ ⑤ ㄱ, ㄴ, ㄷ

081

$f(x)=\begin{cases} \frac{|x|-2}{x^2-4} & (x\neq 2) \\ a & (x=2) \end{cases}$가 $x=2$에서 연속일 때, 상수 a의 값을 구하여라.

082

모든 실수 x에서 연속인 함수 $f(x)$가

$$(2x-6)f(x)=3x^2+ax-99$$

를 만족시킬 때, $f(3)$의 값을 구하여라.

(단, a는 상수)

083

두 함수

$$f(x)=\begin{cases} x^2-x+2a & (x\geq 1) \\ 3x+a & (x<1) \end{cases},$$

$$g(x)=x^2+ax+3$$

에 대하여 합성함수 $(g\circ f)(x)$가 실수 전체의 집합에서 연속이 되도록 하는 모든 상수 a의 값의 합은?

① $\frac{7}{4}$ ② $\frac{15}{8}$ ③ 2
④ $\frac{17}{8}$ ⑤ $\frac{9}{4}$

084

연속함수 $g(x)$에 대하여

$$f(x)=\begin{cases} \frac{g(x)-6}{x} & (x\neq 0) \\ 3 & (x=0) \end{cases}$$

이 구간 $(-\infty, \infty)$에서 연속일 때, 다음 중 옳은 것만을 <보기>에서 있는 대로 고른 것은?

보기

ㄱ. $g(0)=6$

ㄴ. 함수 $f(x)$는 구간 $(-3, 3)$에서 최댓값과 최솟값을 갖는다.

ㄷ. $g(-3)g(3)<0$이면 방정식 $f(x)=0$은 구간 $(-3, 3)$에서 적어도 하나의 실근을 갖는다.

① ㄱ ② ㄴ ③ ㄷ
④ ㄱ, ㄴ ⑤ ㄱ, ㄴ, ㄷ

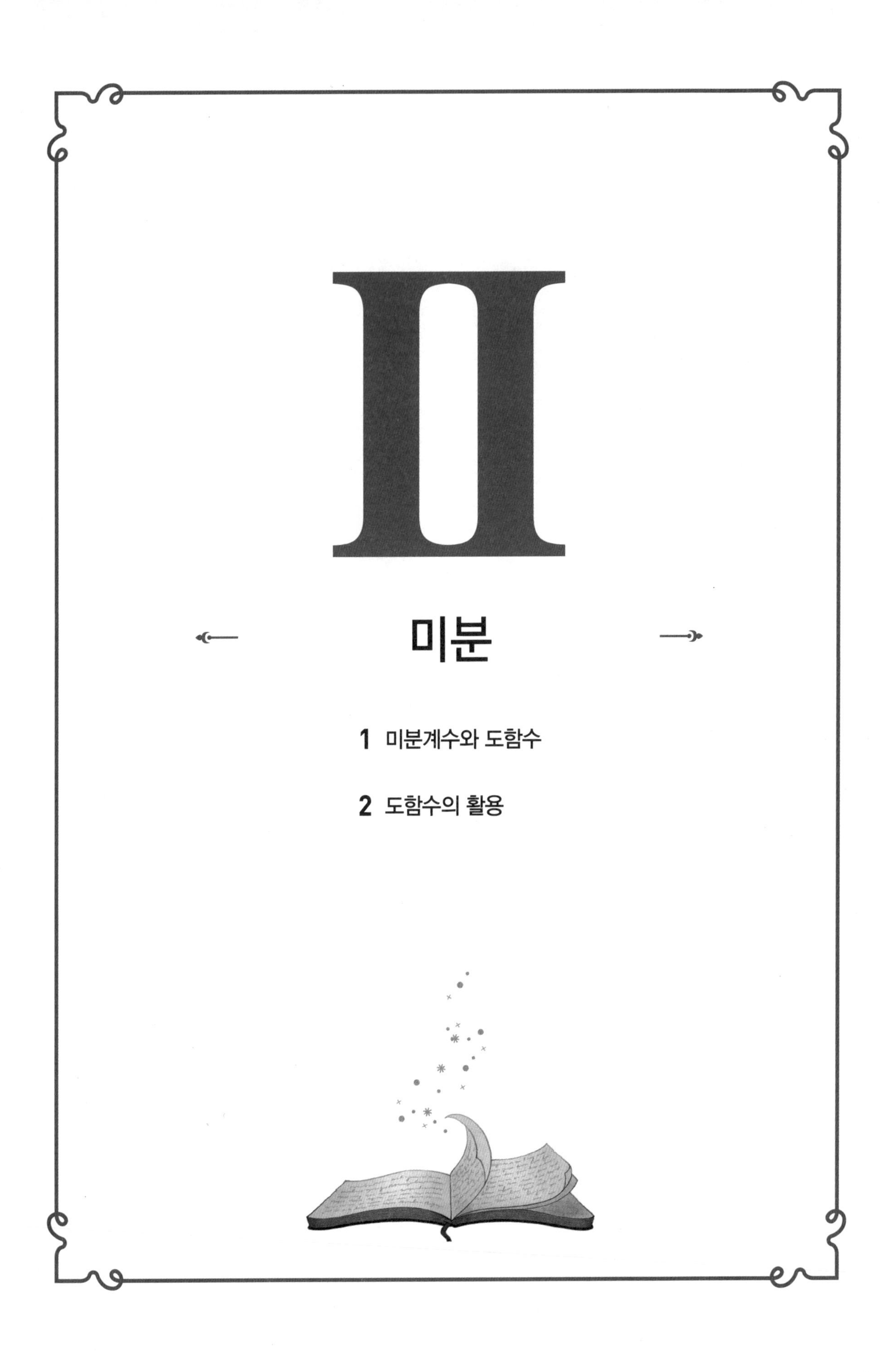

II

미분

미분이란 무엇인가?

인류가 만든 가장 위대한 계산법이라는
찬사를 듣는 미분과 적분.
미적분이 없다면 현대과학도 없다.
모든 자연 현상은 미분으로 묘사되고
적분으로 해석된다.

미분은 접선의 기울기이다.
접선의 기울기는 변화량의 비율이다.
공을 던지면 공은 얼마나 빠르게 움직이는지
주식을 언제 사고 언제 팔아야 하는지
물을 어떤 속도로 흘러가는지
공기는 어떻게 퍼져나가는지
움직임을 분석하여 규칙을 찾으려면
변화량에 주목할 수밖에.

미분계수와 도함수

미분이란 접선의 기울기.
어떤 환상도 갖지 말라.
미분은 단지 접선의 기울기일 뿐이다.

1 미분계수

$$f'(a)=\lim_{h\to 0}\frac{f(a+h)-f(a)}{h}$$

2 도함수

$$f'(x)=\lim_{h\to 0}\frac{f(x+h)-f(x)}{h}$$

1 미분계수

01 미분에 대한 환상 깨기 10문 10답

[1문] 미분이란 무엇인가?

➡ 접선의 기울기.

[2문] 접선의 기울기는 어떻게 구하는가?

➡ 공식을 써서. 곧 이 공식에 관해 상세히 배운다.

$$(\text{접선의 기울기})=\lim_{x\to a}\frac{f(x)-f(a)}{x-a}$$

➡ 이차함수의 경우엔 판별식을 써도 된다.

[3문] 미분과 접선의 기울기의 차이점은 무엇인가?

➡ 전혀 없다.

[4문] 미분이 왜 중요한가?

➡ 그래프를 그려 주기 때문에.

[5문] 미분이 어떻게 그래프를 그려 주는가?

➡ 극대, 극소를 알려 준다.

[6문] 극대, 극소란 무엇인가?

➡ 그래프의 구부러진 점.

[7문] 구부러진 점이 그래프와 무슨 관련이 있는가?

➡ 그래프를 그린다는 건 적당히 구부려 주는 것.

1차는 구부러진 점이 없는 것이고, 2차는 한 번 구부린 것이고, 3차는 두 번 구부린 것.

[8문] 그럼 미분이 어떻게 구부러진 점을 알려 주는가?

➡ 접선의 기울기가 0인 점에서 구부러진다. 즉, 도함수의 값이 0인 점에서 구부러진다.

[9문] 그래프를 그리면 뭐가 그리 좋은가?

➡ 최대, 최소를 알 수 있다. 제일 높은 점이 최대, 낮은 점이 최소이다.

➡ 방정식의 실근을 알 수 있다. 그래프가 x축과 만나는 점의 x좌표가 실근이다.

➡ 그래프를 그리면 응용은 무궁무진하다.

[10문] 미분은 잘게 쪼개는 것이라 들었는데 접선의 기울기라니?

➡ 미분에 대한 어떤 환상도 갖지 말라. 미분은 단지 접선의 기울기일 뿐이다.

02 평균변화율

함수에서 **평균변화율**이란 두 점을 지나는 **직선의 기울기.** 새로운 게 아니다.

(1) 평균변화율

함수 $y=f(x)$에서 x의 값이 a에서 b까지 변할 때,

$$\frac{\Delta y}{\Delta x}=\frac{f(b)-f(a)}{b-a}=\frac{f(a+\Delta x)-f(a)}{\Delta x}$$

를 구간 $[a, b]$에서의 함수 $f(x)$의 **평균변화율**이라 한다.

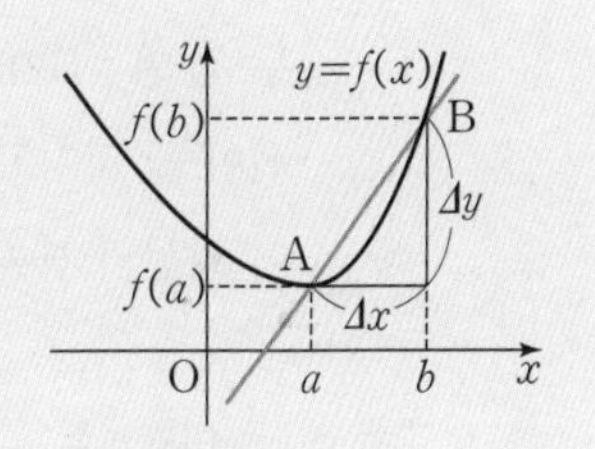

(2) 평균변화율의 기하적 의미

평균변화율은 두 점 $\mathrm{A}(a, f(a))$, $\mathrm{B}(b, f(b))$를 지나는 직선 AB의 기울기와 같다.

| 설명 | 평균변화율의 정의에 못 보던 기호 Δ가 등장한다. 바로 증분이다.
함수 $y=f(x)$의 그래프 위의 한 점이 점 $\mathrm{A}(a, f(a))$에서 점 $\mathrm{B}(b, f(b))$까지 움직일 때, x의 값의 변화량을 'x의 증분'이라 하고 Δx로 나타낸다.

$\Delta x=b-a$

y의 값의 변화량을 'y의 증분'이라 하고 Δy로 나타낸다.

$\Delta y=f(b)-f(a)$

여기서 Δ는 그리스 문자로 '델타'라 읽는다.
변화율은 x, y의 증분의 비로 구하는데, Δx에 의해서 변화된 Δy의 값을 비교하는 것이 중요하다.
이는 뒤에 나오는 미분계수에서 매우 중요하게 다루어진다.

평균변화율은 함수 $y=f(x)$에서 x의 값의 변화량에 대한 y의 값의 변화량의 비를 의미한다. 이 말을 듣자마자 눈치 빠른 친구들은 "어라? 그건 직선의 기울기인데?"하고 생각할 것이다. 맞다. 평균변화율은 두 점을 지나는 직선의 기울기와 정확히 같다.

| 평균변화율 |

085 다음 함수의 주어진 구간에서의 평균변화율을 구하여라.

(1) $f(x)=3x+2$ $[2, 3]$ (2) $f(x)=x^2+3$ $[0, 2]$

풍산자日 함수 $y=f(x)$의 구간 $[a, b]$에서의 평균변화율은 $\dfrac{f(b)-f(a)}{b-a}$

> 풀이 (1) (평균변화율)$=\dfrac{f(3)-f(2)}{3-2}=\dfrac{11-8}{3-2}=3$

(2) (평균변화율)$=\dfrac{f(2)-f(0)}{2-0}=\dfrac{7-3}{2-0}=2$

정답과 풀이 15쪽

유제 **086** 다음 함수의 주어진 구간에서의 평균변화율을 구하여라.

(1) $f(x)=-x+3$ $[1, 4]$ (2) $f(x)=-x^3+3x$ $[0, 1]$

03 미분계수

평균변화율은 두 점 A, B를 지나는 직선의 기울기이다. 그런데 점 B가 점 A에 무지하게 가까워진다면 어떻게 될까?

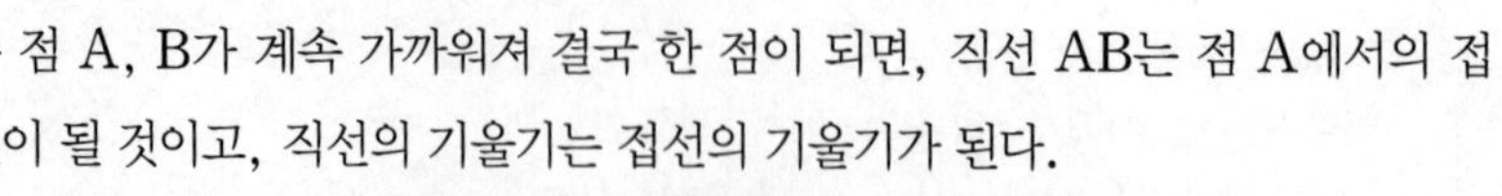

두 점 A, B가 계속 가까워져 결국 한 점이 되면, 직선 AB는 점 A에서의 접선이 될 것이고, 직선의 기울기는 접선의 기울기가 된다.

이 접선의 기울기를 **미분계수** 또는 **순간변화율**이라 한다.

미분계수

(1) 미분계수(=순간변화율)

함수 $y=f(x)$에서 $x=a$에서의 미분계수를 $f'(a)$라 하고, 다음과 같이 정의한다.

$$f'(a)=\lim_{x \to a}\frac{f(x)-f(a)}{x-a}$$
$$=\lim_{\Delta x \to 0}\frac{f(a+\Delta x)-f(a)}{\Delta x}$$

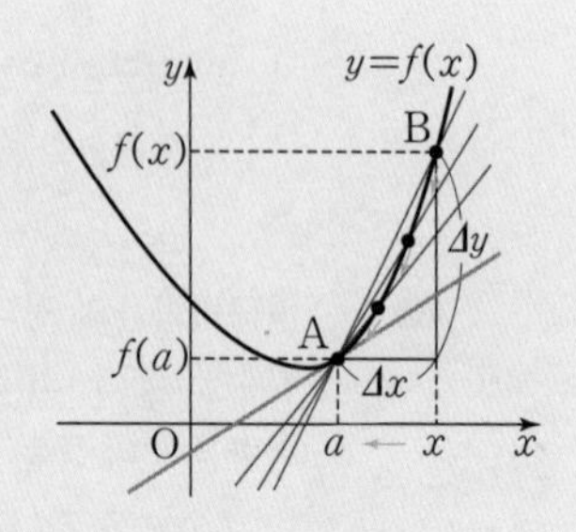

(2) 미분계수의 기하적 의미

$x=a$에서의 미분계수 $f'(a)$는 곡선 $y=f(x)$ 위의 점 $\mathrm{A}(a,\ f(a))$에서의 **접선의 기울기**와 같다.

미분계수 $f'(a)$에서 $f'(a)$는 'f프라임(prime) a'라 읽는다.

미분계수란 간단히 말하면 평균변화율의 극한값이다.

구간 $[a,\ x]$에서의 평균변화율의 $x \to a$일 때의 극한값이 바로 $x=a$에서의 미분계수 또는 순간변화율이다.

$$f'(a)=\lim_{x \to a}\frac{f(x)-f(a)}{x-a}$$

여기서 $x-a=\Delta x$라 하면 $x=a+\Delta x$이고, $x \to a$일 때, $\Delta x \to 0$이므로

$$f'(a)=\lim_{\Delta x \to 0}\frac{f(a+\Delta x)-f(a)}{\Delta x}$$

Δx 대신 h를 사용하여 $f'(a)$를 다음과 같이 나타낼 수도 있다.

$$f'(a)=\lim_{h \to 0}\frac{f(a+h)-f(a)}{h}$$

이때 분모, 분자에서 증분을 나타내는 Δx 또는 h의 모양이 같아야 $f'(a)$이다.

거창한 기호와 거창한 이름에 움츠릴 필요가 전혀 없다.

모든 얘기는 다음 두 줄로 요약된다.

大 원칙

(1) 두 점 $(a,\ f(a))$와 $(b,\ f(b))$를 이은 직선의 기울기를 평균변화율이라 한다.

(2) 점 $(a,\ f(a))$에서의 접선의 기울기를 미분계수 또는 순간변화율이라 한다.

087 다음 함수의 $x=2$에서의 미분계수를 구하여라.

(1) $f(x)=2x-1$　　(2) $f(x)=x^2$

풍산자目 함수 $y=f(x)$의 $x=a$에서의 미분계수는

$$f'(a)=\lim_{x\to a}\frac{f(x)-f(a)}{x-a}=\lim_{h\to 0}\frac{f(a+h)-f(a)}{h}$$

> 풀이

(1) $f'(2)=\lim_{x\to 2}\frac{f(x)-f(2)}{x-2}=\lim_{x\to 2}\frac{(2x-1)-3}{x-2}$

$=\lim_{x\to 2}\frac{2(x-2)}{x-2}=\mathbf{2}$

(2) $f'(2)=\lim_{x\to 2}\frac{f(x)-f(2)}{x-2}=\lim_{x\to 2}\frac{x^2-2^2}{x-2}$

$=\lim_{x\to 2}\frac{(x+2)(x-2)}{x-2}=\lim_{x\to 2}(x+2)=\mathbf{4}$

> 다른 풀이

(1) $f'(2)=\lim_{h\to 0}\frac{f(2+h)-f(2)}{h}=\lim_{h\to 0}\frac{(2h+3)-3}{h}$

$=\lim_{h\to 0}\frac{2h}{h}=2$

(2) $f'(2)=\lim_{h\to 0}\frac{f(2+h)-f(2)}{h}=\lim_{h\to 0}\frac{(2+h)^2-2^2}{h}$

$=\lim_{h\to 0}\frac{4h+h^2}{h}=\lim_{h\to 0}\frac{h(4+h)}{h}$

$=\lim_{h\to 0}(4+h)=4$

정답과 풀이 **15**쪽

유제 **088** 다음 함수의 $x=1$에서의 미분계수를 구하여라.

(1) $f(x)=3x-1$　　(2) $f(x)=x^2+x$

089 함수 $f(x)=3x^2-4$의 그래프 위의 점 $(1,\ -1)$에서의 접선의 기울기를 구하여라.

풍산자目 접선의 기울기를 구하라? 미분계수를 구하라는 소리!

> 풀이

함수 $f(x)=3x^2-4$의 그래프 위의 점 $(1,\ -1)$에서의 접선의 기울기는 $f(x)$의 $x=1$에서의 미분계수와 같으므로

$f'(1)=\lim_{h\to 0}\frac{f(1+h)-f(1)}{h}$

$=\lim_{h\to 0}\frac{\{3(1+h)^2-4\}-(3\cdot 1^2-4)}{h}$

$=\lim_{h\to 0}\frac{3h^2+6h}{h}=\lim_{h\to 0}(3h+6)=\mathbf{6}$

정답과 풀이 **15**쪽

유제 **090** 함수 $f(x)=x^2+5x$의 그래프 위의 점 $(-1,\ -4)$에서의 접선의 기울기를 구하여라.

091 함수 $f(x)=x^2+6x$에 대하여 x의 값이 1에서 a까지 변할 때의 평균변화율과 $x=2$에서의 미분계수가 같을 때, 상수 a의 값을 구하여라. (단, $a>1$)

풍산자日 구간 $[1, a]$에서의 평균변화율과 $x=2$에서의 미분계수를 구한다.

> 풀이 함수 $f(x)$의 구간 $[1, a]$에서의 평균변화율은

$$\frac{f(a)-f(1)}{a-1}=\frac{(a^2+6a)-7}{a-1}=\frac{(a-1)(a+7)}{a-1}=a+7 \quad \cdots\cdots ㉠$$

함수 $f(x)$의 $x=2$에서의 미분계수는

$$f'(2)=\lim_{h\to 0}\frac{f(2+h)-f(2)}{h}$$
$$=\lim_{h\to 0}\frac{\{(2+h)^2+6(2+h)\}-(4+12)}{h}$$
$$=\lim_{h\to 0}\frac{h^2+10h}{h}$$
$$=\lim_{h\to 0}(h+10)=10 \quad \cdots\cdots ㉡$$

㉠, ㉡이 같으므로

$a+7=10 \qquad \therefore a=\mathbf{3}$

정답과 풀이 **15**쪽

유제 **092** 함수 $f(x)=x^2-2x$에 대하여 구간 $[0, a]$에서의 평균변화율과 $x=3$에서의 미분계수가 같을 때, 상수 a의 값을 구하여라. (단, $a>0$)

풍산자 비법

• 평균변화율은 두 점 사이의 기울기!

$$\frac{\Delta y}{\Delta x}=\frac{f(b)-f(a)}{b-a}=\frac{f(a+\Delta x)-f(a)}{\Delta x}$$

• 미분계수(=순간변화율)는 $x=a$에서의 접선의 기울기!

$$f'(a)=\lim_{x\to a}\frac{f(x)-f(a)}{x-a}=\lim_{\Delta x\to 0}\frac{f(a+\Delta x)-f(a)}{\Delta x}$$

04 미분계수를 이용한 극한값의 계산

미분계수를 계산하는 두 식을 이용하면 함수의 그래프에서 접선의 기울기를 구할 수 있다.

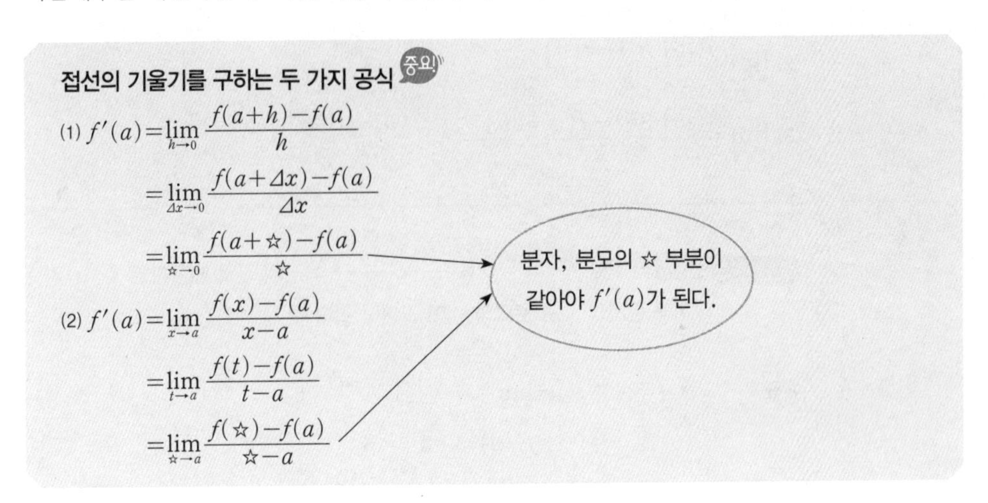

미분계수의 정의를 이용할 때는 반드시 ☆ 부분이 같아야 한다.
미분계수 공식은 본래 극한을 이용해 미분계수를 구하는 공식이지만,
역으로 미분계수가 주어지고 극한을 구하는 문제로 더욱 자주 등장한다.

미분계수를 이용한 극한값의 계산

(1) $\lim_{h\to0}\frac{f(a+mh)-f(a)}{h}=mf'(a)$

(2) $\lim_{h\to0}\frac{f(a+mh)-f(a+nh)}{h}=(m-n)f'(a)$

(3) $\lim_{x\to a}\frac{f(x^n)-f(a^n)}{x-a}$ ➡ $x^n-a^n=(x-a)(x^{n-1}+x^{n-2}a+\cdots+xa^{n-2}+a^{n-1})$임을 이용한다.

(4) $\lim_{x\to a}\frac{a^mf(x^n)-x^mf(a^n)}{x-a}$ ➡ 분자에 $a^mf(a^n)$을 빼고 더해 두 조각을 낸다.

| 설명 | 식을 변형하는 방법은 크게 두 가지.
첫 번째, ☆를 같게 할 수 있는 수를 분모, 분자에 곱하는 것.
예를 들어 $\lim_{h\to0}\frac{f(a+mh)-f(a)}{h}$인 경우에는 분모, 분자에 m을 곱하면 된다.

➡ $\lim_{h\to0}\frac{f(a+mh)-f(a)}{h}=\lim_{h\to0}\frac{f(a+mh)-f(a)}{mh}\times m=mf'(a)$

두 번째, 미분계수의 정의를 이용할 수 있게 $f(a)$를 더하고 빼는 것.
예를 들어 $\lim_{h\to0}\frac{f(a+mh)-f(a+nh)}{h}$에서 분자에 $f(a)$를 더하고 빼서 (1)을 이용한다.

➡ $\lim_{h\to0}\frac{f(a+mh)-f(a)-\{f(a+nh)-f(a)\}}{h}=mf'(a)-nf'(a)=(m-n)f'(a)$

문제를 풀면서 계산 방법을 충분히 익히도록 한다.

093 **다항함수 $f(x)$에서 $f'(a)=2$일 때, 다음 극한값을 구하여라.**

(1) $\lim_{h\to0}\frac{f(a+3h)-f(a)}{h}$

(2) $\lim_{h\to0}\frac{f(a+h^3)-f(a)}{h}$

(3) $\lim_{h\to0}\frac{f(a+3h)-f(a-2h)}{h}$

풍산자日 주어진 식을 $f'(a)=\lim_{☆\to0}\frac{f(a+☆)-f(a)}{☆}$의 꼴로 변형하면 $f'(a)$가 된다.
이때 분자의 ☆와 분모의 ☆이 같아야 한다.

> 풀이 (1) (주어진 식) $=\lim_{h\to0}\frac{f(a+3h)-f(a)}{3h}\cdot3$

$=f'(a)\cdot3=2\cdot3=\mathbf{6}$

(2) (주어진 식) $=\lim_{h\to0}\left\{\frac{f(a+h^3)-f(a)}{h^3}\cdot h^2\right\}$

$=f'(a)\cdot0=2\cdot0=\mathbf{0}$

(3) 분자에 h가 두 식에 모두 있으므로 $f(a)$를 빼고 더해 두 조각을 낸다.

(주어진 식) $=\lim_{h\to0}\frac{f(a+3h)-f(a)+f(a)-f(a-2h)}{h}$

$=\lim_{h\to0}\left\{\frac{f(a+3h)-f(a)}{h}-\frac{f(a-2h)-f(a)}{h}\right\}$

$=\lim_{h\to0}\left\{\frac{f(a+3h)-f(a)}{3h}\cdot3-\frac{f(a-2h)-f(a)}{-2h}\cdot(-2)\right\}$

$=f'(a)\cdot3-f'(a)\cdot(-2)$

$=5f'(a)=5\cdot2=\mathbf{10}$

> 다른 풀이 (3) 공식 $\lim_{h\to0}\frac{f(a+mh)-f(a+nh)}{h}=(m-n)f'(a)$를 이용하면

(주어진 식) $=\{3-(-2)\}f'(a)=5f'(a)$

$=5\cdot2=10$

정답과 풀이 **15쪽**

유제 **094** **다항함수 $f(x)$에서 $f'(a)=5$일 때, 다음 극한값을 구하여라.**

(1) $\lim_{h\to0}\frac{f(a+2h)-f(a)}{h}$

(2) $\lim_{h\to0}\frac{f(a+h^2)-f(a)}{h}$

(3) $\lim_{h\to0}\frac{f(a+h)-f(a-h)}{h}$

095 $f(1)=2$, $f'(1)=3$인 다항함수 $f(x)$에 대하여 다음 극한값을 구하여라.

(1) $\lim_{x\to 1}\frac{f(x)-f(1)}{x^2-1}$

(2) $\lim_{x\to 1}\frac{x^3-1}{f(x)-f(1)}$

(3) $\lim_{x\to 1}\frac{f(x^2)-f(1)}{x-1}$

(4) $\lim_{x\to 1}\frac{x^2f(1)-f(x^2)}{x-1}$

풍산자日 주어진 식을 $f'(a)=\lim_{☆\to a}\frac{f(☆)-f(a)}{☆-a}$의 꼴로 변형하면 $f'(a)$가 된다.
인수분해 하거나, 적절한 식을 곱하고 나누어서 원하는 형태로 만든다.

> 풀이 (1) (주어진 식) $=\lim_{x\to 1}\left\{\frac{f(x)-f(1)}{x-1}\cdot\frac{1}{x+1}\right\}=f'(1)\cdot\frac{1}{2}=3\cdot\frac{1}{2}$

$=\mathbf{\frac{3}{2}}$

(2) (주어진 식) $=\lim_{x\to 1}\left\{\frac{x-1}{f(x)-f(1)}\cdot(x^2+x+1)\right\}=\lim_{x\to 1}\left\{\frac{1}{\frac{f(x)-f(1)}{x-1}}\cdot(x^2+x+1)\right\}$

$=\frac{1}{f'(1)}\cdot 3=\frac{3}{3}=\mathbf{1}$

(3) (주어진 식) $=\lim_{x\to 1}\left\{\frac{f(x^2)-f(1)}{x^2-1}\cdot(x+1)\right\}$ ⬅ 분모, 분자에 $(x+1)$을 곱한다.

$=f'(1)\cdot 2=3\cdot 2=\mathbf{6}$

(4) (주어진 식) $=\lim_{x\to 1}\frac{x^2f(1)-f(1)+f(1)-f(x^2)}{x-1}$ ⬅ 분자에 $f(1)$을 더하고 뺀다.

$=\lim_{x\to 1}\left\{\frac{(x^2-1)f(1)}{x-1}-\frac{f(x^2)-f(1)}{x-1}\right\}$

$=\lim_{x\to 1}\left\{(x+1)f(1)-\frac{f(x^2)-f(1)}{x^2-1}\cdot(x+1)\right\}$

⬅ 분모, 분자에 $(x+1)$을 곱한다.

$=2f(1)-f'(1)\cdot 2=2\cdot 2-3\cdot 2=\mathbf{-2}$

정답과 풀이 16쪽

유제 **096** $f(2)=3$, $f'(2)=4$, $f'(4)=4$인 다항함수 $f(x)$에 대하여 다음 극한값을 구하여라.

(1) $\lim_{x\to 2}\frac{f(x)-f(2)}{x^2-4}$

(2) $\lim_{x\to 2}\frac{x^3-8}{f(x)-f(2)}$

(3) $\lim_{x\to 2}\frac{f(x^2)-f(4)}{x-2}$

(4) $\lim_{x\to 2}\frac{xf(2)-2f(x)}{x-2}$

풍산자 비법

$f'(a)=\lim_{☆\to 0}\frac{f(a+☆)-f(a)}{☆}$, $f'(a)=\lim_{☆\to a}\frac{f(☆)-f(a)}{☆-a}$이려면 ☆ 부분이 같아야 한다.

05 미분가능성과 연속성

함수 $f(x)$에 대하여 $x=a$에서의 미분계수 $f'(a)$가 존재할 때, 함수 $f(x)$는 $x=a$에서 **미분가능**하다고 한다.

$f'(a)=\lim\limits_{x\to a}\dfrac{f(x)-f(a)}{x-a}$의 값이 존재하려면 좌극한과 우극한이 같으면 된다.

미분을 접선의 기울기로 생각하면 미분가능하다는 것은 접선의 기울기를 구할 수 있는 것.

미분가능하지 않은 것이란 접선의 기울기를 구할 수 없는 것.

미분가능하지 않음은 여러 상황에서 발생하지만 대표적인 상황은 다음 두 가지.

첫 번째, 불연속점.

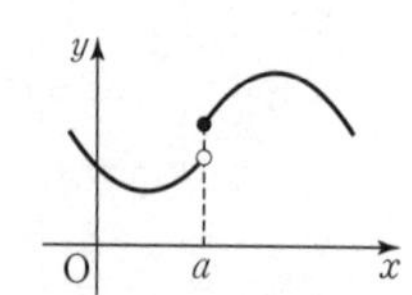

오른쪽 그림은 $x=a$에서 끊어진 그래프.

$x=a$의 왼쪽 그래프만 보면 왼쪽 그래프의 접선 ㉠이 나온다.

$x=a$의 오른쪽 그래프만 보면 오른쪽 그래프의 접선 ㉡이 나온다.

➡ $x=a$에서 접선이 확정되지 않는다.

➡ 접선이 없다. ➡ 미분가능하지 않다.

두 번째, 뾰족점.

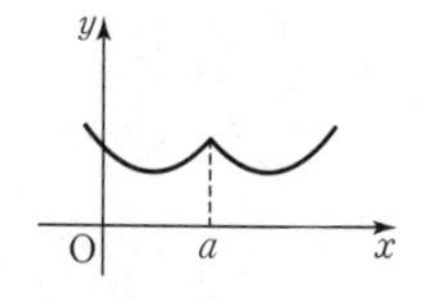

오른쪽 그림은 $x=a$에서 뾰족한 그래프.

$x=a$의 왼쪽 그래프만 보면 왼쪽 그래프의 접선 ㉠이 나온다.

$x=a$의 오른쪽 그래프만 보면 오른쪽 그래프의 접선 ㉡이 나온다.

➡ $x=a$에서 접선이 확정되지 않는다.

➡ 접선이 없다. ➡ 미분가능하지 않다.

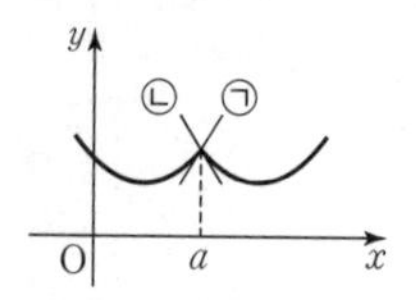

추가로 접선이 x축에 수직일 경우에는 접선은 존재하지만 접선의 기울기를 말할 수 없으므로 미분가능하지 않다.

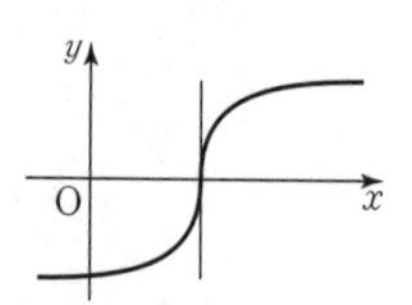

미분가능성과 연속성의 관계

함수 $y=f(x)$가 $x=a$에서 미분가능하면 $y=f(x)$는 $x=a$에서 연속이다.

그러나 역이 반드시 성립하는 것은 아니다.

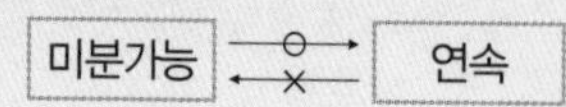

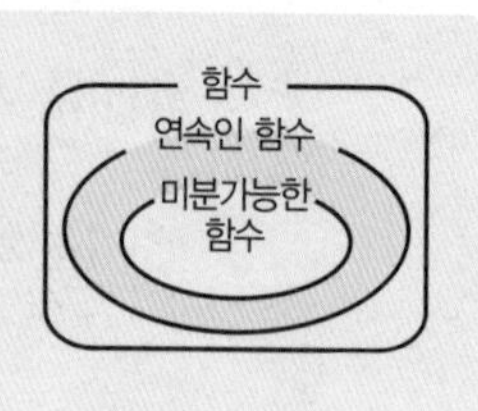

| 설명 | 함수 $f(x)$가 $x=a$에서 연속이라는 것은 $\lim\limits_{x\to a}f(x)=f(a)$가 성립한다는 뜻이다.

쉽게 그림으로 생각하면 연속이란 이어진 것. 불연속이란 끊어진 것.

미분가능이란 부드럽게 이어져 있으면서 접선의 기울기를 말할 수 있는 것.

미분가능하지 않은 것은 끊어지거나 뾰족한 것.

뾰족점을 보면 이어져 있어서 연속이지만 접선이 확정되지 않기 때문에 미분가능하지 않다.

097 **함수 $f(x)=|x|$는 $x=0$에서 연속이지만 미분가능하지 않음을 보여라.**

풍산자日 $x=a$에서

연속인지 조사하려면 ➡ $\lim_{x\to a} f(x)=f(a)$가 성립하는가?

미분가능인지 조사하려면 ➡ $f'(a)=\lim_{x\to a}\dfrac{f(x)-f(a)}{x-a}$가 존재하는가?

> 풀이 (i) $\lim_{x\to 0+} f(x)=\lim_{x\to 0+}|x|=0,\ \lim_{x\to 0+} x=0$

$\lim_{x\to 0-} f(x)=\lim_{x\to 0-}|x|=0,\ \lim_{x\to 0-}(-x)=0$

즉, $\lim_{x\to 0} f(x)=\lim_{x\to 0}|x|=0,\ f(0)=0$이므로

$\lim_{x\to 0} f(x)=f(0)$

따라서 $f(x)$는 $x=0$에서 연속이다.

(ii) $f'(0)=\lim_{x\to 0}\dfrac{f(x)-f(0)}{x-0}$

$=\lim_{x\to 0}\dfrac{|x|-|0|}{x-0}$

$=\lim_{x\to 0}\dfrac{|x|}{x}$

여기서 $\lim_{x\to 0+}\dfrac{|x|}{x}=\lim_{x\to 0+}\dfrac{x}{x}=1$

$\lim_{x\to 0-}\dfrac{|x|}{x}=\lim_{x\to 0-}\dfrac{-x}{x}=-1$

이므로 $f'(0)$이 존재하지 않는다.

따라서 $f(x)$는 $x=0$에서 연속이지만 미분가능하지 않다.

> 다른 풀이 사실 그래프만 그려 보면 쉽게 연속성과 미분가능성을 판정할 수 있다. 즉, 그래프에서

(i) $x=0$에서 이어져 있으므로 $f(x)$는 $x=0$에서 연속이다.

(ii) $x=0$에서 뾰족하므로 $f(x)$는 $x=0$에서 미분가능하지 않다.

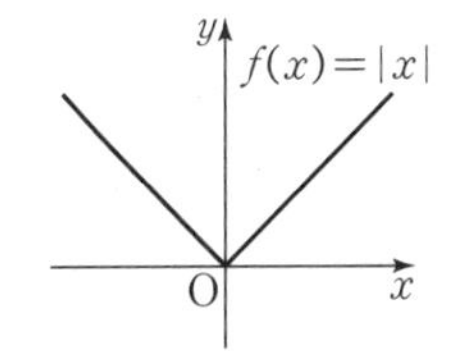

정답과 풀이 16쪽

유제 **098** **함수 $f(x)=|x-1|$은 $x=1$에서 연속이지만 미분가능하지 않음을 보여라.**

풍산자 비법

- 미분가능이란 $f'(a)$가 존재하는 것.
- 미분가능하면 연속이다. 하지만! 연속이라고 미분가능한 것은 아니다.
- 불연속점과 뾰족점에서는 미분가능하지 않다.

필수 확인 문제

* 더 많은 유형은 **풍산자필수유형 수학Ⅱ** 037쪽

정답과 풀이 16쪽

099

함수 $f(x)=x^3-3x$에 대하여 x의 값이 -1에서 a까지 변할 때의 평균변화율이 4일 때, 상수 a의 값을 구하여라. (단, $a>-1$)

100

함수 $f(x)=x^2+2x$의 그래프 위의 점 (a, b)에서의 접선의 기울기가 4일 때, 상수 a, b에 대하여 ab의 값을 구하여라.

101

다항함수 $f(x)$에 대하여 $f'(a)=2$일 때,

$$\lim_{h\to0}\frac{f(a-h)-f(a)}{h}+\lim_{h\to0}\frac{f(a+h^3)-f(a)}{h}$$

의 값을 구하여라.

102

다항함수 $f(x)$에 대하여 $f(1)=2$, $f'(1)=4$일 때, $\lim_{x\to1}\frac{xf(1)-f(x)}{x-1}$의 값을 구하여라.

103

다항함수 $f(x)$에 대하여

$\lim_{h\to0}\frac{f(1+h)-f(1-h)}{h}=6$일 때,

$\lim_{x\to1}\frac{x^2-1}{f(x)-f(1)}$의 값을 구하여라.

104

$-1<x\le6$에서 정의된 함수 $f(x)$의 그래프에서 연속이지만 미분가능하지 않은 점의 x좌표를 구하여라.

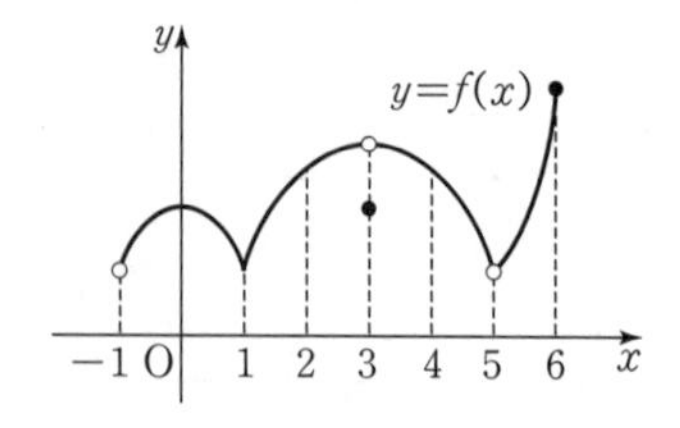

2 도함수

01 도함수의 정의

미분한다는 것은 도함수를 구하는 것이고, 미분법이란 도함수를 구하는 방법이다.

그럼 도함수란 무엇일까?

도함수란 유도된 함수. 영어로는 derived function.

$f(x)$에서 유도된 함수 $f'(x)$가 바로 도함수이다.

(1) **도함수**

함수 $y=f(x)$에서 x의 각 값에 미분계수 $f'(x)$를 대응시키는 새로운 함수

$$f'(x)=\lim_{h\to 0}\frac{f(x+h)-f(x)}{h}$$

를 $f(x)$의 **도함수**라 하고, 이것을 기호로 다음과 같이 나타낸다.

$$f'(x),\ y',\ \frac{dy}{dx},\ \frac{d}{dx}f(x)$$

(2) **미분법**

함수 $y=f(x)$에서 그 도함수 $f'(x)$를 구하는 것을 함수 $y=f(x)$를 x에 대하여 미분한다고 하고, 그 계산법을 **미분법**이라 한다.

| 설명 | $\frac{dy}{dx}$는 dy를 dx로 나눈다는 뜻이 아니라 y를 x에 대하여 미분한다는 것을 나타내는 기호이며, '디와이(dy) 디엑스(dx)'라 읽는다. 나중에는 분수인 듯 분수가 아닌 듯 분수와 같은 형태로 쓰인다.

도함수의 정의는 미분계수의 정의에서 a를 x로 바꾼 것과 같다.

$$f'(a)=\lim_{h\to 0}\frac{f(a+h)-f(a)}{h} \Rightarrow f'(x)=\lim_{h\to 0}\frac{f(x+h)-f(x)}{h}$$

미분계수 $f'(a)$는 도함수 $f'(x)$에 $x=a$를 대입한 값과 같다.

미분계수는 $x=a$에서의 접선의 기울기(순간변화율)이므로

도함수는 접선의 기울기(순간변화율)를 나타내는 함수이다.

상수함수 $f(x)=c$를 생각해 보자. 임의의 점에서 접선의 기울기는 항상 0이다.

따라서 함수 $f(x)=c$의 도함수 $f'(x)=0$이다.

일차함수 $f(x)=ax$도 생각해 보자. 임의의 점에서 접선의 기울기는 항상 a이다.

따라서 함수 $f(x)=ax$의 도함수는 $f'(x)=a$이다.

02 미분법의 기본 공식

도함수의 정의를 이용해 도함수를 직접 구하려면 매번 극한을 계산해야 하므로 상당히 복잡하다. 다행히도 다음과 같은 공식이 있어서 어떤 함수의 도함수도 어렵지 않게 구할 수 있다.

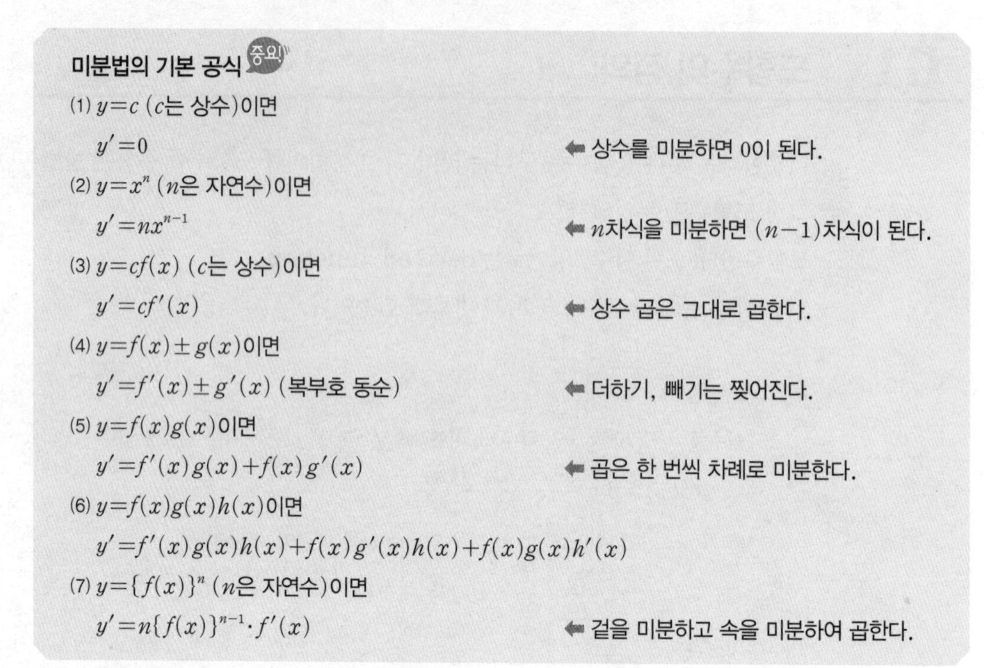

미분법의 기본 공식 중요!

(1) $y=c$ (c는 상수)이면
$y'=0$ ⬅ 상수를 미분하면 0이 된다.

(2) $y=x^n$ (n은 자연수)이면
$y'=nx^{n-1}$ ⬅ n차식을 미분하면 $(n-1)$차식이 된다.

(3) $y=cf(x)$ (c는 상수)이면
$y'=cf'(x)$ ⬅ 상수 곱은 그대로 곱한다.

(4) $y=f(x)\pm g(x)$이면
$y'=f'(x)\pm g'(x)$ (복부호 동순) ⬅ 더하기, 빼기는 찢어진다.

(5) $y=f(x)g(x)$이면
$y'=f'(x)g(x)+f(x)g'(x)$ ⬅ 곱은 한 번씩 차례로 미분한다.

(6) $y=f(x)g(x)h(x)$이면
$y'=f'(x)g(x)h(x)+f(x)g'(x)h(x)+f(x)g(x)h'(x)$

(7) $y=\{f(x)\}^n$ (n은 자연수)이면
$y'=n\{f(x)\}^{n-1}\cdot f'(x)$ ⬅ 겉을 미분하고 속을 미분하여 곱한다.

위의 미분법의 기본 공식을 잘 기억하고 있다가 $x=a$에서 미분계수 $f'(a)$를 구해야 하는 상황이 오면 도함수 $f'(x)$에 a를 대입하면 된다.

도함수의 중요성은 크게 3가지.

첫 번째, 계산이 쉽다. $f'(x)$의 계산이 $f'(2)$보다 훨씬 쉽다.
$f'(x)$를 구하는 미분법을 익히는 것이 이 단원의 핵심.

두 번째, 미분계수를 구하기 쉽다.
도함수 $f(x)$를 한 번 구하면 $f'(2)$와 $f'(3)$을 따로 구할 필요 없이 각각 대입하면 끝.

세 번째, 미분과 적분의 관계를 밝혀 준다.
미분과 적분은 역연산 관계. ➡ 적분에서 배운다.

반드시 모든 공식을 암기하고 넘어가자.

| 증명 | **미분법의 기본 공식의 증명**

(1) $y=c$ (c는 상수) ➡ $y'=0$

$$y'=\lim_{h\to0}\frac{f(x+h)-f(x)}{h}$$
$$=\lim_{h\to0}\frac{c-c}{h}=0$$

(2) $y=x^n$ (n은 자연수) ➡ $y'=nx^{n-1}$

$$y'=\lim_{h\to0}\frac{f(x+h)-f(x)}{h}$$
$$=\lim_{h\to0}\frac{(x+h)^n-x^n}{h}$$
$$=\lim_{h\to0}\frac{1}{h}\{(x+h)-x\}\{(x+h)^{n-1}+(x+h)^{n-2}x+\cdots+x^{n-1}\}$$
$$=\lim_{h\to0}\{(x+h)^{n-1}+(x+h)^{n-2}x+\cdots+x^{n-1}\}$$
$$=\underbrace{x^{n-1}+x^{n-1}+\cdots+x^{n-1}}_{n\text{개}}=nx^{n-1}$$

(3) $y=cf(x)$ (c는 상수) ➡ $y'=cf'(x)$

$$y'=\lim_{h\to0}\frac{cf(x+h)-cf(x)}{h}$$
$$=c\lim_{h\to0}\frac{f(x+h)-f(x)}{h}=cf'(x)$$

(4) $y=f(x)\pm g(x)$ ➡ $y'=f'(x)\pm g'(x)$ (복부호 동순)

$$y'=\lim_{h\to0}\frac{\{f(x+h)\pm g(x+h)\}-\{f(x)\pm g(x)\}}{h}$$
$$=\lim_{h\to0}\frac{\{f(x+h)-f(x)\}\pm\{g(x+h)-g(x)\}}{h}$$
$$=\lim_{h\to0}\frac{f(x+h)-f(x)}{h}\pm\lim_{h\to0}\frac{g(x+h)-g(x)}{h}=f'(x)\pm g'(x)$$

(5) $y=f(x)g(x)$ ➡ $y'=f'(x)g(x)+f(x)g'(x)$

$$y'=\lim_{h\to0}\frac{f(x+h)g(x+h)-f(x)g(x)}{h}$$
$$=\lim_{h\to0}\frac{\{f(x+h)g(x+h)-f(x)g(x+h)\}+\{f(x)g(x+h)-f(x)g(x)\}}{h}$$
$$=\lim_{h\to0}\left\{\frac{f(x+h)-f(x)}{h}\cdot g(x+h)\right\}+\lim_{h\to0}\left\{f(x)\cdot\frac{g(x+h)-g(x)}{h}\right\}$$
$$=f'(x)g(x)+f(x)g'(x)$$

(6) $y=f(x)g(x)h(x)$ ➡ $y'=f'(x)g(x)h(x)+f(x)g'(x)h(x)+f(x)g(x)h'(x)$

$$y'=\{f(x)g(x)\}'h(x)+\{f(x)g(x)\}h'(x)$$
$$=\{f'(x)g(x)+f(x)g'(x)\}h(x)+f(x)g(x)h'(x)$$
$$=f'(x)g(x)h(x)+f(x)g'(x)h(x)+f(x)g(x)h'(x)$$

(7) $y=\{f(x)\}^n$ (n은 자연수) ➡ $y'=n\{f(x)\}^{n-1}f'(x)$

$y=\{f(x)\}^3$일 때,

$$y'=\{f(x)f(x)f(x)\}'=f'(x)f(x)f(x)+f(x)f'(x)f(x)+f(x)f(x)f'(x)$$
$$=3\{f(x)\}^2f'(x)$$

$y=\{f(x)\}^4$일 때,

$$y'=\{f(x)f(x)f(x)f(x)\}'$$
$$=f'(x)f(x)f(x)f(x)+f(x)f'(x)f(x)f(x)+f(x)f(x)f'(x)f(x)+f(x)f(x)f(x)f'(x)$$
$$=4\{f(x)\}^3f'(x)$$

같은 방법으로 생각하면 $y=\{f(x)\}^n$일 때, $y'=n\{f(x)\}^{n-1}f'(x)$

105 **함수 $f(x)=5x^2+3x$의 도함수를 다음 방법을 이용하여 구하여라.**

(1) 도함수의 정의 (2) 미분법의 공식

풍산자日 도함수의 정의 $f'(x)=\lim_{h\to 0}\frac{f(x+h)-f(x)}{h}$를 이용한다.

> 풀이 (1) $f'(x)=\lim_{h\to 0}\frac{f(x+h)-f(x)}{h}$

$=\lim_{h\to 0}\frac{\{5(x+h)^2+3(x+h)\}-(5x^2+3x)}{h}$

$=\lim_{h\to 0}\frac{5h^2+10xh+3h}{h}=\lim_{h\to 0}(5h+10x+3)=\mathbf{10x+3}$

(2) $f'(x)=5\cdot 2x+3=\mathbf{10x+3}$

정답과 풀이 **17**쪽

유제 **106** **함수 $f(x)=x^2-x$의 도함수를 다음 방법을 이용하여 구하여라.**

(1) 도함수의 정의 (2) 미분법의 공식

107 **다음 함수를 미분하여라.**

(1) $y=2x^3-5x^2+2$ (2) $y=(3x^2-2)(2x-1)$

(3) $y=(x+1)(2x+1)(3x+1)$ (4) $y=(x^2+1)^{10}$

풍산자日 앞에서 배운 미분법의 기본 공식을 활용한다.

> 풀이 (1) $y'=2\cdot 3x^2-5\cdot 2x+0=\mathbf{6x^2-10x}$

(2) $y'=(3x^2-2)'(2x-1)+(3x^2-2)(2x-1)'=6x(2x-1)+(3x^2-2)\cdot 2$

$=(12x^2-6x)+(6x^2-4)=\mathbf{18x^2-6x-4}$

(3) $y'=(x+1)'(2x+1)(3x+1)+(x+1)(2x+1)'(3x+1)+(x+1)(2x+1)(3x+1)'$

$=1\cdot(2x+1)(3x+1)+(x+1)\cdot 2\cdot(3x+1)+(x+1)(2x+1)\cdot 3$

$=(6x^2+5x+1)+2(3x^2+4x+1)+3(2x^2+3x+1)$

$=\mathbf{18x^2+22x+6}$

(4) $y'=10(x^2+1)^9\cdot(x^2+1)'$

$=10(x^2+1)^9\cdot 2x$

$=\mathbf{20x(x^2+1)^9}$

정답과 풀이 **17**쪽

유제 **108** **다음 함수를 미분하여라.**

(1) $y=4x^3-6x^2+3x-1$ (2) $y=(2x-5)(x^2-3x+1)$

(3) $y=(x+1)(x+2)(x+3)$ (4) $y=(2x-3)^5$

109 $f(x)=x^3-2x^2+1$**일 때,** $\lim_{h\to 0}\frac{f(1+h)-f(1-h)}{h}$**의 값을 구하여라.**

풍산자日 미분계수의 정의를 이용하여 주어진 극한의 분자에 $f(1)$을 더하고 뺀다.

> 풀이

$$(\text{주어진 식})=\lim_{h\to 0}\frac{f(1+h)-f(1)+f(1)-f(1-h)}{h}$$

$$=\lim_{h\to 0}\left\{\frac{f(1+h)-f(1)}{h}-\frac{f(1-h)-f(1)}{-h}\cdot(-1)\right\}$$

$$=f'(1)+f'(1)=2f'(1)$$

한편, $f'(x)=3x^2-4x$이므로

(주어진 식)$=2f'(1)=2\cdot(-1)=\mathbf{-2}$

정답과 풀이 **17**쪽

유제 **110** $f(x)=x^4-2x^3+x^2+3$**일 때,** $\lim_{h\to 0}\frac{f(2+2h)-f(2+h)}{h}$**의 값을 구하여라.**

111 **함수** $f(x)=x^4+ax^2+bx$**가 다음 두 조건을 만족시킬 때, 상수** a, b**의 값을 구하여라.**

$$\lim_{x\to 2}\frac{f(x)-f(2)}{x-2}=14,\ \lim_{x\to 1}\frac{f(x)-f(1)}{x^2-1}=-2$$

풍산자日 미분계수의 정의를 활용해서 $f'(1)$, $f'(2)$의 값을 구한다.

> 풀이

$\lim_{x\to 2}\frac{f(x)-f(2)}{x-2}=14$에서 $f'(2)=14$ ⋯⋯ ㉠

$\lim_{x\to 1}\frac{f(x)-f(1)}{x^2-1}=\lim_{x\to 1}\left\{\frac{f(x)-f(1)}{x-1}\cdot\frac{1}{x+1}\right\}=f'(1)\cdot\frac{1}{2}$에서

$\frac{1}{2}f'(1)=-2$ $\therefore f'(1)=-4$ ⋯⋯ ㉡

한편, $f(x)=x^4+ax^2+bx$에서

$f'(x)=4x^3+2ax+b$

㉠, ㉡에서 $f'(2)=32+4a+b=14$, $f'(1)=4+2a+b=-4$

두 식을 연립하여 풀면 $\mathbf{a=-5}$, $\mathbf{b=2}$

정답과 풀이 **17**쪽

유제 **112** **함수** $f(x)=ax^2+bx$**가 다음 두 조건을 만족시킬 때, 상수** a, b**의 값을 구하여라.**

$$\lim_{x\to 1}\frac{f(x)-f(1)}{x-1}=1,\ \lim_{x\to 2}\frac{x-2}{f(x)-f(2)}=1$$

113 $\lim_{x\to1}\frac{x^{10}+3x-4}{x-1}$의 값을 구하여라.

풍산자曰 $\frac{0}{0}$ 꼴의 극한이므로 분자를 조립제법으로 인수분해 하여 약분하면 풀린다.

하지만 상당히 복잡하므로 미분계수의 정의를 이용하여 구할 수도 있다.

한 마디로 주어진 극한을 $\lim_{x\to a}\frac{f(x)-f(a)}{x-a}$ 꼴로 변형하는 것.

$\frac{0}{0}$ 꼴이나 $\frac{\infty}{\infty}$ 꼴의 극한값의 계산의 경우 로피탈 정리를 이용할 수도 있다.

> 풀이 $f(x)=x^{10}+3x$로 놓으면 $f(1)=4$이므로

$$\lim_{x\to1}\frac{x^{10}+3x-4}{x-1}=\lim_{x\to1}\frac{f(x)-f(1)}{x-1}=f'(1)$$

한편, $f'(x)=10x^9+3$이므로

(주어진 식)$=f'(1)=10+3=\mathbf{13}$

> 참고 교육과정 밖의 내용이긴 하지만 $\frac{0}{0}$ 꼴이나 $\frac{\infty}{\infty}$ 꼴의 극한값의 계산은 로피탈 정리를 이용하는 것이 제일 간편하다.

로피탈 정리

$$\lim_{x\to a}\frac{f(x)}{g(x)}=\lim_{x\to a}\frac{f'(x)}{g'(x)}\left(\text{단, }\frac{0}{0}\text{ 꼴과 }\frac{\infty}{\infty}\text{ 꼴일 때만 사용 가능}\right)$$

로피탈 정리를 이용해 113을 다시 풀어 보자.

주어진 식의 분자, 분모를 x에 대하여 각각 미분하면

$$\lim_{x\to1}\frac{x^{10}+3x-4}{x-1}=\lim_{x\to1}\frac{(x^{10}+3x-4)'}{(x-1)'}$$
$$=\lim_{x\to1}\frac{10x^9+3}{1}$$
$$=\frac{10+3}{1}=13$$

정답과 풀이 **18**쪽

유제 **114** $\lim_{x\to1}\frac{x^{10}+5x-6}{x-1}$의 값을 구하여라.

풍산자 비법

미분법의 기본 공식을 이용하면 도함수를 쉽게 구할 수 있고,

도함수의 정의를 이용하면 복잡한 극한값의 계산을 간단하게 해결할 수 있다.

03 도함수의 응용

| 미분가능할 조건 |

115 함수 $f(x)=\begin{cases} x^3+ax^2+bx & (x\ge1) \\ 2x^2+1 & (x<1) \end{cases}$이 $x=1$에서 미분가능할 때, 상수 a, b의 값을 구하여라.

풍산자日 $x=1$을 기준으로 오른쪽은 x^3+ax^2+bx, 왼쪽은 $2x^2+1$을 붙여 놓은 함수.
$x=1$에서 미분가능하려면
(i) $x=1$에서 연속이다. ➡ $\lim_{x\to1+} f(x)=\lim_{x\to1-} f(x)=f(1)$
(ii) $f'(1)$이 존재한다. ➡ $\lim_{x\to1+} f'(x)=\lim_{x\to1-} f'(x)$

풀이 $f(x)=\begin{cases} x^3+ax^2+bx & (x\ge1) \\ 2x^2+1 & (x<1) \end{cases}$ …… ㉠

에서 함수 $f(x)$가 $x=1$에서 미분가능하므로

$f'(x)=\begin{cases} 3x^2+2ax+b & (x\ge1) \\ 4x & (x<1) \end{cases}$ …… ㉡

와 같이 나타내고 $f(x)$는 $x=1$에서 연속이고, $f'(1)$이 존재한다.
(i) $x=1$에서 연속이므로 ㉠에서 $1+a+b=2+1$
$\therefore a+b=2$ …… ㉢
(ii) $f'(1)$이 존재하므로 ㉡에서 $3+2a+b=4$
$\therefore 2a+b=1$ …… ㉣
㉢, ㉣을 연립하여 풀면 $\boldsymbol{a=-1}$, $\boldsymbol{b=3}$

참고 $x=a$를 기준으로 서로 다른 함수를 붙여 놓은 함수 $f(x)=\begin{cases} g(x) & (x\ge a) \\ h(x) & (x<a) \end{cases}$의 미분가능성을 따지려면 두 가지를 확인한다.
(i) $g(a)=h(a)$ ➡ 그냥 같다.
(ii) $g'(a)=h'(a)$ ➡ 미분해서 같다.

정답과 풀이 18쪽

유제 **116** 함수 $f(x)=\begin{cases} ax^3 & (x\ge1) \\ bx-2 & (x<1) \end{cases}$가 $x=1$에서 미분가능할 때, 상수 a, b의 값을 구하여라.

117 다음 물음에 답하여라.

(1) 다항식 x^5+x^3+x를 $(x-1)^2$으로 나누었을 때의 나머지를 구하여라.

(2) 다항식 $x^{100}+ax+b$가 $(x+1)^2$으로 나누어떨어질 때, 상수 a, b의 값을 구하여라.

풍산자日 다항식을 완전제곱식으로 나눌 때는 '그냥 대입한다, 미분해서 대입한다.'를 떠올린다.

(i) 그냥 대입한다. ➡ $f(x)=(x-\alpha)^2Q(x)+ax+b \Rightarrow f(\alpha)=a\alpha+b$

(ii) 미분해서 대입한다. ➡ $f'(x)=2(x-\alpha)Q(x)+(x-\alpha)^2Q'(x)+a \Rightarrow f'(\alpha)=a$

> 풀이 (1) 다항식 x^5+x^3+x를 $(x-1)^2$으로 나눌 때의 몫을 $Q(x)$, 나머지를 $ax+b$라 하면

$x^5+x^3+x=(x-1)^2Q(x)+ax+b$ ······ ㉠

㉠의 양변에 $x=1$을 대입하면 $3=a+b$

㉠의 양변을 x에 대하여 미분하면

$5x^4+3x^2+1=2(x-1)Q(x)+(x-1)^2Q'(x)+a$

양변에 $x=1$을 대입하면 $9=a$ $\therefore b=-6$

따라서 구하는 나머지는 $\mathbf{9x-6}$

(2) 다항식 $x^{100}+ax+b$를 $(x+1)^2$으로 나눌 때의 몫을 $Q(x)$라 하면

$x^{100}+ax+b=(x+1)^2Q(x)$ ······ ㉠

㉠의 양변에 $x=-1$을 대입하면 $1-a+b=0$

㉠의 양변을 x에 대하여 미분하면

$100x^{99}+a=2(x+1)Q(x)+(x+1)^2Q'(x)$

양변에 $x=-1$을 대입하면 $-100+a=0$

$\therefore \mathbf{a=100,\ b=99}$

> 참고 $f(x)$를 $(x-\alpha)^2$으로 나눈 몫을 $Q(x)$, 나머지를 $ax+b$라 하면

$f(x)=(x-\alpha)^2Q(x)+ax+b$ ······ ㉠

㉠의 양변에 $x=\alpha$를 대입하면 $f(\alpha)=a\alpha+b$ ······ ㉡

㉠의 양변을 x에 대하여 미분하면

$f'(x)=2(x-\alpha)Q(x)+(x-\alpha)^2Q'(x)+a$

양변에 $x=\alpha$를 대입하면 $f'(\alpha)=a$ ······ ㉢

㉡, ㉢에서 $ax+b=f'(\alpha)x+f(\alpha)-\alpha f'(\alpha)=f'(\alpha)(x-\alpha)+f(\alpha)$

따라서 이차 이상의 다항식 $f(x)$를 $(x-\alpha)^2$으로 나눈 나머지는 $f'(\alpha)(x-\alpha)+f(\alpha)$이다.

정답과 풀이 **18**쪽

유제 **118** 다음 물음에 답하여라.

(1) x^{10}을 $(x+1)^2$으로 나누었을 때의 나머지를 구하여라.

(2) 다항식 x^5-ax+b가 $(x-1)^2$으로 나누어떨어질 때, 상수 a, b의 값을 구하여라.

풍산자 비법

함수가 미분가능할 조건은 두 가지.

(i) $\lim_{x\to a-} f(x)=\lim_{x\to a+} f(x)=f(a)$ (ii) $\lim_{x\to a-} f'(x)=\lim_{x\to a+} f'(x)$

필수 확인 문제

* 더 많은 유형은 **풍산자필수유형 수학Ⅱ** 043쪽

정답과 풀이 18쪽

119

함수

$$f(x)=x^{10}+x^9+x^8+\cdots+x^2+x+1$$

의 $x=1$에서의 미분계수를 구하여라.

120

곡선 $y=x^3+ax^2+bx$가 점 $(1,\ 2)$를 지나고 이 점에서의 접선의 기울기가 2일 때, 상수 a, b의 값을 구하여라.

121

함수 $f(x)=ax^2+bx$가 다음 두 조건을 만족시킬 때, 상수 a, b의 합 $a+b$의 값을 구하여라.

(가) $\displaystyle\lim_{x\to1}\frac{f(x^2)-f(1)}{x-1}=6$

(나) $\displaystyle\lim_{x\to2}\frac{x-2}{f(x)-f(2)}=1$

122

다항함수 $f(x)$, $g(x)$가

$$\lim_{x\to3}\frac{f(x)-2}{x-3}=1,\ \lim_{x\to3}\frac{g(x)-1}{x-3}=2$$

를 만족시킬때, 함수 $y=f(x)g(x)$의 $x=3$에서의 미분계수를 구하여라.

123

함수

$$f(x)=\begin{cases} x^2 & (x<2) \\ a(x-4)^2+b & (x\geq2) \end{cases}$$

가 모든 실수 x에서 미분가능하도록 상수 a, b의 값을 정할 때, ab의 값을 구하여라.

124

다항식 x^5+ax^4+b가 $(x+1)^2$으로 나누어떨어질 때, 상수 a, b에 대하여 ab의 값을 구하여라.

중단원 마무리

▶ 미분의 정의

평균변화율	① $\dfrac{\Delta y}{\Delta x}=\dfrac{f(b)-f(a)}{b-a}=\dfrac{f(a+\Delta x)-f(a)}{\Delta x}$ ② 기하적 의미: 두 점을 지나는 직선의 기울기
미분계수 (=순간변화율)	① $f'(a)=\lim\limits_{x\to a}\dfrac{f(x)-f(a)}{x-a}=\lim\limits_{\Delta x\to 0}\dfrac{f(a+\Delta x)-f(a)}{\Delta x}$ ② 기하적 의미: 점 $(a,\ f(a))$에서의 접선의 기울기

▶ 미분가능성과 연속성

미분가능성	$x=a$에서 함수 $f(x)$가 미분가능 ➡ 미분계수 $f'(a)$가 존재한다. ➡ $f'(a)=\lim\limits_{x\to a}\dfrac{f(x)-f(a)}{x-a}$ 가 존재한다. ➡ (i) $\lim\limits_{x\to a-}f(x)=\lim\limits_{x\to a+}f(x)=f(a)$ (ii) $\lim\limits_{x\to a-}f'(x)=\lim\limits_{x\to a+}f'(x)$
미분가능성과 연속성의 관계	함수 $y=f(x)$가 $x=a$에서 미분가능하면 $y=f(x)$는 $x=a$에서 연속이다. 그러나 역이 반드시 성립하는 것은 아니다. 함수 연속인 함수 미분가능한 함수

▶ 도함수

도함수의 정의	$f'(x)=\lim\limits_{h\to 0}\dfrac{f(x+h)-f(x)}{h}$
미분법	함수 $y=f(x)$에서 그 도함수 $f(x)$를 구하는 계산 방법
미분법의 기본 공식	① $y=c$ (c는 상수)이면 $y'=0$ ② $y=x^n$ (n은 자연수)이면 $y'=nx^{n-1}$ ③ $y=cf(x)$ (c는 상수)이면 $y'=cf'(x)$ ④ $y=f(x)\pm g(x)$이면 $y'=f'(x)\pm g'(x)$ (복부호 동순) ⑤ $y=f(x)g(x)$이면 $y'=f'(x)g(x)+f(x)g'(x)$ ⑥ $y=\{f(x)\}^n$ (n은 자연수)이면 $y'=n\{f(x)\}^{n-1}\cdot f'(x)$

실전 연습문제

정답과 풀이 19쪽

STEP 1

125

함수 $f(x)=x^2+ax+b$에 대하여 x의 값이 0에서 2까지 변할 때의 평균변화율이 3일 때, 상수 a의 값을 구하여라.

126

함수 $f(x)=x^3-4x$에 대하여 x의 값이 -1에서 1까지 변할 때의 평균변화율과 $x=a$에서의 미분계수가 같을 때, 양수 a의 값을 구하여라.

127

다항함수 $f(x)$에 대하여 $f(a)=\lim_{x \to a} \frac{x^3-a^3}{x-a}$일 때, $\lim_{h \to 0} \frac{f(1+h)-f(1-h)}{h}$의 값을 구하여라.

128

다항함수 $f(x)$에 대하여 $f(1)=1$, $f'(1)=1$일 때, $\lim_{x \to 1} \frac{x-1}{f(x^2)-1}$의 값을 구하여라.

129

함수 $f(x)=x^2+ax+b$에 대하여 $f(0)=-3$이고 $\lim_{h \to 0} \frac{f(1+h)-f(1)}{h}=1$일 때, $f(1)$의 값을 구하여라.

130

곡선 $y=x^3-5x+4$ 위의 점 중 접선의 기울기가 7인 점이 두 개 있다. 이 두 점 사이의 거리를 구하여라.

실전 연습문제

131

미분가능한 함수 $f(x)$가 모든 실수 x에 대하여

$\lim_{h\to0}\frac{f(a+3h)-f(a-2h)}{h}=kf'(a)$가 성립할 때, 상수 k의 값을 구하여라.

132

다항함수 $f(x)=2x^3+ax^2+3bx$가 다음 두 조건을 모두 만족시킬 때, 상수 a, b에 대하여 ab의 값을 구하여라.

(가) $\lim_{x\to1}f(x)=-1$

(나) $\lim_{x\to1}\frac{f(x)-f(1)}{x-1}=3$

133

함수 $f(x)$에 대하여 $f'(a)=3$이고

$f(-x)=-f(x)$일 때, $f'(a)+f'(-a)$의 값을 구하여라.

STEP 2

134

구간 $(-1,\ 7)$에서 정의된 함수 $y=f(x)$의 그래프가 그림과 같을 때, 다음 중 옳지 않은 것은?

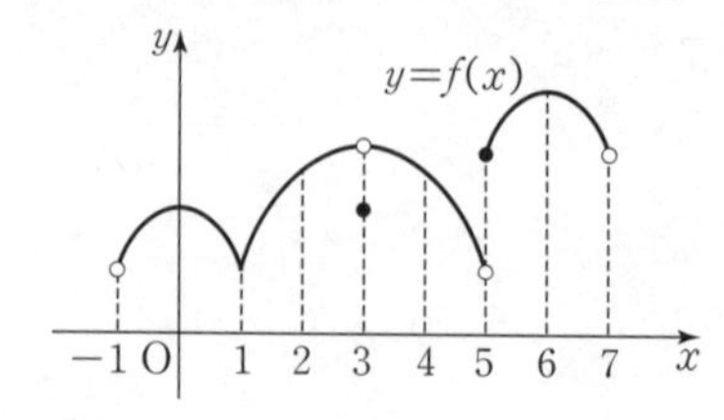

① $f'(4)<0$

② $\lim_{x\to3}f(x)$가 존재한다.

③ $f'(x)=0$인 점은 3개이다.

④ $f(x)$의 불연속점은 2개이다.

⑤ $f(x)$의 미분가능하지 않은 점은 3개이다.

135

함수 $y=f(x)$의 그래프가 그림과 같을 때, 다음 중 옳은 것은?

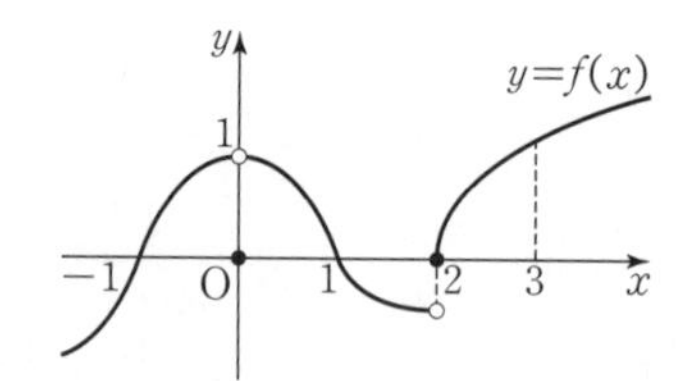

① $\lim_{h\to0}\frac{f(h)}{h}=0$

② $\lim_{x\to0}f(x)$의 값은 존재하지 않는다.

③ 함수 $f(x)$는 $x>0$에서 항상 미분가능하다.

④ $\lim_{x\to3}\frac{f(x)-f(3)}{x-3}>0$

⑤ $f'(1)f'(3)=0$

136

미분가능한 함수 $f(x)$가 모든 실수 x, y에 대하여 $f(x+y)=f(x)+f(y)$를 만족시키고 $f'(0)=5$일 때, $f'(x)$를 구하여라.

137

자연수 n에 대하여 $\lim_{x\to 2}\frac{x^n-5x-6}{x(x-2)}=\alpha$일 때, $n\alpha$의 값을 구하여라.

138

그림은 $y=2$와 $y=x+1$의 그래프의 일부분이다. 두 점 $A(0, 1)$, $B(2, 2)$ 사이를 구간 $[0, 2]$에서 정의된 이차함수 $f(x)=ax^2+bx+c$의 그래프로 연결하여 그래프 전체를 나타내는 함수가 실수 전체에서 미분가능하도록 상수 a, b, c를 정할 때, $8a-4b+2c$의 값을 구하여라.

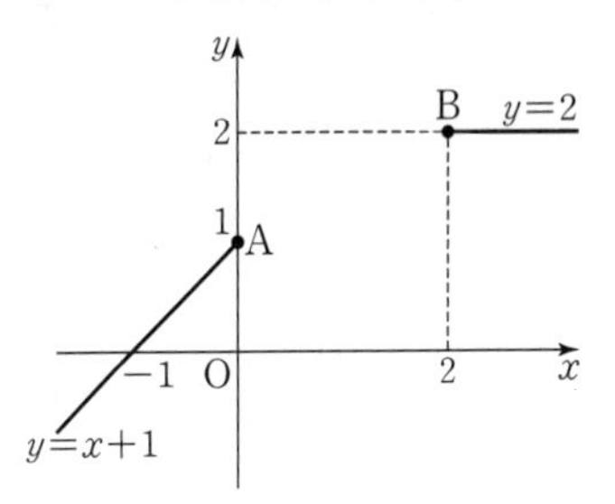

139

다항함수 $f(x)$가 모든 실수 x에 대하여

$$f'(x)(x^2+x+2)=f(x)+\frac{1}{2}x^2-3$$

을 만족시킬 때, $f(2)$의 값을 구하여라.

2 도함수의 활용

미분은 그래프를 그려 준다.
그래프는 방정식과 부등식의 근을 구하는 단서가 된다.
또 미분은 변화량을 나타내므로 자연 현상을 해석해 준다.

1 접선의 방정식

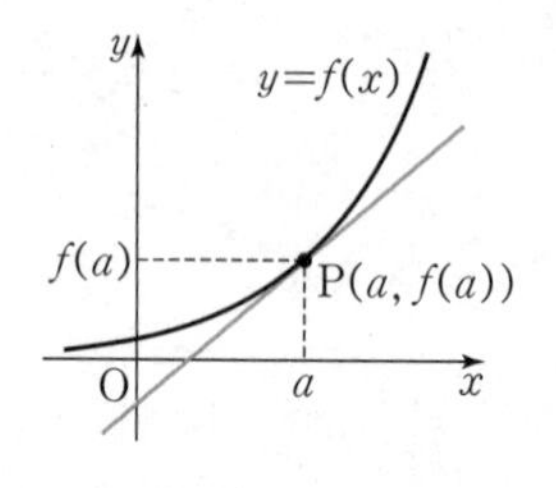

2 평균값 정리

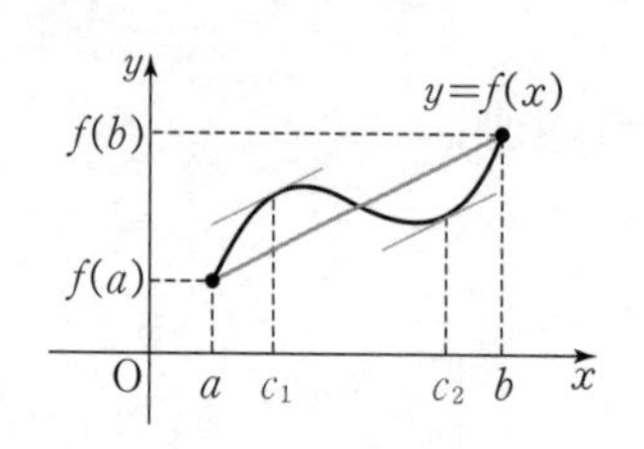

3 함수의 극대와 극소

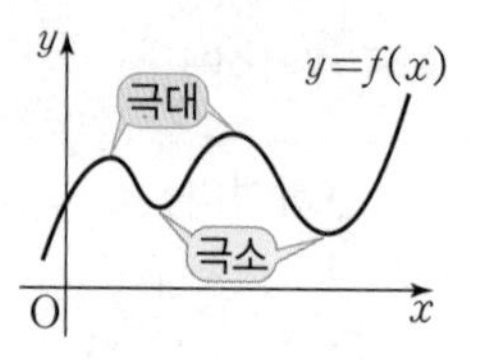

4 함수의 최대와 최소

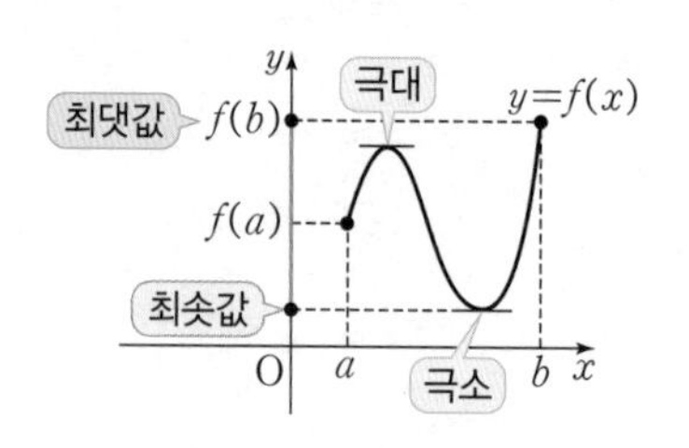

5 방정식과 부등식에의 활용

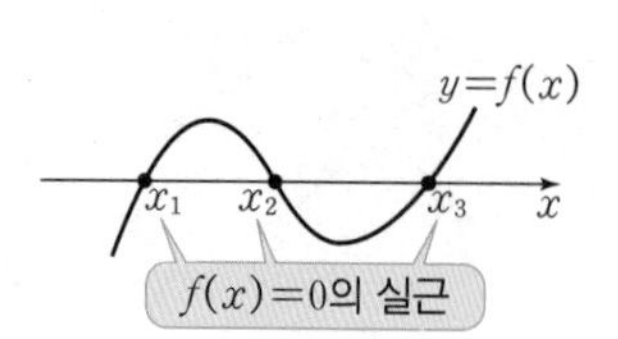

6 속도와 가속도

$$v=\frac{dx}{dt},\ a=\frac{dv}{dt}$$

1 접선의 방정식

01 접점이 주어질 때 접선의 방정식

기울기 m과 한 점 $P(x_1, y_1)$만 알면 직선은 결정된다. ➡ $y-y_1=m(x-x_1)$
따라서 접점이 주어질 때, 기울기만 구하면 접선의 방정식을 알 수 있다.
미분계수 $f'(a)$는 곡선 $y=f(x)$ 위의 $x=a$인 점에서의 접선의 기울기와 같다.
그렇다면? 접선의 기울기, 즉 미분계수를 이용해 접선의 방정식을 구하면 되겠다.

접점이 주어질 때 접선의 방정식
곡선 $y=f(x)$ 위의 점 $P(a, f(a))$에서의
접선의 기울기는 $f'(a)$
따라서 접선의 방정식은
$$y-f(a)=f'(a)(x-a)$$

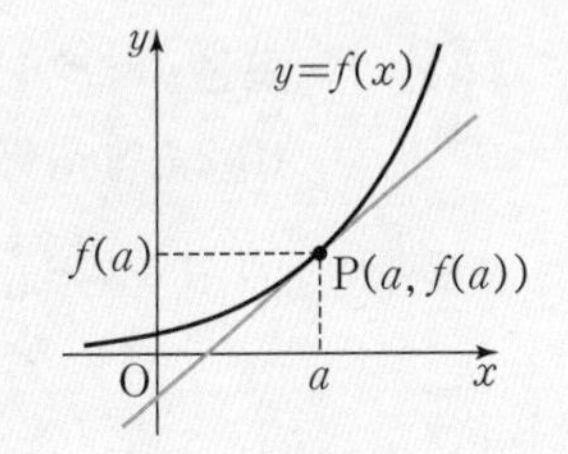

| 접점이 주어질 때 접선의 방정식 |

140 곡선 $y=x^3-x+3$ 위의 점 $(1, 3)$에서의 접선의 방정식을 구하여라.

풍산자日 한 점은 주어졌다. 그 점에서의 미분계수가 접선의 기울기이다. 기울기만 구하면 직선은 결정된다.

> 풀이 $f(x)=x^3-x+3$으로 놓으면 $f'(x)=3x^2-1$
이 곡선 위의 점 $(1, 3)$에서의 접선의 기울기는 $f'(1)=3-1=2$
따라서 기울기가 2이고, 점 $(1, 3)$을 지나는 접선의 방정식은
$y-3=2(x-1)$ $\quad\therefore$ $\boldsymbol{y=2x+1}$

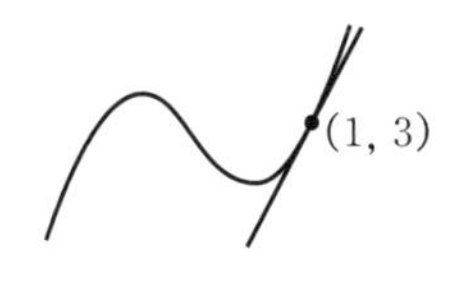

정답과 풀이 22쪽

유제 **141** 곡선 $y=x^2-2x+1$ 위의 점 $(2, 1)$을 지나고, 이 점에서의 접선에 수직인 직선의 방정식을 구하여라.

02 기울기가 주어질 때 접선의 방정식

기울기 m과 한 점 $P(x_1, y_1)$만 알면 직선은 결정된다. 따라서 기울기가 주어질 때, 미분계수를 이용해 접점만 구하면 접선의 방정식을 쉽게 알 수 있다.

기울기가 주어질 때 접선의 방정식

곡선 $y=f(x)$에 접하는 기울기가 m인 접선의 방정식

[1단계] $f'(x)=m$을 이용하여 접점의 x좌표를 구한다.

[2단계] 구한 접점의 x좌표를 $x=a$라 하면 $f(x)$에 대입하여 $f(a)$를 구한다.

[3단계] $y-f(a)=m(x-a)$에 대입한다.

| 기울기가 주어질 때 접선의 방정식 |

142 곡선 $y=x^3-12x+3$에 대하여 다음을 구하여라.

(1) x축에 평행한 접선의 방정식

(2) 직선 $y=\frac{1}{9}x+\frac{1}{10}$에 수직인 접선의 방정식

풍산자日 기울기가 주어지면 $f'(x)=m$을 이용해 접점을 구한다.

(1) x축에 평행하면 기울기는 0이다.

(2) 수직이면 기울기의 곱이 -1임을 이용한다.

▶ 풀이 (1) $f(x)=x^3-12x+3$으로 놓으면 $f'(x)=3x^2-12$

x축에 평행한 접선의 기울기는 0이므로

$3x^2-12=0$, $x^2=4$ $\quad\therefore x=\pm 2$

$x=2$일 때 $y=-13$, $x=-2$일 때 $y=19$

따라서 접점의 좌표는 $(2, -13)$, $(-2, 19)$이므로 구하는 접선의 방정식은

$\boldsymbol{y=-13,\ y=19}$

(2) $f(x)=x^3-12x+3$으로 놓으면 $f'(x)=3x^2-12$

직선 $y=\frac{1}{9}x+\frac{1}{10}$에 수직인 직선의 기울기는 -9이므로

$3x^2-12=-9$, $x^2=1$ $\quad\therefore x=\pm 1$

$x=1$일 때 $y=-8$, $x=-1$일 때 $y=14$

따라서 접점의 좌표는 $(1, -8)$, $(-1, 14)$이므로 구하는 접선의 방정식은

$y+8=-9(x-1)$, $y-14=-9(x+1)$

$\therefore \boldsymbol{y=-9x+1,\ y=-9x+5}$

정답과 풀이 22쪽

유제 **143** 곡선 $y=x^3-9x+2$에 대하여 다음을 구하여라.

(1) 기울기가 -6인 접선의 방정식

(2) 직선 $y=3x-2$에 평행한 접선의 방정식

03 곡선 밖의 한 점에서의 접선의 방정식

곡선 밖의 한 점 (m, n)에서의 접선의 방정식을 구하는 방법은 조금 어렵다.
필요한 아이디어는 접점을 문자로 놓는 것.

곡선 밖의 한 점 (m, n)에서의 접선의 방정식

[1단계] 접점을 $(a, f(a))$로 놓고, 접선의 방정식 $y-f(a)=f'(a)(x-a)$를 세운다.

[2단계] 점 (m, n)의 좌표를 접선의 방정식에 대입하여 a의 값을 구한다.

[3단계] 구한 a의 값을 접선의 방정식 $y-f(a)=f'(a)(x-a)$에 대입한다.

| 곡선 밖의 한 점에서의 접선의 방정식 |

144 점 $(0, 3)$에서 곡선 $y=x^3+5$에 그은 접선의 방정식을 구하여라.

풍산자답 점 $(0, 3)$을 $y=x^3+5$에 대입하면 만족하지 않으므로 곡선 밖의 점이다.
곡선 밖의 점이 주어지면 접점을 $(a, f(a))$로 놓고 푼다.

> 풀이

$f(x)=x^3+5$로 놓으면 $f'(x)=3x^2$

접점의 좌표를 (a, a^3+5)라 하면

기울기는 $f'(a)=3a^2$이므로

접선의 방정식은

$y-(a^3+5)=3a^2(x-a)$

$\therefore\ y=3a^2x-2a^3+5$ …… ㉠

이 직선이 점 $(0, 3)$을 지나므로

$3=-2a^3+5$

$2a^3=2,\ a^3=1$

$\therefore\ a=1$

$a=1$을 ㉠에 대입하면 구하는 접선의 방정식은

$\boldsymbol{y=3x+3}$

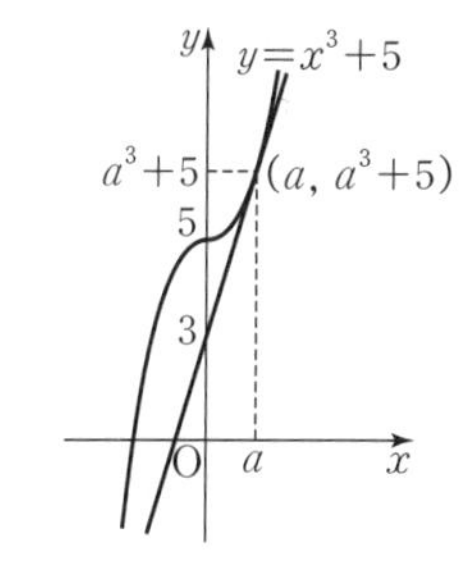

정답과 풀이 22쪽

유제 **145** 점 $(0, -3)$에서 곡선 $y=x^2+x-2$에 그은 접선의 방정식을 구하여라.

04 접선의 방정식의 활용

접선의 방정식은 앞의 세 가지 유형을 확실하게 익히는 것이 매우 중요하다.
또한, 접선의 방정식 파트에는 다양한 문제들이 있는데, 두 곡선이 접하는 공통접선이 특히 중요하다.

두 곡선이 접할 조건

곡선 $y=f(x)$에 곡선 $y=g(x)$가 $x=a$에서 접하면

(1) $x=a$에서 함숫값이 같으므로
$f(a)=g(a)$ ⬅ 그냥 같다.

(2) $x=a$에서 접선의 기울기가 같으므로
$f'(a)=g'(a)$ ⬅ 미분해서 같다.

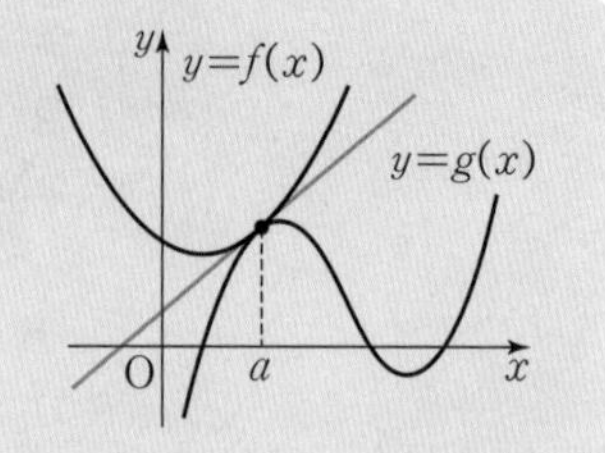

大 원칙 두 곡선이 접한다.
➡ ① 그냥 같다. ② 미분해서 같다.

| 접점이 주어질 때 미정계수 구하기 |

146 곡선 $y=x^3+ax+b$ 위의 점 $(1,\ 0)$에서의 접선의 방정식이 $y=-x+1$일 때, 상수 a, b의 값을 구하여라.

풍산자日 점 $(1,\ 0)$에서의 접선의 방정식이 $y=-x+1$이므로
(1) 곡선은 점 $(1,\ 0)$을 지난다.
(2) $x=1$에서의 접선의 기울기는 -1이다.

> 풀이

$f(x)=x^3+ax+b$로 놓으면
$f'(x)=3x^2+a$
(i) 점 $(1,\ 0)$이 곡선 위의 점이므로
$f(1)=1+a+b=0 \quad \therefore a+b=-1$
(ii) 점 $(1,\ 0)$에서의 접선의 기울기가 -1이므로
$f'(1)=3+a=-1 \quad \therefore a=-4$
(i), (ii)에서 $\boldsymbol{a=-4,\ b=3}$

정답과 풀이 22쪽

유제 **147** 곡선 $y=x^3-2ax+b$ 위의 점 $(1,\ 2)$에서의 접선의 방정식이 $y=-3x+5$일 때, 상수 a, b의 값을 구하여라.

148 **다음 물음에 답하여라.**

(1) 두 곡선 $y=x^3+ax$, $y=x^2-1$이 접할 때, 상수 a의 값을 구하여라.

(2) 두 곡선 $y=x^3+ax$, $y=bx^2+c$가 점 $(-1, -2)$에서 공통인 접선을 가질 때, 상수 a, b, c의 값을 구하여라.

풍산자日 두 곡선이 접한다? 그림과 같은 상황.

접점의 x좌표를 t라 하고, 다음 두 가지에 주목한다.

(1) $x=t$에서 만난다. ➡ $f(t)=g(t)$

(2) $x=t$에서 접한다. ➡ $f'(t)=g'(t)$

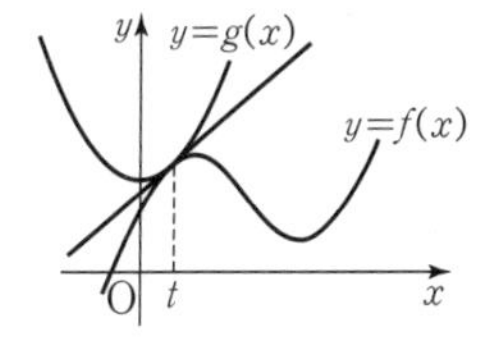

> 풀이 (1) $f(x)=x^3+ax$, $g(x)=x^2-1$로 놓으면 $f'(x)=3x^2+a$, $g'(x)=2x$

두 곡선의 접점의 x좌표를 t라 하면

$f(t)=g(t)$에서 $t^3+at=t^2-1$ …… ㉠

$f'(t)=g'(t)$에서 $3t^2+a=2t$ $\quad\therefore a=2t-3t^2$ …… ㉡

㉡을 ㉠에 대입하여 정리하면

$2t^3-t^2-1=0$, $(t-1)(2t^2+t+1)=0$ $\quad\therefore t=1$

$t=1$을 ㉡에 대입하면

$a=2-3=\mathbf{-1}$

(2) $f(x)=x^3+ax$, $g(x)=bx^2+c$로 놓으면 $f'(x)=3x^2+a$, $g'(x)=2bx$

두 곡선 $y=f(x)$, $y=g(x)$가 점 $(-1, -2)$를 지나므로

$f(-1)=-2$에서 $-1-a=-2$ $\quad\therefore a=1$ …… ㉠

$g(-1)=-2$에서 $b+c=-2$ …… ㉡

점 $(-1, -2)$에서의 접선의 기울기가 같으므로

$f'(-1)=g'(-1)$에서 $3+a=-2b$ …… ㉢

㉠, ㉡, ㉢을 연립하여 풀면 $\mathbf{a=1,\ b=-2,\ c=0}$

정답과 풀이 **22**쪽

유제 **149** **다음 물음에 답하여라.**

(1) 곡선 $y=x^3+1$이 직선 $y=ax-1$과 접할 때, 상수 a의 값을 구하여라.

(2) 두 곡선 $f(x)=x^3+ax-b$, $g(x)=bx^2+c$가 점 $(1, 3)$에서 공통인 접선을 가질 때, 상수 a, b, c의 값을 구하여라.

풍산자 비법

접선의 방정식을 구하는 유형은 크게 세 가지. 확실하게 익히자.

- 접점 $(a, f(a))$가 주어질 때 ➔ $y-f(a)=f'(a)(x-a)$
- 기울기 m이 주어질 때 ➔ $f'(x)=m$인 접점의 좌표를 구한다.
- 곡선 밖의 한 점 (m, n)이 주어질 때 ➔ 접점을 $(a, f(a))$로 놓고 a의 값을 구한다.

필수 확인 문제

* 더 많은 유형은 **풍산자필수유형 수학Ⅱ** 049쪽

정답과 풀이 22쪽

150

함수 $f(x)=x^2-ax+10$의 그래프 위의 $x=1$인 점에서의 접선과 $x=2$인 점에서의 접선이 서로 수직일 때, 상수 a의 값을 구하여라.

151

곡선 $y=2x^3-3x+10$ 위의 점 $(1,\ 9)$에서의 접선과 x축 및 y축으로 둘러싸인 부분의 넓이를 구하여라.

152

곡선 $y=2x^2-x+3$에 접하고, 직선 $x+3y+3=0$에 수직인 직선이 x축과 만나는 점의 좌표가 $(k,\ 0)$일 때, $6k$의 값을 구하여라.

153

원점에서 곡선 $y=x^3-2x^2+x+8$에 접선을 그을 때, 접점의 좌표를 구하여라.

154

두 곡선 $y=x^3-9x$, $y=-3x^2+k$가 서로 접하도록 하는 모든 상수 k의 값의 합을 구하여라.

155

곡선 $f(x)=ax^2+bx$, $g(x)=x^3+c$의 교점 $(1,\ 1)$에서의 각 곡선에 대한 접선이 서로 수직일 때, $6a+3b+c$의 값을 구하여라.

(단, a, b, c는 상수)

2 평균값 정리

01 롤의 정리

미분가능한 함수의 성질로 중요한 것이 롤의 정리이다.

롤의 정리

함수 $f(x)$가 닫힌구간 $[a, b]$에서 연속이고,
열린구간 (a, b)에서 미분가능할 때,
$f(a)=f(b)$이면
$f'(c)=0$ $(a<c<b)$인 c가 적어도 하나 존재한다.

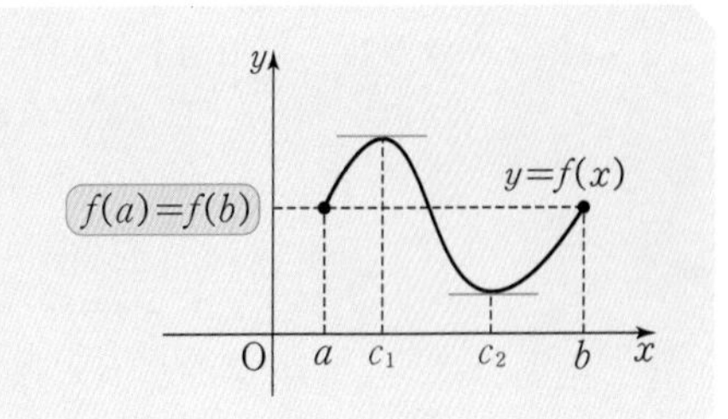

| 설명 | 롤의 정리는 열린구간 (a, b)에서 미분가능할 때만 성립한다.
미분가능하지 않으면 롤의 정리는 성립하지 않는다.
예를 들어 함수 $f(x)=|x|$는 닫힌구간 $[-1, 1]$에서 연속이고,
$f(-1)=f(1)$이지만 $f'(c)=0$ $(-1<c<1)$인 c가 존재하지 않는다.
미분가능하지 않은 점 $x=0$이 있기 때문이다.

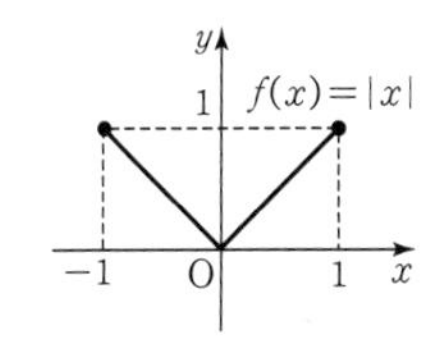

롤의 정리를 아주 간단히 서술하면 다음과 같다.
'$f(a)=f(b)$이면 $f'(c)=0$인 c가 존재한다'

이게 무슨 뜻인가?
롤케이크를 닮은 그래프를 보며 생각해 보자.
$f(a)=f(b)$ ➡ 높이가 같다.
$f'(c)=0$ ➡ $x=c$에서의 접선의 기울기가 0이다.

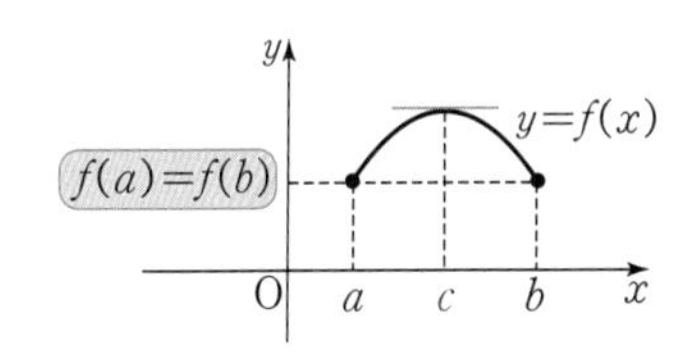

따라서 롤의 정리는 다음과 같이 해석할 수 있다.
'그래프의 양 끝의 높이가 같으면 그 사이에 x축에 평행한 접선이 적어도 하나 존재한다.'
이는 직관적으로 매우 당연한 이야기.
높이가 같은 두 지점을 어떤 곡선으로 연결해 봐도 두 지점 사이의 어딘가에서 반드시 x축에 평행한 접선이 적어도 한 개 그려진다.
이것이 롤의 정리이다.

156 **다음 함수에 대하여 주어진 구간에서 롤의 정리를 만족시키는 상수 c의 값을 구하여라.**

(1) $f(x)=x^2-4x+2$ $[0, 4]$

(2) $f(x)=(x-1)^2(x-4)$ $[1, 4]$

풍산자日 미분가능한 함수가 $f(a)=f(b)$를 만족시키면 롤의 정리를 이용할 수 있다.
롤의 정리의 결론은 $f'(c)=0$인 c가 존재한다는 것.
따라서 $f'(c)=0$인 c의 값을 구하면 된다.
이때 $a<c<b$임에 유의하도록 하자.

> 풀이 (1) 함수 $f(x)$는 닫힌구간 $[0, 4]$에서 연속이고, 열린구간 $(0, 4)$에서 미분가능하다.
또 $f(0)=f(4)=2$이므로 롤의 정리에 의하여
$f'(c)=0$ $(0<c<4)$인 c가 적어도 하나 존재한다.
$f'(x)=2x-4$이므로
$f'(c)=2c-4=0$ $\quad\therefore c=\mathbf{2}$

(2) 함수 $f(x)$는 닫힌구간 $[1, 4]$에서 연속이고, 열린구간 $(1, 4)$에서 미분가능하다.
또 $f(1)=f(4)=0$이므로 롤의 정리에 의하여
$f'(c)=0$ $(1<c<4)$인 c가 적어도 하나 존재한다.

$$\begin{aligned} f'(x)&=2(x-1)(x-4)+(x-1)^2 \quad \Leftarrow \text{곱의 미분법} \\ &=(x-1)(2x-8+x-1) \\ &=3(x-1)(x-3) \end{aligned}$$

이므로
$f'(c)=3(c-1)(c-3)=0$ $\quad\therefore c=1$ 또는 $c=3$
이때 $1<c<4$이므로 $c=\mathbf{3}$

정답과 풀이 **23**쪽

유제 **157** **다음 함수에 대하여 주어진 구간에서 롤의 정리를 만족시키는 상수 c의 값을 구하여라.**

(1) $f(x)=x^2-6x+5$ $[0, 6]$

(2) $f(x)=(x+1)(x-2)^2$ $[-1, 2]$

02 평균값 정리

롤의 정리는 $f(a)=f(b)$라는 조건이 필요하다.
이 조건을 제거해 롤의 정리를 일반화한 것이 바로 평균값 정리.

평균값 정리
함수 $f(x)$가 닫힌구간 $[a, b]$에서 연속이고, 열린구간 (a, b)에서 미분가능할 때,

$$\frac{f(b)-f(a)}{b-a}=f'(c)\ (a<c<b)$$

인 c가 적어도 하나 존재한다.

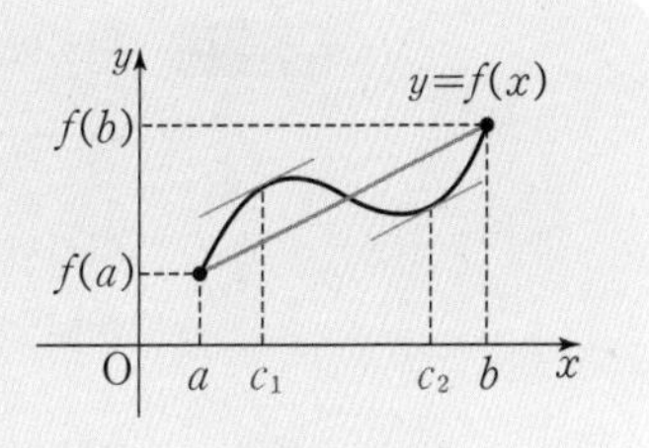

평균값 정리는 다음 식을 만족시키는 c가 존재한다는 것이다.

$$\frac{f(b)-f(a)}{b-a}=f'(c)$$

이 식이 무슨 뜻인가?

$\frac{f(b)-f(a)}{b-a}$ ➡ 두 점 $(a, f(a))$, $(b, f(b))$를 연결한 직선의 기울기.

$f'(c)$ ➡ $x=c$에서의 접선의 기울기.

$\frac{f(b)-f(a)}{b-a}=f'(c)$ ➡ 두 기울기가 같다!

따라서 평균값 정리는 다음과 같이 해석할 수 있다.
"두 점 $(a, f(a))$, $(b, f(b))$를 연결한 직선과 평행한 접선이 두 점 $(a, f(a))$, $(b, f(b))$ 사이에 적어도 하나 존재한다."

이것은 직관적으로 매우 당연한 얘기다.
두 점을 어떤 곡선으로 연결해 봐도 두 점 사이의 어딘가에서 반드시 두 점을 연결한 직선과 평행한 접선이 적어도 한 개는 그려진다.
이것이 평균값 정리다.

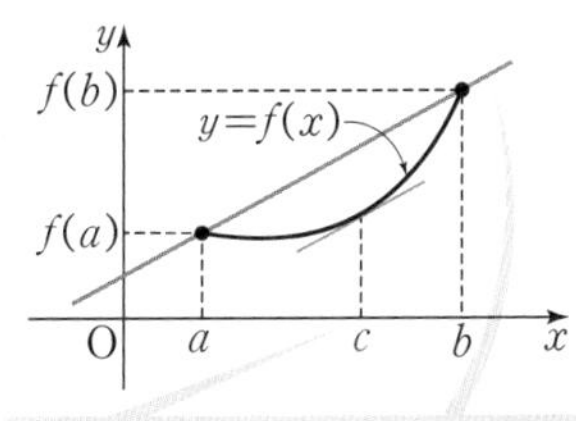

이 점에서 접선이 이 직선이랑 평행해.

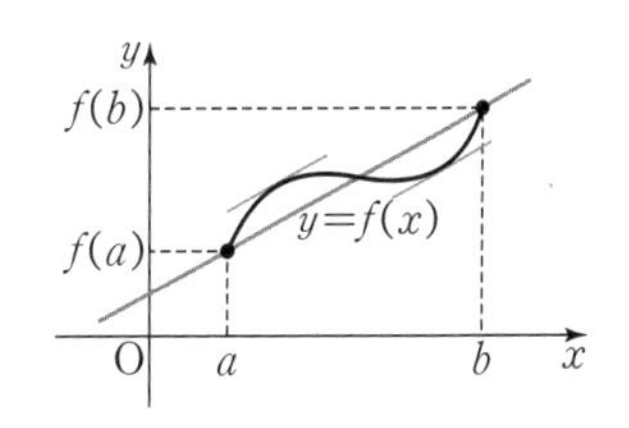

이 경우엔 두 군데나 있어.

158 다음 함수에 대하여 주어진 구간에서 평균값 정리를 만족시키는 상수 c의 값을 구하여라.

(1) $f(x)=x^2$ $[0, 2]$

(2) $f(x)=x^3+2x$ $[0, 3]$

풍산자 다항함수는 미분가능한 함수이므로 평균값 정리를 이용할 수 있다.

평균값 정리의 결론은 $\frac{f(b)-f(a)}{b-a}=f'(c)$인 c가 존재한다는 것.

따라서 위의 식을 만족시키는 c의 값을 구해 내면 된다.

이때 $a<c<b$임에 유의하도록 하자.

> 풀이 (1) 함수 $f(x)$는 닫힌구간 $[0, 2]$에서 연속이고, 열린구간 $(0, 2)$에서 미분가능하므로 평균값 정리에 의하여

$\frac{f(2)-f(0)}{2-0}=f'(c)$ $(0<c<2)$

인 c가 적어도 하나 존재한다.

$f'(x)=2x$이므로 $\frac{4-0}{2-0}=2c$

$2=2c$ $\therefore$ $c=\mathbf{1}$

(2) 함수 $f(x)$는 닫힌구간 $[0, 3]$에서 연속이고, 열린구간 $(0, 3)$에서 미분가능하므로 평균값 정리에 의하여

$\frac{f(3)-f(0)}{3-0}=f'(c)$ $(0<c<3)$

인 c가 적어도 하나 존재한다.

$f'(x)=3x^2+2$이므로 $\frac{33-0}{3-0}=3c^2+2$

$11=3c^2+2$, $3c^2=9$, $c^2=3$ $\therefore$ $c=\pm\sqrt{3}$

이때 $0<c<3$이므로 $c=\mathbf{\sqrt{3}}$

정답과 풀이 **24**쪽

유제 **159** 다음 함수에 대하여 주어진 구간에서 평균값 정리를 만족시키는 상수 c의 값을 구하여라.

(1) $f(x)=x^2-2x$ $[-1, 2]$

(2) $f(x)=x^3-3x$ $[0, 2]$

풍산자 비법

닫힌구간 $[a, b]$에서 연속이고 열린구간 (a, b)에서 미분가능한 함수 $f(x)$에 대하여

롤의 정리 ➜ $f(a)=f(b)$이면 $f'(c)=0$인 c가 존재한다.

평균값 정리 ➜ $\frac{f(b)-f(a)}{b-a}=f'(c)$인 c가 존재한다.

한걸음 더

롤의 정리와 평균값 정리의 증명

(1) 롤의 정리의 증명

① 함수 $f(x)$가 상수함수인 경우
열린구간 (a, b)에 속하는 모든 점 c에 대하여
$f'(c)=0$이다.

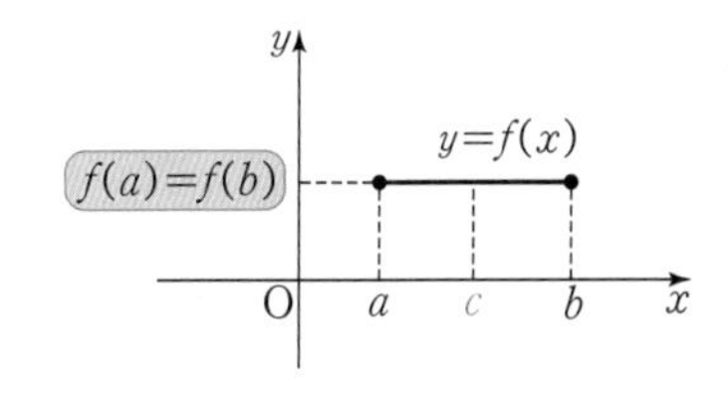

② 함수 $f(x)$가 상수함수가 아닌 경우
$f(a)=f(b)$이므로 열린구간 (a, b)에 속하는 $x=c$인 점에서 $f(x)$는 최댓값 또는 최솟값을 갖는다.

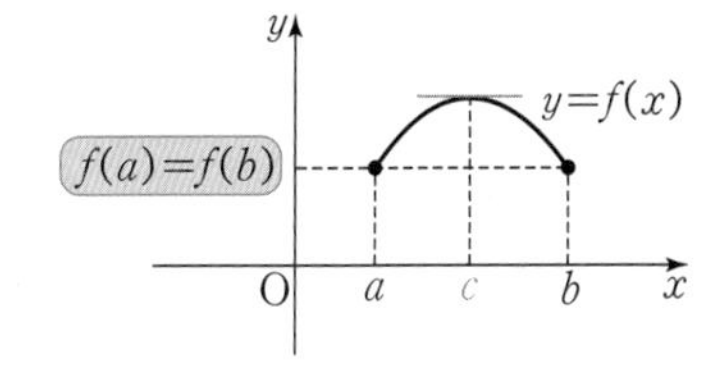

(i) $x=c$에서 최댓값을 가질 때
$a<c+h<b$를 만족시키는 임의의 h에 대하여
$f(c+h)\le f(c)$이므로

$$\lim_{h\to 0-}\frac{f(c+h)-f(c)}{h}\ge 0 \quad \cdots\cdots ㉠$$

$$\lim_{h\to 0+}\frac{f(c+h)-f(c)}{h}\le 0 \quad \cdots\cdots ㉡$$

그런데 $f(x)$는 $x=c$에서 미분가능하므로 좌극한값과 우극한값이 같아야 한다.
따라서 ㉠, ㉡에서

$$0\le\lim_{h\to 0-}\frac{f(c+h)-f(c)}{h}=\lim_{h\to 0+}\frac{f(c+h)-f(c)}{h}\le 0$$

$$\therefore\ f'(c)=\lim_{h\to 0}\frac{f(c+h)-f(c)}{h}=0$$

(ii) $x=c$에서 최솟값을 가질 때에도 같은 방법으로 $f'(c)=0$임을 보일 수 있다.

(2) 평균값 정리의 증명

그림에서 두 점 $(a, f(a))$, $(b, f(b))$를 연결한 직선의 방정식은

$$y=\frac{f(b)-f(a)}{b-a}(x-a)+f(a)$$

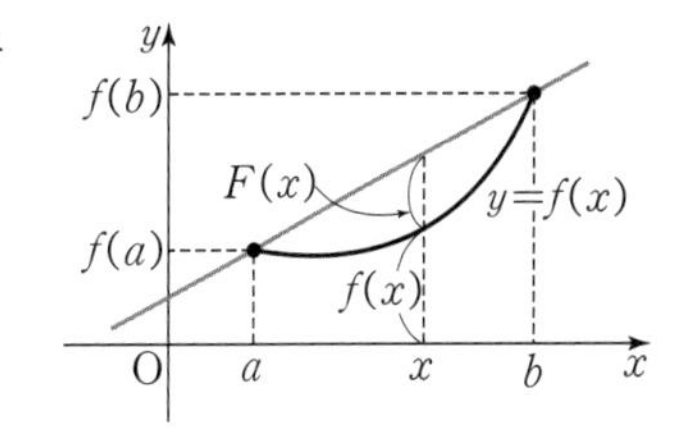

$F(x)=\left\{\frac{f(b)-f(a)}{b-a}(x-a)+f(a)\right\}-f(x)$라 하면

함수 $F(x)$는 닫힌구간 $[a, b]$에서 연속이고,
열린구간 (a, b)에서 미분가능하며
$F(a)=0$, $F(b)=0$이므로 $F(a)=F(b)$
따라서 롤의 정리에 의해 $F'(c)=0$인 c가 열린구간 (a, b)에 적어도 하나 존재한다.

이때 $F'(x)=\frac{f(b)-f(a)}{b-a}-f'(x)$이므로

$$F'(c)=\frac{f(b)-f(a)}{b-a}-f'(c)=0$$

$$\therefore\ \frac{f(b)-f(a)}{b-a}=f'(c)$$

필수 확인 문제

* 더 많은 유형은 **풍산자필수유형 수학Ⅱ** 056쪽

정답과 풀이 24쪽

160

함수 $f(x)=2x(6-x)+3$에 대하여 구간 $[0, 6]$에서 롤의 정리를 만족시키는 상수 c의 값을 구하여라.

161

닫힌구간 $[0, 1]$에서 롤의 정리가 성립하는 것만을 〈보기〉에서 있는 대로 골라라.

보기

ㄱ. $f(x)=x^3(1-x)$

ㄴ. $g(x)=\left|x-\frac{1}{2}\right|$

ㄷ. $h(x)=\frac{|x+3|}{x+3}$

162

함수 $f(x)=x^3-2x$에 대하여 닫힌구간 $[1, 2]$에서 평균값 정리를 만족시키는 상수 c의 값을 구하여라.

163

함수 $f(x)=x^3-4x$에 대하여 두 점 $(0, f(0))$, $(3, f(3))$을 연결한 직선의 기울기를 m이라 하자.

$$m=f'(c),\ 0<c<3$$

을 만족시키는 상수 c의 값을 구하여라.

3 함수의 극대와 극소

01 함수의 증가와 감소

그래프로 볼 때
증가란 오른쪽 위로 올라가는 것이고
감소란 오른쪽 아래로 내려가는 것이다.

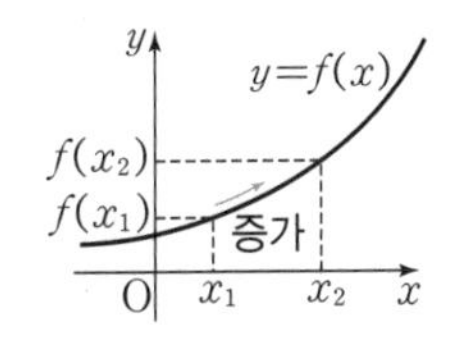

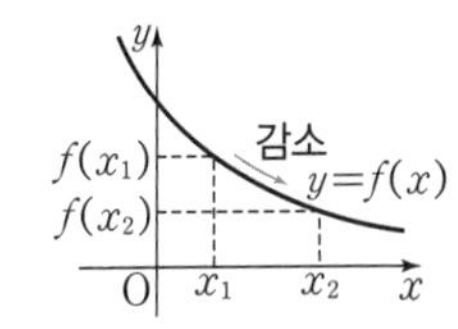

함수의 증가와 감소

함수 $y=f(x)$가 어떤 구간에 속하는 임의의 두 수 x_1, x_2에 대하여

(1) $x_1<x_2$일 때, $f(x_1)<f(x_2)$이면 함수 $f(x)$는 이 구간에서 **증가**한다고 한다.

(2) $x_1<x_2$일 때, $f(x_1)>f(x_2)$이면 함수 $f(x)$는 이 구간에서 **감소**한다고 한다.

미분은 접선의 기울기. 접선의 기울기로 증가 또는 감소를 판정할 수 있다.
그림을 보자.
y축 오른쪽의 그래프처럼 접선의 기울기가 양수이면 증가.
y축 왼쪽의 그래프처럼 접선의 기울기가 음수이면 감소.

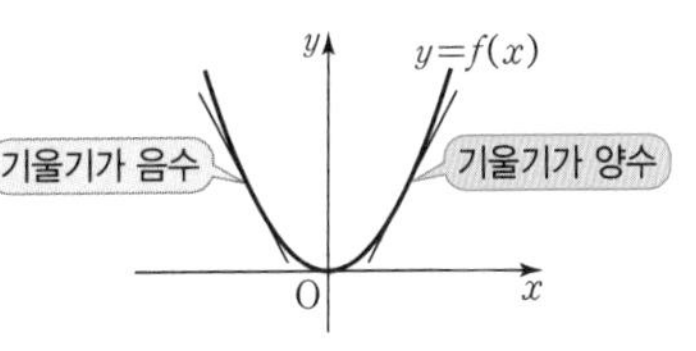

함수의 증가와 감소의 판정

함수 $f(x)$가 어떤 구간에서 미분가능하고, 이 구간에서

(1) $\boldsymbol{f'(x)>0}$**이면** $f(x)$는 이 구간에서 **증가**한다.

(2) $\boldsymbol{f'(x)<0}$**이면** $f(x)$는 이 구간에서 **감소**한다.

| 증명 | $x_1<x_2$인 임의의 두 수 x_1, x_2에 대하여 닫힌구간 $[x_1, x_2]$에서 평균값 정리를 적용하면 $\dfrac{f(x_2)-f(x_1)}{x_2-x_1}=f'(c)$를 만족시키는 c가 열린구간 (x_1, x_2)에 존재한다.

이때 임의의 x에 대하여 $f'(x)>0$이 성립하면

$$\frac{f(x_2)-f(x_1)}{x_2-x_1}=f'(c)>0$$

이므로 x_2-x_1의 부호와 $f(x_2)-f(x_1)$의 부호가 일치한다. 즉,

$x_1<x_2$일 때, $f(x_1)<f(x_2)$

따라서 함수 $f(x)$는 증가한다.

같은 방법으로 생각하면 $f'(x)<0$이면 $f(x)$가 감소한다는 것도 보일 수 있다.

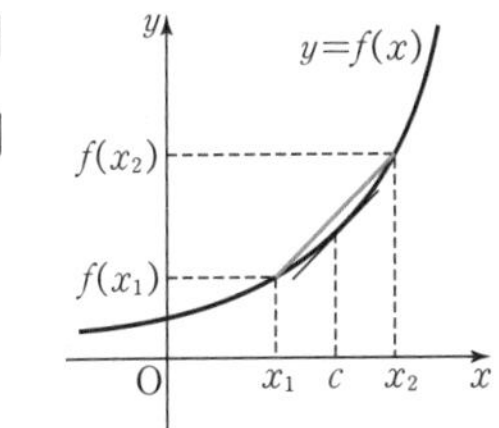

164 **다음 함수의 증가와 감소를 조사하여라.**

(1) $f(x)=x^3+3x^2$

(2) $f(x)=-x^3+3x^2+9x-5$

풍산자曰 미분해서 0이 되는 점을 경계로 증감표(=증가감소표)를 만들면 된다.

> 풀이 (1) $f'(x)=3x^2+6x=3x(x+2)$

$f'(x)=0$에서 $x=-2$ 또는 $x=0$

함수 $f(x)$의 증가와 감소를 표로 나타내면 다음과 같다.

x	$\cdots$	-2	$\cdots$	0	$\cdots$
$f'(x)$	$+$	0	$-$	0	$+$
$f(x)$	↗	4	↘	0	↗

따라서 함수 $f(x)$는 **구간 $(-\infty, -2]$, $[0, \infty)$에서 증가**하고, **구간 $[-2, 0]$에서 감소**한다.

(2) $f'(x)=-3x^2+6x+9=-3(x+1)(x-3)$

$f'(x)=0$에서 $x=-1$ 또는 $x=3$

함수 $f(x)$의 증가와 감소를 표로 나타내면 다음과 같다.

x	$\cdots$	-1	$\cdots$	3	$\cdots$
$f'(x)$	$-$	0	$+$	0	$-$
$f(x)$	↘	-10	↗	22	↘

따라서 함수 $f(x)$는 **구간 $[-1, 3]$에서 증가**하고, **구간 $(-\infty, -1]$, $[3, \infty)$에서 감소**한다.

정답과 풀이 **25**쪽

유제 **165** **다음 함수의 증가와 감소를 조사하여라.**

(1) $f(x)=x^3-3x$

(2) $f(x)=-x^3-\frac{3}{2}x^2+6x+1$

02 함수가 증가 또는 감소할 조건

앞에서 $f'(x)>0$이면 $f(x)$가 증가한다고 했다. 이것의 역은 성립할까?

즉, $f(x)$가 증가하면 $f'(x)>0$일까?

이것은 성립하지 않는다. 왜냐?

예를 들어 $f(x)=x^3$은 항상 증가하지만 $f'(0)=0$이다.

$f'(x)=3x^2>0$이 아니라 $f'(x)=3x^2\geq0$이 성립한다.

그러므로 다음과 같이 정리할 수 있다.

'$f(x)$가 증가하면 $f'(x)\geq0$이다.'

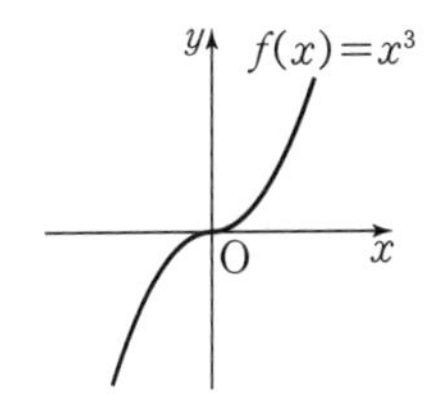

함수가 증가 또는 감소할 조건 중요!

함수 $f(x)$가 어떤 구간에서 미분가능하고, 이 구간에서

(1) $f(x)$가 **증가하면** 이 구간에서 $\boldsymbol{f'(x)\geq0}$

(2) $f(x)$가 **감소하면** 이 구간에서 $\boldsymbol{f'(x)\leq0}$

| 설명 | 잠시 헷갈리는 말장난 시작.

함수 $f(x)$가 증가하면 이 구간에서 $f'(x)\geq0$이다.

이것의 역은 성립할까? 즉, $f'(x)\geq0$이면 $f(x)$는 증가할까?

성립하지 않는다.

$f(x)=3$은 $f'(x)=0$이지만 증가하지도 않고, 감소하지도 않는다.

$f(x)=3$과 같은 상수함수만이 이런 문제를 일으킨다.

헷갈리는 말장난을 모두 정리하여 옳은 명제만 나열하면

➡ $f'(x)>0$이면 $f(x)$가 증가한다. (참)

➡ 상수함수가 아닌 다항함수 $f(x)$에 대하여 $f'(x)\geq0$이면 $f(x)$가 증가한다. (참)

➡ $f(x)$가 증가하면 $f'(x)\geq0$이다. (참)

함수의 증가와 감소에서 가장 중요한 얘기.

앞으로 '증가'라는 말을 보면 $f'(x)\geq0$을 떠올린다.

특히, 함수 $f(x)$가 상수함수가 아닌 다항함수일 때에는 다음과 같이 깔끔하게 정리할 수 있다.

大 원칙

미분가능한 함수 $f(x)$가 특정 구간에서 상수함수가 아닐 때

$f(x)$가 증가 $\Longleftrightarrow f'(x)\geq0$

$f(x)$가 감소 $\Longleftrightarrow f'(x)\leq0$

166 함수 $f(x)=x^3+ax^2+ax$가 모든 실수에서 증가하기 위한 상수 a의 값의 범위를 구하여라.

풍산자日 $f(x)$가 모든 실수에서 증가 ➡ 모든 실수에서 $f'(x)\geq0$이 성립
이차함수 $f(x)$가 모든 실수에서 0보다 크거나 같을 조건 ➡ 판별식 $D\leq0$

> 풀이 함수 $f(x)$가 증가하려면 $f'(x)=3x^2+2ax+a\geq0$
위의 이차부등식이 모든 실수 x에 대하여 성립해야 하므로 이차방정식 $f'(x)=0$의 판별식을 D라 하면
$\frac{D}{4}=a^2-3a\leq0$, $a(a-3)\leq0$
$\therefore$ $\mathbf{0\leq a\leq3}$

정답과 풀이 25쪽

유제 **167** 함수 $f(x)=-\frac{1}{3}x^3+ax^2-(3a-2)x$가 모든 실수에서 감소하기 위한 상수 a의 값의 범위를 구하여라.

168 함수 $f(x)=x^3-2x^2+ax-3$이 열린구간 $(1, 2)$에서 감소하기 위한 상수 a의 값의 범위를 구하여라.

풍산자日 $f(x)$가 열린구간 $(1, 2)$에서 감소 ➡ 열린구간 $(1, 2)$에서 $f'(x)\leq0$이 성립

> 풀이 함수 $f(x)$가 감소하려면
$f'(x)=3x^2-4x+a\leq0$
위의 이차부등식이 열린구간 $(1, 2)$에서 성립해야 한다.
따라서 이차함수 $f'(x)=3x^2-4x+a$의 그래프가 그림과 같아야 하므로

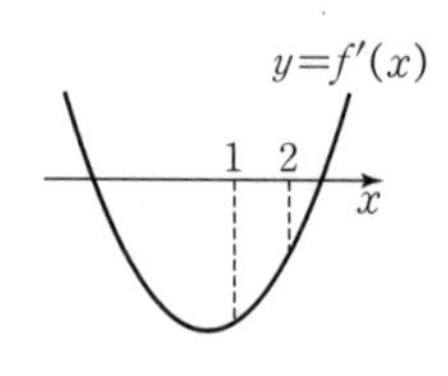

$f'(1)=3-4+a\leq0$에서 $a\leq1$ ...... ㉠
$f'(2)=12-8+a\leq0$에서 $a\leq-4$ ...... ㉡
㉠, ㉡을 동시에 만족시키는 a의 값의 범위는
$\mathbf{a\leq-4}$

정답과 풀이 25쪽

유제 **169** 함수 $f(x)=-x^3+6x^2-ax+2$가 열린구간 $(1, 4)$에서 증가하기 위한 상수 a의 값의 범위를 구하여라.

03 함수의 극대와 극소

[1] 함수의 극대와 극소

극대, 극소란 한 마디로 말하면 그래프의 구부러진 점이다.

근방에서 최댓값을 갖는 산봉우리가 극대,

근방에서 최솟값을 갖는 산골짜기가 극소이다.

극대, 극소가 왜 중요한가?

극대, 극소를 알면 그래프를 쉽게 그릴 수 있기 때문이다!

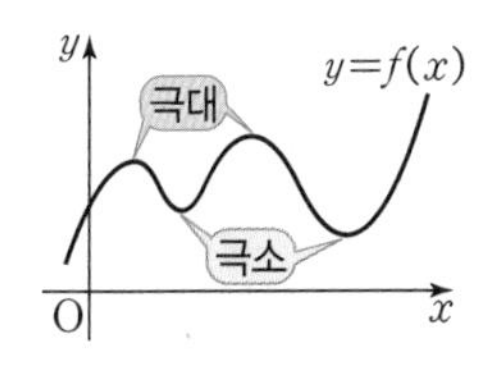

함수의 극대와 극소 중요!

함수 $f(x)$가 $x=a$를 포함하는 어떤 열린구간에 속하는 모든 x에 대하여

(1) $f(a) \geq f(x)$일 때, 함수 $f(x)$는 $x=a$에서 **극대**라 하며 이때의 함숫값 $f(a)$를 **극댓값**이라 한다.

(2) $f(a) \leq f(x)$일 때, 함수 $f(x)$는 $x=a$에서 **극소**라 하며 이때의 함숫값 $f(a)$를 **극솟값**이라 한다.

(3) 극댓값과 극솟값을 통틀어 **극값**이라 한다.

| 설명 | 극댓값, 극솟값은 최댓값, 최솟값과는 다르다.
극댓값이라고 해서 반드시 극솟값보다 큰 것은 아니다. 혼동하지 말자.
하나의 함수에서 극값은 여러 개 존재할 수 있고, 특히 상수함수는 모든 실수에서 극값을 가진다.
또 극값은 연속과 미분가능성 하고는 아무 상관이 없다. 충분히 작은 구간에서 최댓값을 찾을 수 있으면 극대, 최솟값을 찾을 수 있으면 극소이다.

[2] 함수의 극값과 미분계수

극대, 극소인 점에서의 접선은 x축과 평행하다.

그러므로 극대, 극소인 점 $x=a$에서 $f'(a)=0$이다.

함수의 극값과 미분계수와의 관계

함수 $y=f(x)$가 $x=a$에서 미분가능하고 **$x=a$에서 극값을 가지면 $f'(a)=0$이다.**

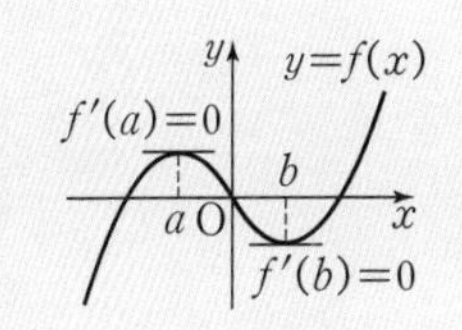

| 설명 | • 하지만 이 성질의 역은 성립하지 않는다.
즉, $f'(a)=0$이라고 해서 반드시 $x=a$에서 극값을 갖는 것은 아니다.
예를 들어 $f(x)=x^3$일 때, $f'(x)=3x^2$이므로 $f'(0)=0$이다.
그러나 그림에서 보듯이 $x=0$에서 극대도 극소도 아니다.

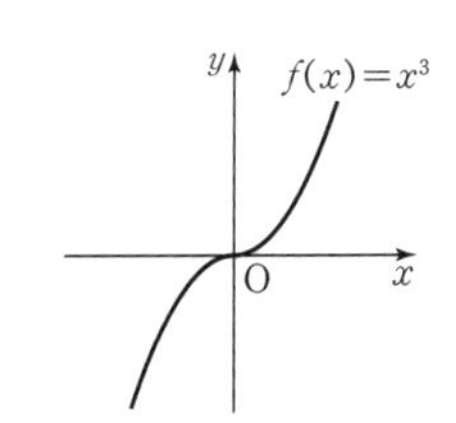

• $f'(a)=0$인 점 이외에도 극대, 극소는 가능하다.
바로 뾰족점이다.
뾰족점에서는 미분은 불가능하나 극대, 극소를 갖는다.

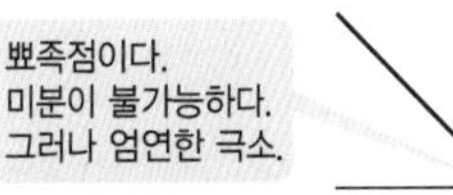

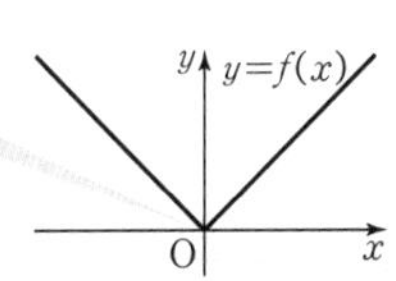

[3] 함수의 극대·극소의 판정

미분가능한 함수의 극대, 극소는 $f'(x)=0$인 점에서 찾으면 된다.

$f'(x)$에 의한 극대·극소의 판정

미분가능한 함수 $f(x)$에서 $f'(a)=0$이고, $x=a$의 좌우에서

(1) $f'(x)$의 부호가 양(+)에서 음(−)으로 바뀌면 $f(x)$는 $x=a$에서 극대이다.

(2) $f'(x)$의 부호가 음(−)에서 양(+)으로 바뀌면 $f(x)$는 $x=a$에서 극소이다.

| 설명 | $f'(x)=0$인 점 중 증가에서 감소로 바뀌는 산봉우리가 바로 극대,
$f'(x)=0$인 점 중 감소에서 증가로 바뀌는 산골짜기가 바로 극소.

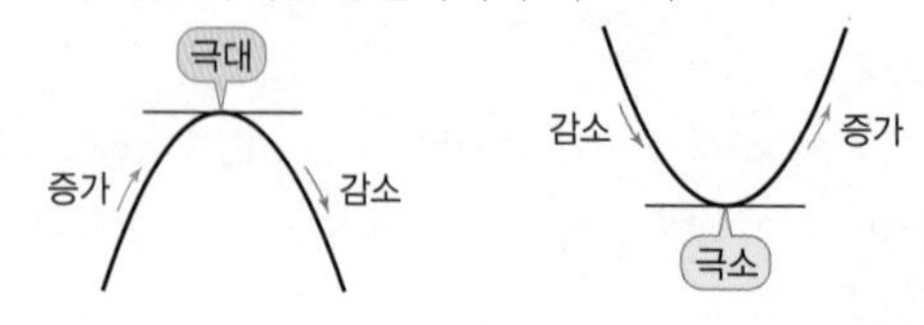

| 함수의 극값 |

170 함수 $f(x)=2x^3-9x^2+12x-5$의 극값을 구하여라.

풍산자비 $f'(x)=0$인 점을 구한 후, 이 점을 경계로 증감표를 만든다.

> 풀이 $f'(x)=6x^2-18x+12=6(x^2-3x+2)=6(x-1)(x-2)$

$f'(x)=0$에서 $x=1$ 또는 $x=2$

x	$\cdots$	1	$\cdots$	2	$\cdots$
$f'(x)$	+	0	−	0	+
$f(x)$	↗	0	↘	−1	↗

따라서 $x=1$일 때, **극댓값: $f(1)=0$**

$x=2$일 때, **극솟값: $f(2)=-1$**

정답과 풀이 **25**쪽

유제 **171** 함수 $f(x)=x^3-3x^2+3$의 극값을 구하여라.

172 함수 $f(x)=x^3-\frac{1}{2}ax^2+bx$가 $x=1$에서 극댓값을 갖고, $x=2$에서 극솟값을 가질 때, 상수 a, b의 값을 구하여라.

풍산자日 미분가능한 함수 $f(x)$가 $x=1$에서 극댓값을 갖고, $x=2$에서 극솟값을 가지므로
$f'(1)=0$, $f'(2)=0$

> 풀이

$f(x)=x^3-\frac{1}{2}ax^2+bx$에서
$f'(x)=3x^2-ax+b$
$x=1$에서 극댓값을 갖고, $x=2$에서 극솟값을 가지므로
$f'(1)=3-a+b=0$
$f'(2)=12-2a+b=0$
두 식을 연립하여 풀면 $\boldsymbol{a=9}$, $\boldsymbol{b=6}$

정답과 풀이 **25**쪽

유제 **173** 함수 $f(x)=x^3+\frac{1}{10}ax^2+bx$가 $x=-1$에서 극댓값을 갖고, $x=1$에서 극솟값을 가질 때, 상수 a, b의 값을 구하여라.

174 함수 $f(x)=x^3+ax+b$가 $x=1$에서 극솟값 2를 가질 때, 상수 a, b의 값을 구하여라.

풍산자日 미분가능한 함수 $f(x)$가 $x=1$에서 극솟값 2를 가지므로 $f(1)=2$, $f'(1)=0$

> 풀이

$f(x)=x^3+ax+b$에서
$f'(x)=3x^2+a$
$x=1$에서 극솟값 2를 가지므로
$f(1)=1+a+b=2$
$f'(1)=3+a=0$
두 식을 연립하여 풀면
$\boldsymbol{a=-3}$, $\boldsymbol{b=4}$

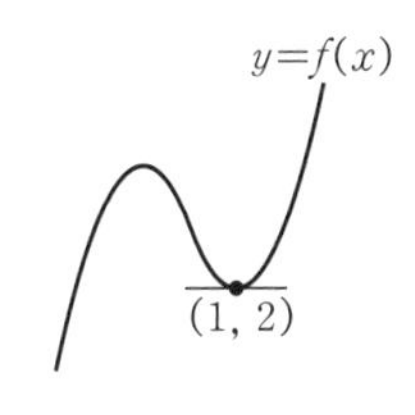

정답과 풀이 **26**쪽

유제 **175** 함수 $f(x)=x^4+ax^3+4x^2+b$가 $x=1$에서 극댓값 3을 가질 때, 상수 a, b의 값을 구하여라.

04 함수의 그래프

미분을 이용하면 극대·극소를 구할 수 있고, 극대·극소를 이용하면 그래프의 개형을 그릴 수 있다.

함수의 그래프의 개형을 그리는 방법

[1단계] $f'(x)=0$인 점을 찾는다.

[2단계] 찾은 점을 경계로 증감표를 만든다.

[3단계] 증감표를 보고 그래프를 그린다.

다항함수의 미분 문제는 대부분 삼차함수 또는 사차함수와 관련된 문제이다.
그래서 삼차함수와 사차함수의 그래프를 확실하게 정리해 두면 두고두고 편하다.
여기서는 최고차항의 계수가 양수인 경우만 살펴보자.

[1] 삼차함수의 그래프

삼차함수의 그래프는 방정식 $f'(x)=0$의 근에 따라 다음 세 종류로 분류할 수 있다.

Type Ⅰ	Type Ⅱ	Type Ⅲ
$f'(x)=0$이 서로 다른 두 실근을 가질 때	$f'(x)=0$이 중근을 가질 때	$f'(x)=0$이 허근을 가질 때
$f'(x)=(x-1)(x-2)$ ➡ $x=1$, $x=2$에서 두 번 구부러진다.	$f'(x)=(x-1)^2$ ➡ $x=1$에서 멈칫하다 가던 길을 계속 간다.	$f'(x)=x^2-2x+5$ ➡ 아무 생각없이 쭉쭉 올라간다.
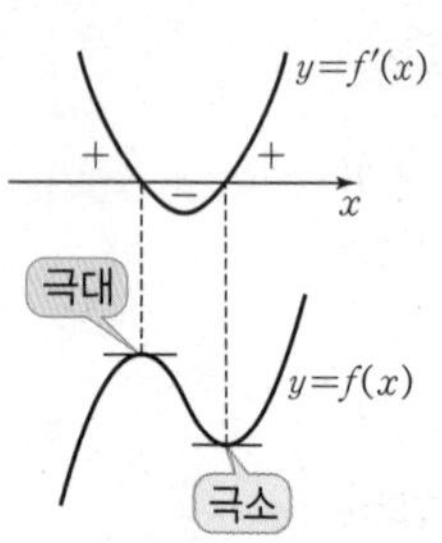 $y=f'(x)$, +, −, +, x, 극대, 극소, $y=f(x)$	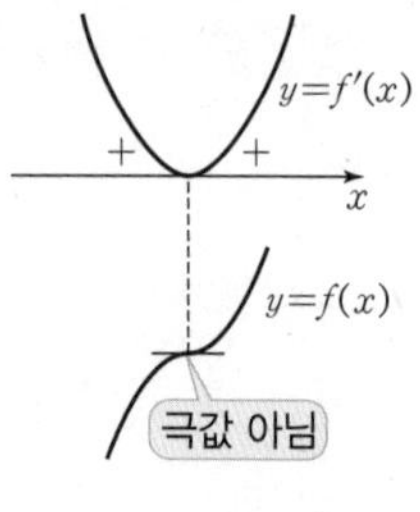 $y=f'(x)$, +, +, x, $y=f(x)$, 극값 아님	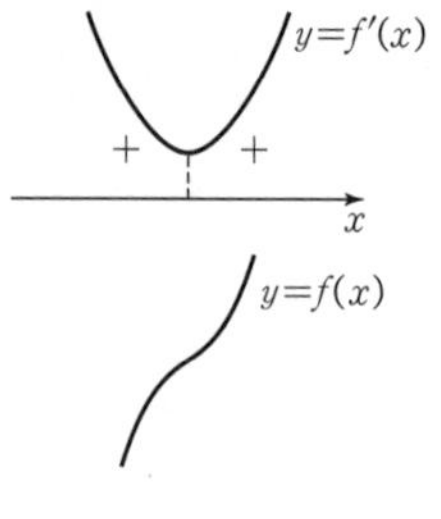 $y=f'(x)$, +, +, x, $y=f(x)$

여기에서 당장 중요한 사실 하나를 관찰할 수 있다. ➡ 극대, 극소가 있는 경우는 Type Ⅰ 뿐, 따라서 삼차함수가 극대, 극소를 가지려면 방정식 $f'(x)=0$이 서로 다른 두 실근을 가져야 한다.

삼차함수의 그래프와 극값

(1) 삼차함수가 극값을 가질 조건 ➡ $f'(x)=0$이 서로 다른 두 실근 ➡ $D>0$

(2) 삼차함수가 극값을 갖지 않을 조건 ➡ $f'(x)=0$이 중근 또는 허근 ➡ $D\le 0$

[2] 사차함수의 그래프

사차함수의 그래프는 방정식 $f'(x)=0$의 근에 따라 다음 네 종류로 분류할 수 있다.

Type Ⅰ (W자형)	Type Ⅱ (무너진 W자형)
$f'(x)=0$의 실근이 3개일 때	$f'(x)=0$의 실근이 2개일 때
$f'(x)=(x-1)(x-2)(x-3)$ ➡ $x=1$, $x=2$, $x=3$에서 세 번 구부러진다.	$f'(x)=(x-1)^2(x-2)$ ➡ $x=1$에서 멈칫하고, $x=2$에서 구부러진다.
Type Ⅲ (말짱한 U자형)	**Type Ⅳ (술취한 U자형)**
$f'(x)=0$이 삼중근을 가질 때	$f'(x)=0$이 하나의 실근과 허근을 가질 때
$f'(x)=(x-1)^3$ ➡ $x=1$에서 구부러진다.	$f'(x)=(x-1)(x^2-2x+5)$ ➡ $x=1$에서 구부러진다.

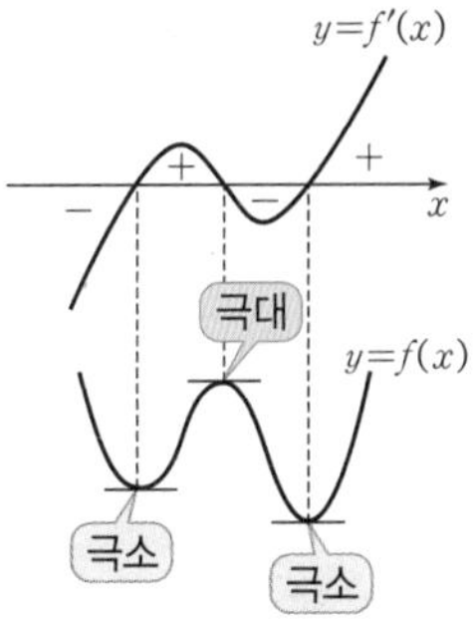

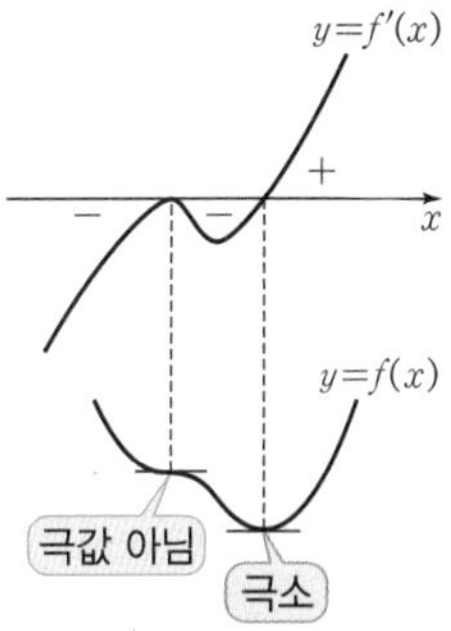

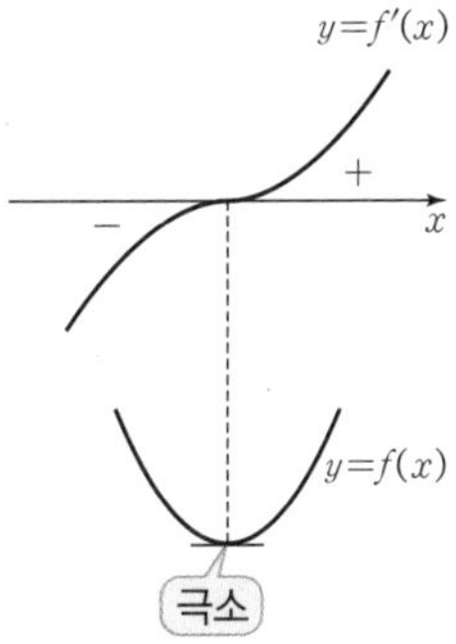

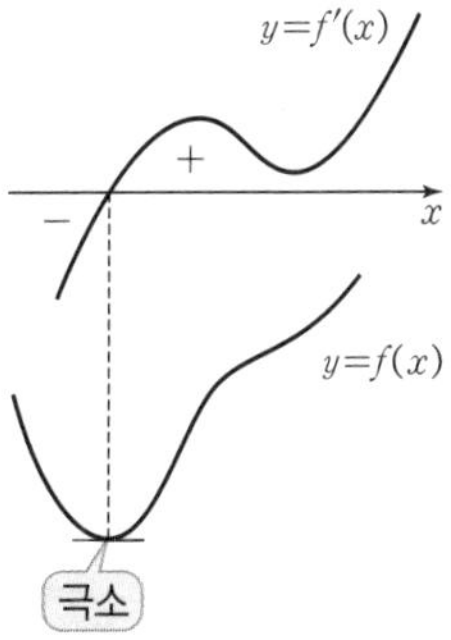

여기에서 당장 중요한 사실 하나를 관찰할 수 있다. ➡ 극대가 있는 경우는 Type Ⅰ 뿐,
따라서 최고차항의 계수가 양수인 사차함수가 극댓값을 가지려면 $f'(x)=0$이 서로 다른 세 실근을 가져야 한다.

사차함수의 그래프와 극값

(1) 최고차항의 계수가 양수인 사차함수가 극댓값을 가질 조건 ➡ $f'(x)=0$이 서로 다른 세 실근

(2) 최고차항의 계수가 음수인 사차함수가 극솟값을 가질 조건 ➡ $f'(x)=0$이 서로 다른 세 실근

176 다음 함수의 극값을 구하고, 그래프를 그려라.

(1) $f(x)=x^3-3x^2$

(2) $f(x)=-2x^3+9x^2-12x+6$

풍산자曰 $f'(x)=0$인 점을 구한 후, 이 점을 경계로 증감표만 만들면 된다.

> 풀이 (1) $f'(x)=3x^2-6x=3x(x-2)$

$f'(x)=0$에서 $x=0$ 또는 $x=2$

함수 $f(x)$의 증가와 감소를 표로 나타내면 다음과 같다.

x	$\cdots$	0	$\cdots$	2	$\cdots$
$f'(x)$	$+$	0	$-$	0	$+$
$f(x)$	↗	0	↘	-4	↗

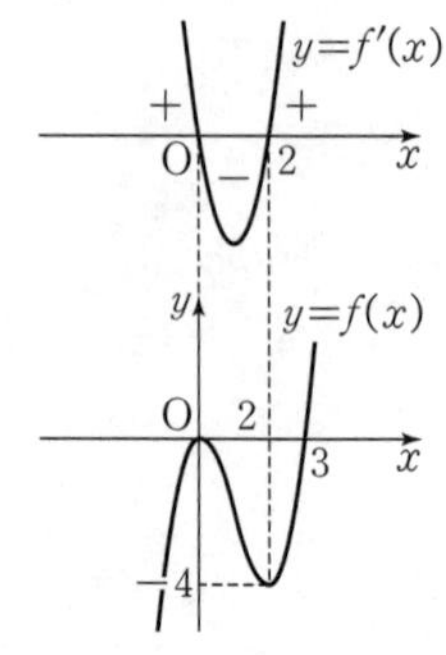

따라서

$x=0$일 때, **극댓값: $f(0)=0$**

$x=2$일 때, **극솟값: $f(2)=-4$**

그러므로 함수 $y=f(x)$의 그래프는 그림과 같다.

(2) $f'(x)=-6x^2+18x-12=-6(x-1)(x-2)$

$f'(x)=0$에서 $x=1$ 또는 $x=2$

함수 $f(x)$의 증가와 감소를 표로 나타내면 다음과 같다.

x	$\cdots$	1	$\cdots$	2	$\cdots$
$f'(x)$	$-$	0	$+$	0	$-$
$f(x)$	↘	1	↗	2	↘

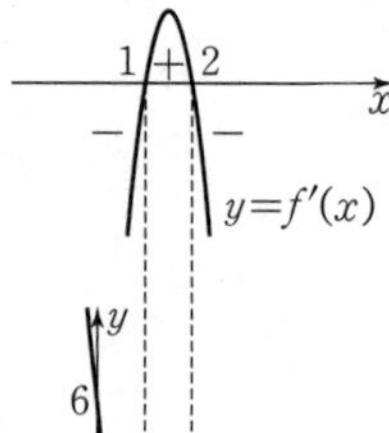

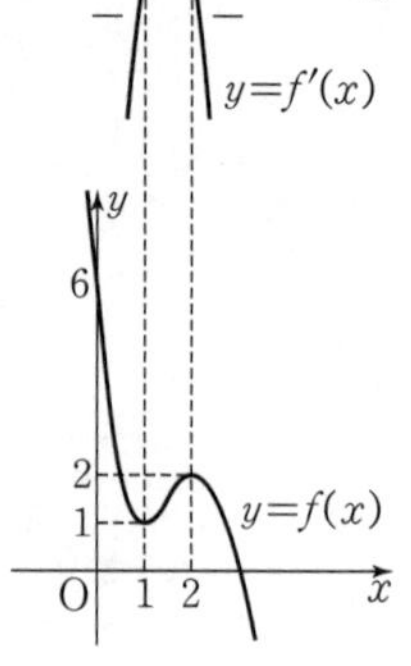

따라서

$x=1$일 때, **극솟값: $f(1)=1$**

$x=2$일 때, **극댓값: $f(2)=2$**

그러므로 함수 $y=f(x)$의 그래프는 그림과 같다.

정답과 풀이 **26**쪽

유제 **177** 다음 함수의 극값을 구하고, 그래프를 그려라.

(1) $f(x)=x^3-6x^2+9x$

(2) $f(x)=-2x^3+6x-3$

178 **다음 함수의 극값을 구하고, 그래프를 그려라.**

(1) $f(x)=x^4-4x^3+4x^2+6$

(2) $f(x)=3x^4-8x^3+6x^2$

풍산자目 $f'(x)=0$인 점을 구한 후, 이 점을 경계로 증감표를 만들면 된다.

> 풀이 (1) $f'(x)=4x^3-12x^2+8x=4x(x-1)(x-2)$

$f'(x)=0$에서 $x=0$ 또는 $x=1$ 또는 $x=2$

함수 $f(x)$의 증가와 감소를 표로 나타내면 다음과 같다.

x	$\cdots$	0	$\cdots$	1	$\cdots$	2	$\cdots$
$f'(x)$	$-$	0	$+$	0	$-$	0	$+$
$f(x)$	↘	6	↗	7	↘	6	↗

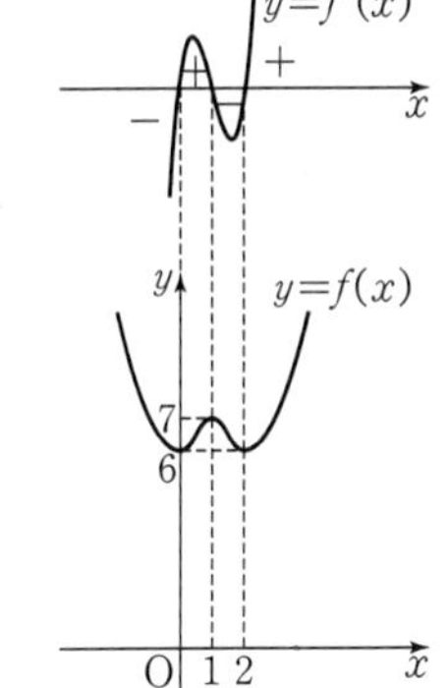

따라서

$x=0$일 때, **극솟값: $f(0)=6$**

$x=1$일 때, **극댓값: $f(1)=7$**

$x=2$일 때, **극솟값: $f(2)=6$**

그러므로 함수 $y=f(x)$의 그래프는 그림과 같다.

(2) $f'(x)=12x^3-24x^2+12x=12x(x-1)^2$

$f'(x)=0$에서 $x=0$ 또는 $x=1$

이제 증감표를 만들면 끝나는데 주의할 게 있다.

중근의 좌우에선 $f'(x)$의 부호가 바뀌지 않는다.

즉, $x=1$의 좌우에선 $f'(x)$의 부호가 바뀌지 않는다.

함수 $f(x)$의 증가와 감소를 표로 나타내면 다음과 같다.

x	$\cdots$	0	$\cdots$	1	$\cdots$
$f'(x)$	$-$	0	$+$	0	$+$
$f(x)$	↘	0	↗	1	↗

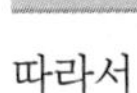

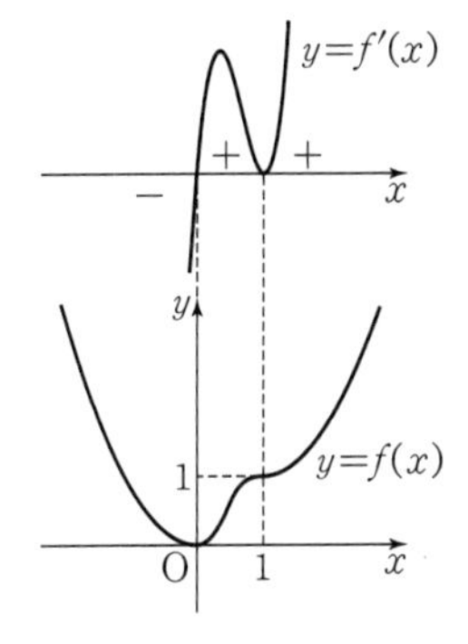

따라서

$x=0$일 때, **극솟값: $f(0)=0$**

극댓값은 없다.

그러므로 함수 $y=f(x)$의 그래프는 그림과 같다.

정답과 풀이 **26**쪽

유제 **179** **다음 함수의 극값을 구하고, 그래프를 그려라.**

(1) $f(x)=-x^4+2x^2+3$

(2) $f(x)=x^4-4x^3+4$

180 **함수 $y=f(x)$의 도함수 $y=f'(x)$의 그래프가 오른쪽 그림과 같을 때, $y=f(x)$의 그래프의 개형이 될 수 있는 것은?**

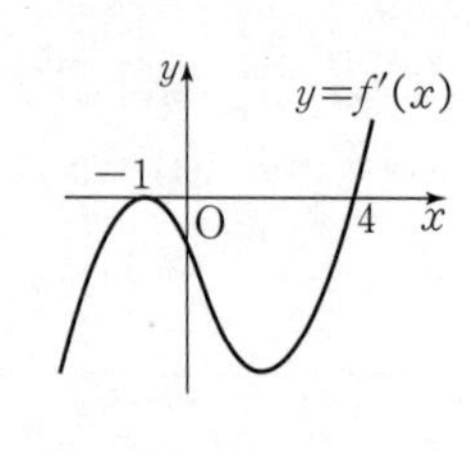

①
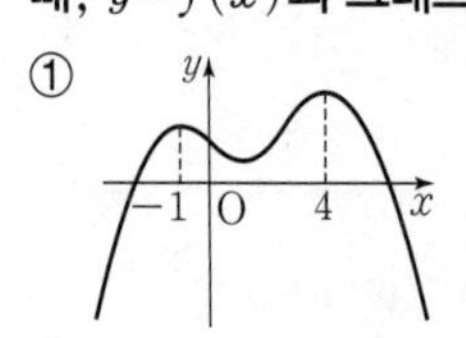

②
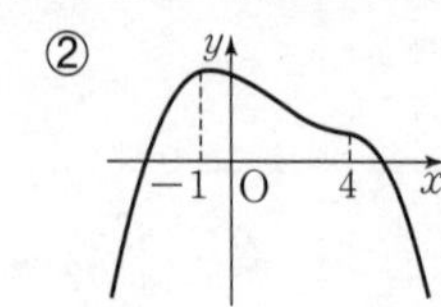

③
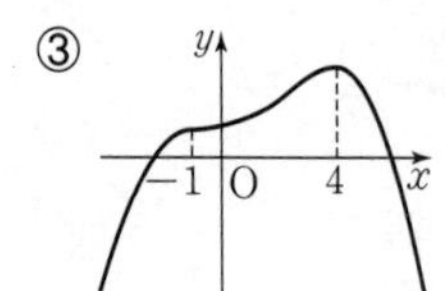

④
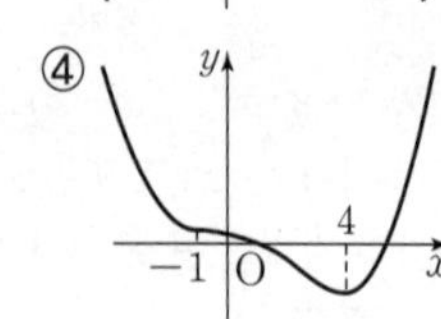

⑤
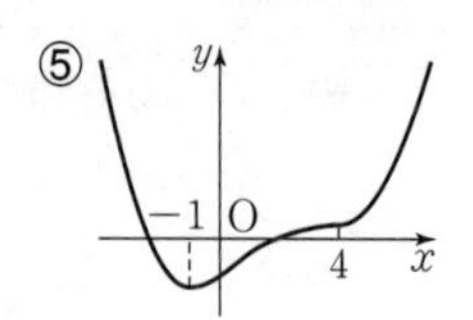

풍산자답 도함수의 그래프가 주어지면 x축과 만나는 점에 주목한다. 도함수의 그래프에서 x축과 만나는 점은 $f'(x)=0$인 수이므로 이 값을 경계로 증감표를 만들면 된다.

> 풀이 $y=f'(x)$의 그래프가 x축과 만나는 점의 x좌표가 -1, 4이므로 이 값을 경계로 증감표를 만들면 다음과 같다.

x	$\cdots$	-1	$\cdots$	4	$\cdots$
$f'(x)$	$-$	0	$-$	0	$+$
$f(x)$	↘		↘	극소	↗

위의 증감표에 의해 함수 $y=f(x)$의 그래프는 감소하다가 $x=-1$에서 멈칫하고, 다시 감소하다가 $x=4$에서부터 증가한다.

따라서 $y=f(x)$의 그래프의 개형이 될 수 있는 것은 ④이다.

정답과 풀이 **27**쪽

유제 **181** **함수 $y=f(x)$의 도함수 $y=f'(x)$의 그래프가 오른쪽 그림과 같을 때, $y=f(x)$의 그래프의 개형이 될 수 있는 것은?**

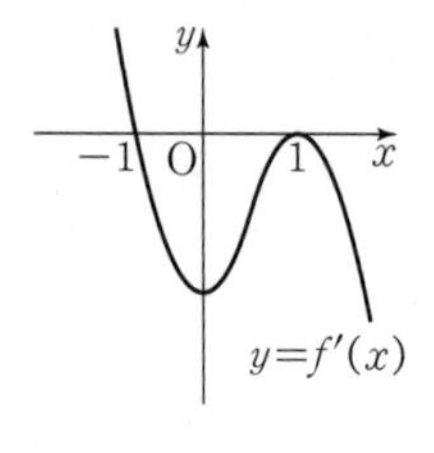

①
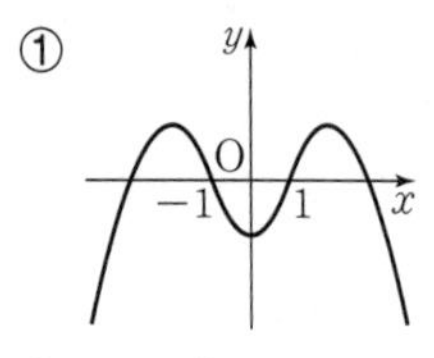

②
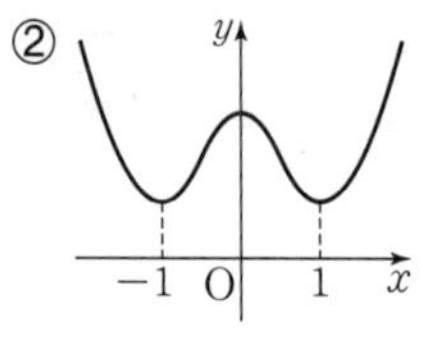

③
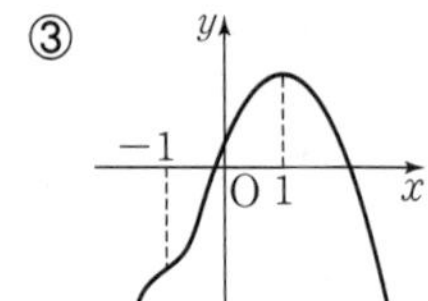

④
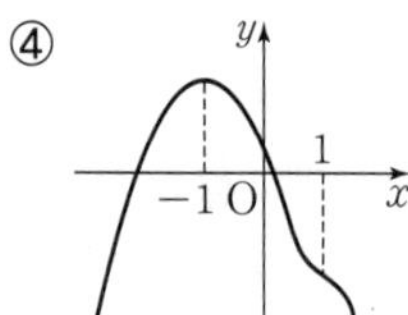

⑤
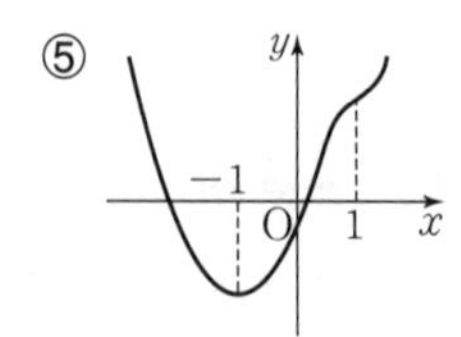

182 **함수 $f(x)=x^3+ax^2+ax+3$에 대하여 다음 물음에 답하여라.**

(1) $f(x)$가 극값을 가질 때, 상수 a의 값의 범위를 구하여라.

(2) $f(x)$가 극값을 갖지 않을 때, 상수 a의 값의 범위를 구하여라.

풍산자日 삼차함수 $f(x)=ax^3+bx^2+cx+d$의 그래프는 $a>0$일 때, 방정식 $f'(x)=0$의 근에 따라 다음 세 종류로 분류할 수 있다.

①
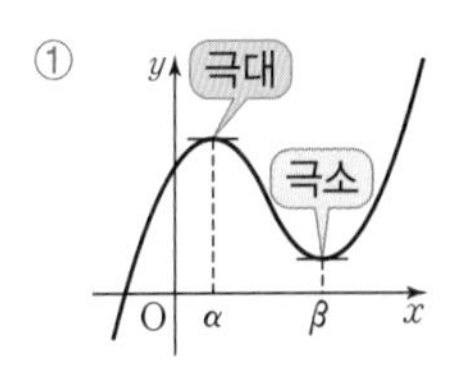

②
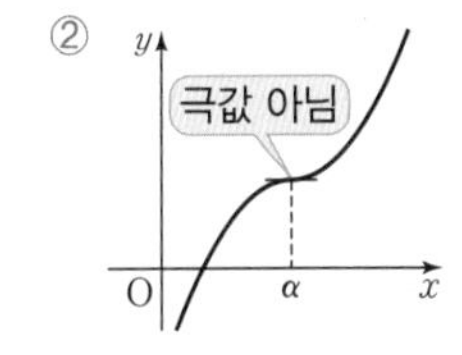

③
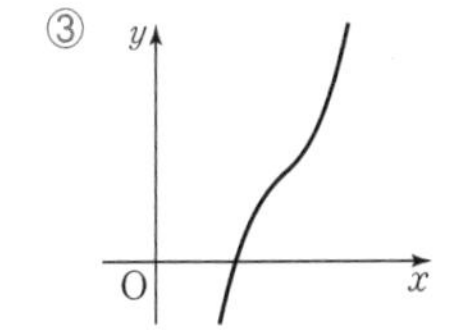

① $f'(x)=0$이 서로 다른 두 실근 α, β를 갖는다.

② $f'(x)=0$이 중근 α를 갖는다.

③ $f'(x)=0$이 허근을 갖는다.

따라서 극값을 가지려면 $f'(x)=0$이 ①과 같이 서로 다른 두 실근을 가져야 한다.

> 풀이 (1) 삼차함수 $f(x)$가 극값을 갖기 위해서는 방정식 $f'(x)=0$이 서로 다른 두 실근을 가져야 하므로

$f'(x)=3x^2+2ax+a=0$의 판별식을 D라 하면

$\frac{D}{4}=a^2-3a>0$, $a(a-3)>0$

$\therefore$ **$a<0$ 또는 $a>3$**

(2) 삼차함수 $f(x)$가 극값을 갖지 않기 위해서는 방정식 $f'(x)=0$이 중근 또는 허근을 가져야 하므로

$f'(x)=3x^2+2ax+a=0$의 판별식을 D라 하면

$\frac{D}{4}=a^2-3a\le 0$, $a(a-3)\le 0$

$\therefore$ **$0\le a\le 3$**

정답과 풀이 **27**쪽

유제 **183** **함수 $f(x)=x^3-3ax^2+(9a-6)x-5$에 대하여 다음 물음에 답하여라.**

(1) $f(x)$가 극댓값과 극솟값을 가질 때, 상수 a의 값의 범위를 구하여라.

(2) $f(x)$가 극댓값과 극솟값을 갖지 않을 때, 상수 a의 값의 범위를 구하여라.

184 **함수 $f(x)=x^4-4x^3+2ax^2$에 대하여 다음 물음에 답하여라.**

(1) $f(x)$가 극댓값을 가질 때, 상수 a의 값의 범위를 구하여라.

(2) $f(x)$가 극댓값을 갖지 않을 때, 상수 a의 값의 범위를 구하여라.

풍산자日 최고차항의 계수가 양수일 때, 사차함수 $f(x)$의 그래프는 방정식 $f'(x)=0$의 실근의 개수에 따라 다음 세 종류로 분류할 수 있다.

① 실근 3개 ② 실근 2개 ③ 실근 1개

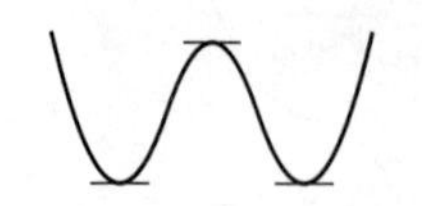

따라서 $f(x)$가 극댓값을 가지려면 $f'(x)=0$이 ①과 같이 서로 다른 세 실근을 가져야 한다.

> 풀이 (1) $f'(x)=4x^3-12x^2+4ax=4x(x^2-3x+a)$

$f'(x)=0$에서 $x=0$ 또는 $x^2-3x+a=0$

최고차항의 계수가 양수인 사차함수 $f(x)$가 극댓값을 가지려면 방정식 $f'(x)=0$이 서로 다른 세 실근을 가져야 한다.

그런데 $x=0$이 $f'(x)=0$의 한 근이므로 이차방정식 $x^2-3x+a=0$ ⋯⋯ ㉠이 $x=0$이 아닌 서로 다른 두 실근을 가져야 한다.

(i) ㉠이 $x=0$이 아닌 근을 가져야 하므로

$0^2-3\cdot0+a\neq0$ $\quad\therefore a\neq0$

(ii) ㉠이 서로 다른 두 실근을 가져야 하므로 ㉠의 판별식을 D라 하면

$D=9-4a>0$ $\quad\therefore a<\frac{9}{4}$

따라서 $f(x)$가 극댓값을 가질 조건은 $a\neq0$이고 $a<\frac{9}{4}$

$\therefore$ **$a<0$ 또는 $0<a<\frac{9}{4}$**

(2) 극댓값을 갖지 않을 조건은 극댓값을 가질 조건을 부정하면 된다.

따라서 (1)에서 구한 결과의 여집합을 구하면 되므로

$a=0$ 또는 $a\geq\frac{9}{4}$

정답과 풀이 27쪽

유제 **185** **함수 $f(x)=x^4+2(a-1)x^2+4ax$에 대하여 다음 물음에 답하여라.**

(1) $f(x)$가 극댓값을 가질 때, 상수 a의 값의 범위를 구하여라.

(2) $f(x)$가 극댓값을 갖지 않을 때, 상수 a의 값의 범위를 구하여라.

풍산자 비법

미분가능한 함수 $f(x)$에서 $f'(a)=0$이고, $x=a$의 좌우에서

(1) $f'(x)$의 부호가 양(+)에서 음(−)으로 바뀌면 $f(x)$는 $x=a$에서 극대이다.

(2) $f'(x)$의 부호가 음(−)에서 양(+)으로 바뀌면 $f(x)$는 $x=a$에서 극소이다.

한걸음 더

05 증감표를 만들지 않고 다항함수의 그래프를 그리는 방법

함수를 미분하여 증감표를 만들면 그래프를 그릴 수 있다.

그렇지만 증감표를 만드는 일은 상당히 성가신 작업.

다항함수의 경우에는 최고차항의 계수가 양수인 경우로 가정하여 다음과 같은 두 가지 원칙을 기억해두면 증감표를 만들지 않고도 그래프를 그릴 수 있다.

첫 번째 원칙: 차수

홀수차 함수의 그래프는 아래쪽에서 출발하여 위쪽으로 올라간다.

짝수차 함수의 그래프는 위쪽에서 출발하여 다시 위쪽으로 돌아간다.

단, 최고차항의 계수가 음수일 땐 이와 반대로 간다.

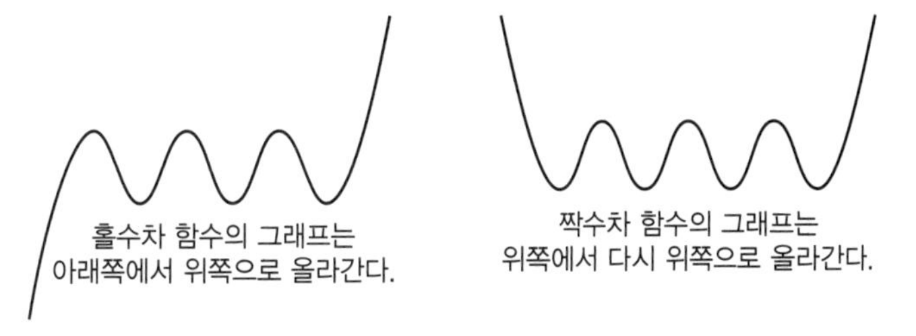

두 번째 원칙: 구부러진 점

$f'(x)=0$인 점에서 구부러진다. 단, 중근이면 구불어지지 않는다. 멈칫하다 가던 길을 간다.

일반적으로 $f'(x)=(x-a)(x-b)^2(x-c)^3(x-d)^4$이라 할 때 홀수 제곱인 a, c에서는 꺾이고, 짝수 제곱인 b, d에서는 구부러지지 않는다.

이유는 증감표를 떠올리면 알 수 있다. 부호가 바뀌느냐 안 바뀌느냐.

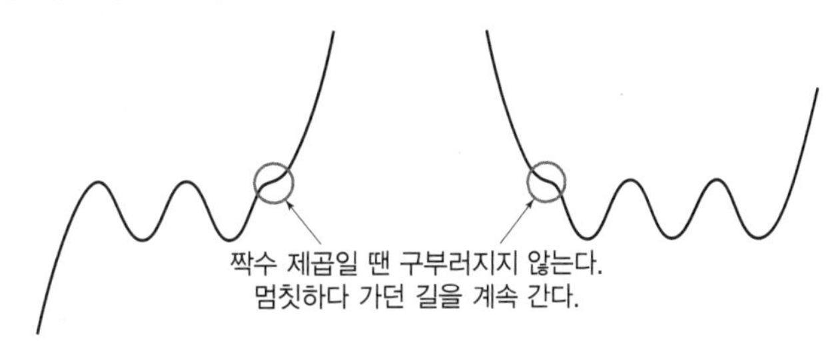

예를 들어 $f'(x)=(x-a)(x-b)^2(x-c)^3(x-d)^4$일 때, 함수 $y=f(x)$의 그래프를 그려보자. $f'(x)$의 최고차항의 계수가 양수이므로 $f(x)$의 최고차항의 계수도 양수이다.

두 가지에 주목한다. 함수 $f(x)$의 차수와 구부러진 점.

차수: 주어진 $f'(x)$는 10차. 따라서 $f(x)$는 11차. 홀수차다.

따라서 아래쪽에서 출발하여 위쪽으로 올라간다.

구부러진 점: 1, 3에서 홀수 제곱. 따라서 구부러진다.

2, 4에서 짝수 제곱. 따라서 안 구부러진다.

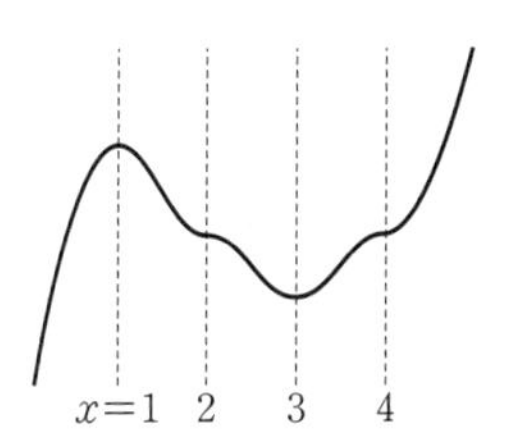

따라서 함수 $f(x)$의 그래프는 아래쪽에서 출발하여 1을 만나 꺾이고, 2를 만나 멈칫하다, 3을 만나 꺾이고, 4를 만나 멈칫하다, 위쪽으로 올라간다.

필수 확인 문제

* 더 많은 유형은 **풍산자필수유형 수학**Ⅱ 061쪽

정답과 풀이 27쪽

186

함수 $f(x)=-x^3+ax^2-3x+2$가 구간 $(-\infty, \infty)$에서 감소하도록 하는 상수 a의 최댓값을 M, 최솟값을 m이라 할 때, $M+m$의 값을 구하여라.

187

함수 $f(x)=-x^3+ax^2-1$이 $1<x<2$에서 증가하고, $x>3$에서 감소하기 위한 모든 정수 a의 값의 합을 구하여라.

188

함수 $y=f(x)$의 도함수 $y=f'(x)$의 그래프가 다음 그림과 같을 때, 함수 $y=f(x)$가 극대 또는 극소가 되는 점의 개수를 구하여라.

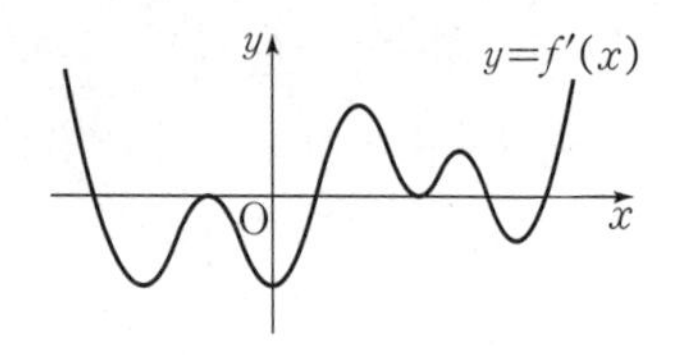

189

함수 $y=|x^4-4x^3|$이 극대가 되는 점의 개수를 m, 극소가 되는 점의 개수를 n이라 할 때, $m-n$의 값을 구하여라.

190

함수 $f(x)=2x^3+ax^2+bx+5$가 $x=1$에서 극솟값 -2를 가질 때, 함수 $f(x)$의 극댓값을 구하여라. (단, a, b는 상수)

191

함수 $f(x)=x^3+ax^2+3x+4$가 극값을 갖도록 하는 상수 a의 값의 범위는 $a<\alpha$ 또는 $a>\beta$이다. 이때 $\alpha^2+\beta^2$의 값을 구하여라.

4 함수의 최대와 최소

01 함수의 최대와 최소

함수 $f(x)$가 닫힌구간 $[a, b]$에서 연속일 때
주어진 구간에서 $f(x)$가 취할 수 있는 가장 큰 값을 최댓값,
주어진 구간에서 $f(x)$가 취할 수 있는 가장 작은 값을 최솟값이라 한다.

함수의 최대와 최소

닫힌구간 $[a, b]$에서 연속함수 $f(x)$의 최댓값과 최솟값을 구하려면

(1) 주어진 구간에서 $f(x)$의 극댓값과 극솟값을 구한다.
(2) 양 끝점에서의 함숫값 $f(a)$, $f(b)$를 구한다.
(3) 위에서 구한 값들의 크기를 비교한다.

최댓값 ➡ 극댓값, $f(a)$, $f(b)$ 중 최대인 것
최솟값 ➡ 극솟값, $f(a)$, $f(b)$ 중 최소인 것

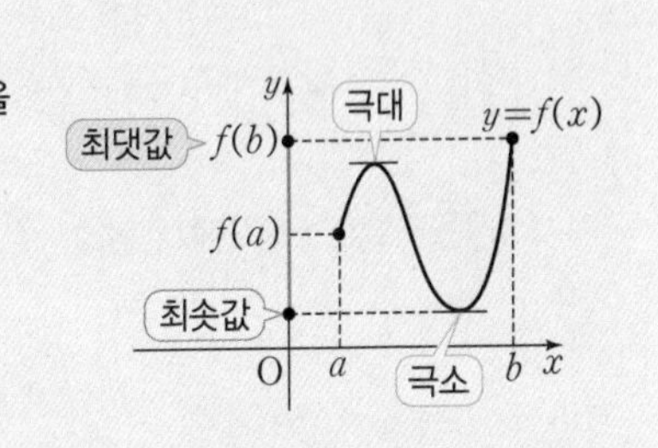

| 최댓값과 최솟값 구하기 |

192 **구간 $[-4, 2]$에서 함수 $f(x)=x^3+3x^2-9x-10$의 최댓값과 최솟값을 구하여라.**

풍산자日 $f'(x)=0$인 점을 경계로 증감표를 만든 후, 양 끝값과 극값을 비교하면 된다.

> 풀이

$f(x)=x^3+3x^2-9x-10$에서
$f'(x)=3x^2+6x-9=3(x+3)(x-1)$
$f'(x)=0$에서 $x=-3$ 또는 $x=1$
구간 $[-4, 2]$에서 함수 $f(x)$의 증가와 감소를 표로 나타내면 다음과 같다.

x	-4	$\cdots$	-3	$\cdots$	1	$\cdots$	2
$f'(x)$		$+$	0	$-$	0	$+$	
$f(x)$	10	↗	17	↘	-15	↗	-8

따라서 양 끝값과 극값을 비교하면 **최댓값: $f(-3)=17$, 최솟값: $f(1)=-15$**

정답과 풀이 28쪽

유제 **193** **주어진 구간에서 다음 함수의 최댓값과 최솟값을 구하여라.**

(1) $f(x)=2x^3-3x^2-12x$ $[-2, 3]$　　(2) $f(x)=3x^4-4x^3-1$ $[0, 2]$

194 $0 \leq x \leq 3$에서 함수 $f(x)=x^3-3x^2+a$의 최솟값이 1일 때, 상수 a의 값을 구하여라.

풍산자日 미분해서 증감표를 만든 후, 최소가 되는 순간을 알아낸다.

> 풀이

$f(x)=x^3-3x^2+a$에서 $f'(x)=3x^2-6x=3x(x-2)$

$f'(x)=0$에서 $x=0$ 또는 $x=2$

$0 \leq x \leq 3$에서 함수 $f(x)$의 증가와 감소를 표로 나타내면 다음과 같다.

x	0	$\cdots$	2	$\cdots$	3
$f'(x)$	0	$-$	0	$+$	
$f(x)$	a	↘	$a-4$	↗	a

따라서 최댓값은 $f(0)=f(3)=a$, 최솟값은 $f(2)=a-4$

주어진 조건에서 최솟값이 1이므로

$a-4=1 \quad \therefore a=\mathbf{5}$

정답과 풀이 29쪽

유제 **195** $0 \leq x \leq 2$에서 함수 $f(x)=x^3-3x+a$의 최댓값이 10일 때, 상수 a의 값을 구하여라.

196 $1 \leq x \leq 4$에서 함수 $f(x)=ax^4-4ax^3+b$의 최댓값이 9, 최솟값이 0일 때, 상수 a, b의 값을 구하여라. (단, $a>0$)

풍산자日 미분해서 언제 최대가 되고, 언제 최소가 되는지 알아낸다.

> 풀이

$f(x)=ax^4-4ax^3+b$에서 $f'(x)=4ax^3-12ax^2=4ax^2(x-3)$

$f'(x)=0$에서 $x=0$ 또는 $x=3$

$a>0$일 때, $1 \leq x \leq 4$에서 함수 $f(x)$의 증가와 감소를 표로 나타내면 다음과 같다.

x	1	$\cdots$	3	$\cdots$	4
$f'(x)$		$-$	0	$+$	
$f(x)$	$b-3a$	↘	$b-27a$	↗	b

따라서 최댓값은 $f(4)=b$, 최솟값은 $f(3)=b-27a$

주어진 조건에서 최댓값이 9, 최솟값이 0이므로

$b=9$, $b-27a=0$

두 식을 연립하여 풀면 $\boldsymbol{a=\frac{1}{3}}$, $\boldsymbol{b=9}$

정답과 풀이 29쪽

유제 **197** $-1 \leq x \leq 2$에서 함수 $f(x)=ax^3-6ax^2+b$의 최댓값이 10, 최솟값이 -22일 때, 상수 a, b의 값을 구하여라. (단, $a>0$)

198 한 변의 길이가 12인 정사각형 모양의 종이가 있다. 이 종이에서 그림과 같이 어두운 부분을 잘라내고, 남은 부분으로 직육면체 모양의 상자를 만들려고 한다. 상자의 부피가 최대일 때, x의 값과 부피를 구하여라.

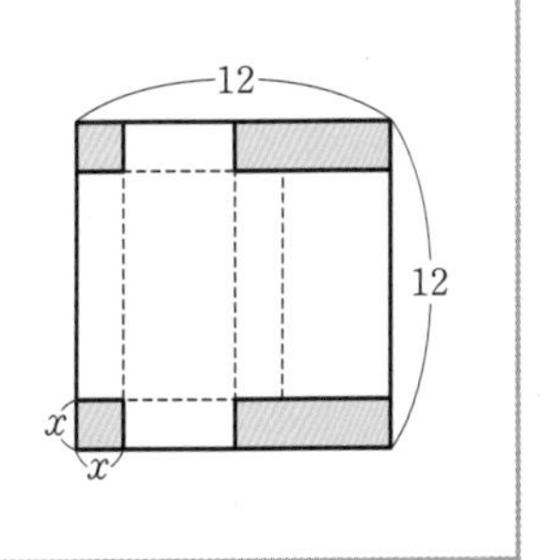

풍산자日 문장제 문제는 식만 세우면 그 다음은 손 안 대고 코 풀기.
식을 세울 때는 3단계를 거친다. 변수 설정 ➡ 식 세우기 ➡ 범위 찾기
부피의 최대를 묻는 문제이므로 부피의 식을 세운다.
(직육면체의 부피) = (가로) × (세로) × (높이)
한편, 주어진 그림에서 $0<x<6$이어야 한다.
이와 같이 식을 세우고, 범위를 찾고 나면 익숙한 최대, 최소 문제가 된다.

> 풀이 상자의 부피를 $f(x)$라 하면

$f(x)=(6-x)(12-2x)x$
$\quad=2x^3-24x^2+72x\ (0<x<6)$
$f'(x)=6x^2-48x+72=6(x-2)(x-6)$
$f'(x)=0$에서 $x=2$ 또는 $x=6$
$0<x<6$에서 함수 $f(x)$의 증가와 감소를 표로 나타내면 다음과 같다.

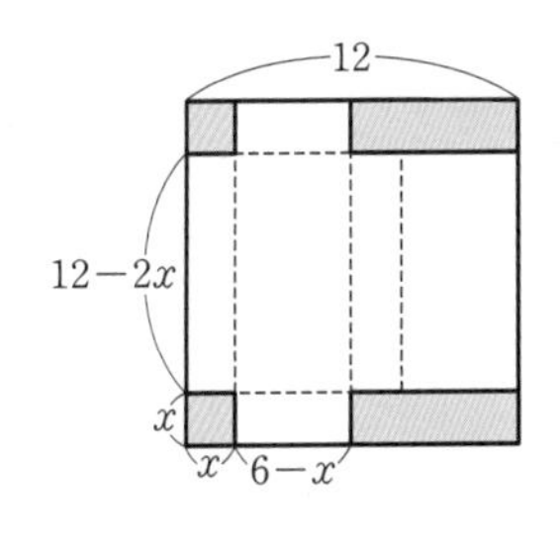

x	(0)	$\cdots$	2	$\cdots$	(6)
$f'(x)$		+	0	−	(0)
$f(x)$	(0)	↗	64	↘	(0)

따라서 $\boldsymbol{x=2}$일 때 부피는 최대이고, 이때의 부피는 **64**이다.

정답과 풀이 29쪽

유제 **199** 한 변의 길이가 6인 정사각형 모양의 종이가 있다. 이 종이의 네 귀퉁이에서 같은 크기의 정사각형을 잘라내고, 남은 부분으로 뚜껑이 없는 직육면체 모양의 상자를 만들려고 한다. 상자의 부피가 최대일 때, x의 값과 부피를 구하여라.

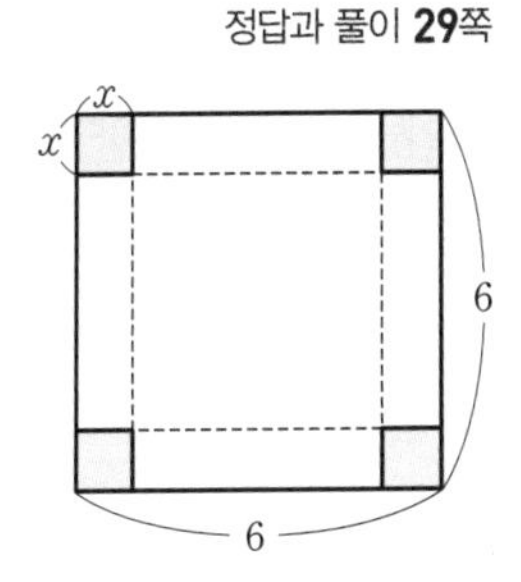

풍산자 비법

그래프를 그렸을 때 그래프의 가장 높은 점이 최대, 가장 낮은 점이 최소.
그래프를 그리지 않고 최대, 최소를 구하려면 $f'(x)=0$인 점을 경계로 증감표를 만들어 양 끝값과 극값을 비교한다.

필수 확인 문제

* 더 많은 유형은 **풍산자필수유형 수학Ⅱ** 070쪽

정답과 풀이 29쪽

200

구간 $[-3, 2]$에서 함수

$$f(x)=-2x^3-6x^2+10$$

의 최댓값을 M, 최솟값을 m이라 할 때, $M-m$의 값을 구하여라.

201

$x>0$에서 함수

$$f(x)=2x^3+3ax^2-12a^2x+50$$

의 최솟값이 -6일 때, 상수 a의 값을 구하여라.

(단, $a>0$)

202

구간 $[0, 4]$에서 함수

$$f(x)=x^4-4x^3-2x^2+12x-3$$

의 최댓값을 M, 최솟값을 m이라 할 때, $M+m$의 값을 구하여라.

203

$-1\le x\le 1$에서 함수 $f(x)=x^4-4x^3+4x^2+a$의 최댓값이 79일 때, $f(x)$의 최솟값을 구하여라. (단, a는 상수)

204

$0\le x\le 4$에서 함수 $f(x)=ax^3-3ax^2+b$의 최솟값이 -2, 최댓값이 38일 때, 상수 a, b의 합 $a+b$의 값을 구하여라. (단, $a>0$)

205

한 변의 길이가 12인 정삼각형 모양의 종이를 그림과 같이 세 꼭짓점 주위에서 합동인 사각형을 잘라낸 후, 남은 부분으로 뚜껑이 없는 삼각기둥 모양의 상자를 만들려고 한다. 이때 상자의 부피의 최댓값은?

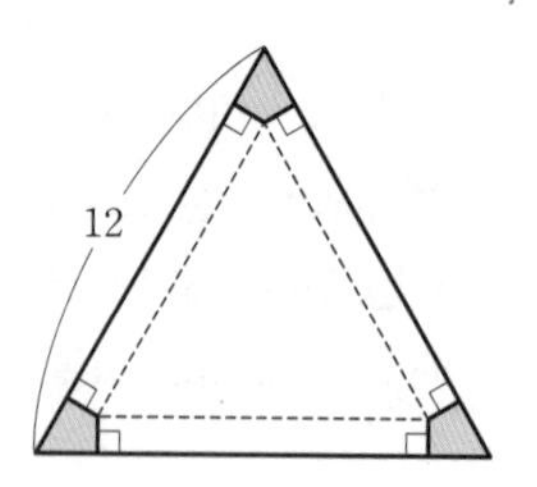

① 24　② 27　③ 32　④ 36　⑤ 42

5 방정식과 부등식에의 활용

01 방정식의 실근과 함수의 그래프

이차방정식의 실근의 개수는 판별식을 이용하면 알아낼 수 있다.

그럼 삼차 이상의 방정식의 실근의 개수는 어떻게 알아낼 수 있을까?

앞에서 배운 방법으로 그래프를 그려 x축과의 교점의 개수를 관찰하면 쉽게 알아낼 수 있다.

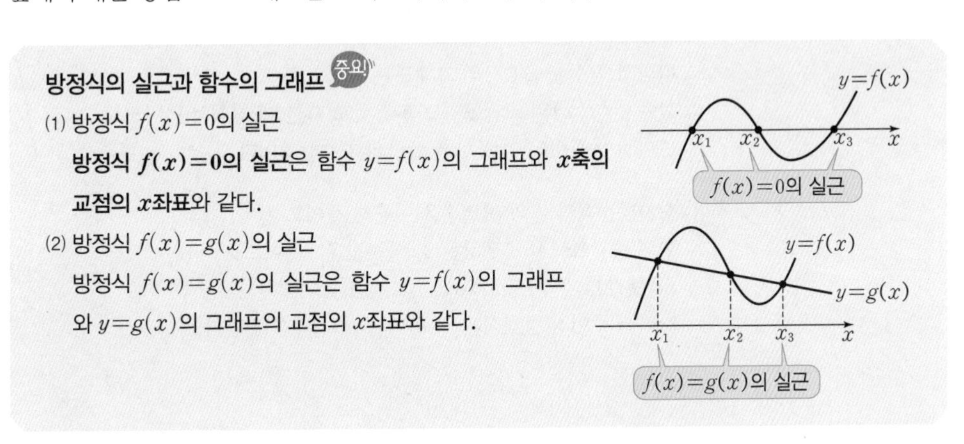

방정식의 실근과 함수의 그래프 중요!

(1) 방정식 $f(x)=0$의 실근

방정식 $f(x)=0$의 실근은 함수 $y=f(x)$의 그래프와 **x축의 교점의 x좌표**와 같다.

(2) 방정식 $f(x)=g(x)$의 실근

방정식 $f(x)=g(x)$의 실근은 함수 $y=f(x)$의 그래프와 $y=g(x)$의 그래프의 교점의 x좌표와 같다.

삼차방정식의 경우에는 극댓값과 극솟값을 구해 부호를 관찰하면 좀 더 빠르게 근의 종류와 개수를 알아 낼 수 있다.

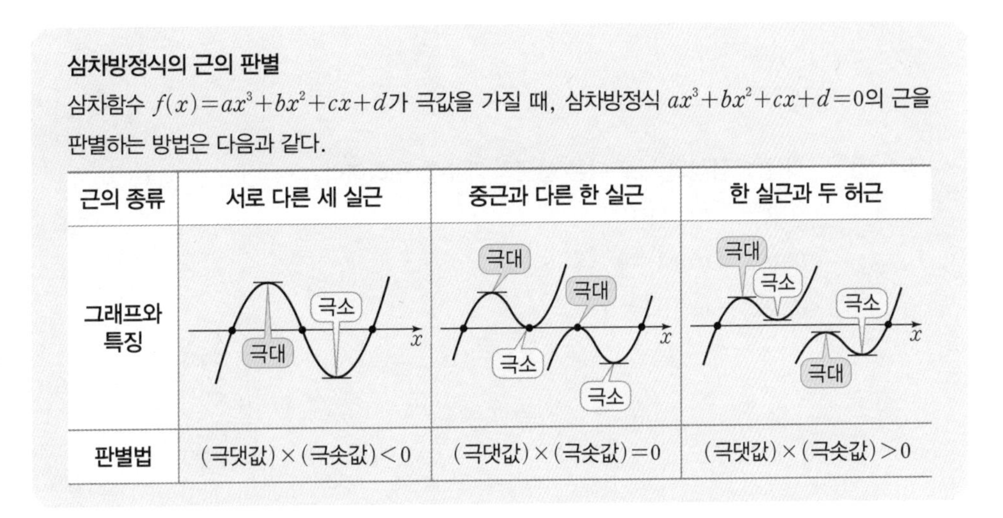

삼차방정식의 근의 판별

삼차함수 $f(x)=ax^3+bx^2+cx+d$가 극값을 가질 때, 삼차방정식 $ax^3+bx^2+cx+d=0$의 근을 판별하는 방법은 다음과 같다.

근의 종류	서로 다른 세 실근	중근과 다른 한 실근	한 실근과 두 허근
그래프와 특징			
판별법	(극댓값)×(극솟값)<0	(극댓값)×(극솟값)$=0$	(극댓값)×(극솟값)>0

무작정 판별법을 외우기보다는 허근을 갖는 경우에 그래프가 x축과 만나지 않는다는 것을 생각하면서 그래프를 그려 보자. 그러면 근의 종류에 따른 그래프의 특징이 눈에 들어온다.

206 방정식 $x^3-3x^2+3=0$의 서로 다른 실근의 개수를 구하여라.

풍산자日 $y=x^3-3x^2+3$의 그래프를 그려 놓고, x축과 교점이 몇 개인지 관찰하면 된다.

> 풀이 $f(x)=x^3-3x^2+3$으로 놓으면

$f'(x)=3x^2-6x=3x(x-2)$

$f'(x)=0$에서 $x=0$ 또는 $x=2$

함수 $f(x)$의 증가와 감소를 표로 나타내면 다음과 같다.

x	$\cdots$	0	$\cdots$	2	$\cdots$
$f'(x)$	$+$	0	$-$	0	$+$
$f(x)$	↗	3	↘	-1	↗

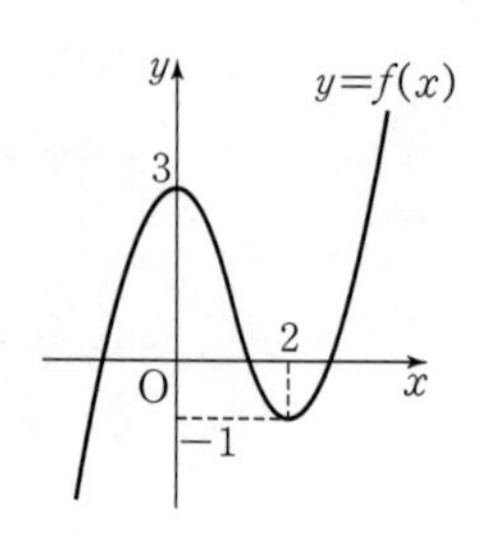

따라서 함수 $y=f(x)$의 그래프는 그림과 같고,

함수 $y=f(x)$의 그래프가 x축과 서로 다른 세 점에서 만나므로

주어진 방정식의 서로 다른 실근의 개수는 **3**이다.

> 다른 풀이 삼차방정식의 근의 판별법을 이용해 풀어도 된다.

위의 증감표에서 극댓값은 3, 극솟값은 -1이므로

(극댓값)$\times$(극솟값)<0

따라서 주어진 방정식은 서로 다른 세 실근을 갖는다.

정답과 풀이 **31**쪽

유제 **207** 다음 방정식의 서로 다른 실근의 개수를 구하여라.

(1) $x^3-3x-2=0$

(2) $x^4-2x^2-1=0$

(3) $2x^4-4x^2+1=0$

208 **방정식 $x^3+3x^2-9x+a=0$의 근이 다음과 같을 때, 상수 a의 값 또는 범위를 구하여라.**

(1) 서로 다른 세 실근 (2) 중근과 다른 한 실근 (3) 한 실근과 두 허근

풍산자 Tip 다음과 같은 그래프가 되기 위한 조건을 떠올리면 된다.

①

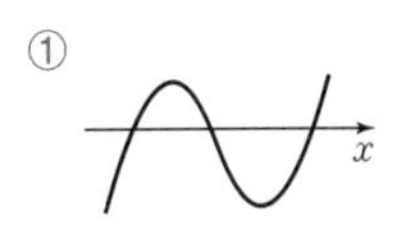

②

③

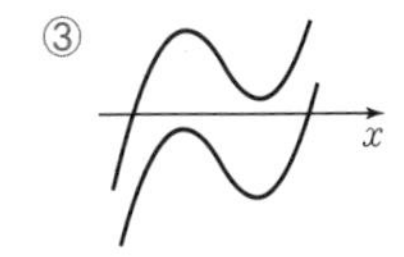

> 풀이 $f(x)=x^3+3x^2-9x+a$로 놓으면

$f'(x)=3x^2+6x-9=3(x+3)(x-1)$

$f'(x)=0$에서 $x=-3$ 또는 $x=1$

함수 $f(x)$의 증가와 감소를 표로 나타내면 다음과 같다.

x	$\cdots$	-3	$\cdots$	1	$\cdots$
$f'(x)$	$+$	0	$-$	0	$+$
$f(x)$	↗	$a+27$	↘	$a-5$	↗

(1) (극댓값)×(극솟값)<0이어야 하므로

$(a+27)(a-5)<0$ $\quad\therefore$ $\boldsymbol{-27<a<5}$

(2) (극댓값)×(극솟값)$=0$이어야 하므로

$(a+27)(a-5)=0$ $\quad\therefore$ $\boldsymbol{a=-27}$ **또는** $\boldsymbol{a=5}$

(3) (극댓값)×(극솟값)>0이어야 하므로

$(a+27)(a-5)>0$ $\quad\therefore$ $\boldsymbol{a<-27}$ **또는** $\boldsymbol{a>5}$

> 다른 풀이 $x^3+3x^2-9x+a=0$에서 $x^3+3x^2-9x=-a$이므로

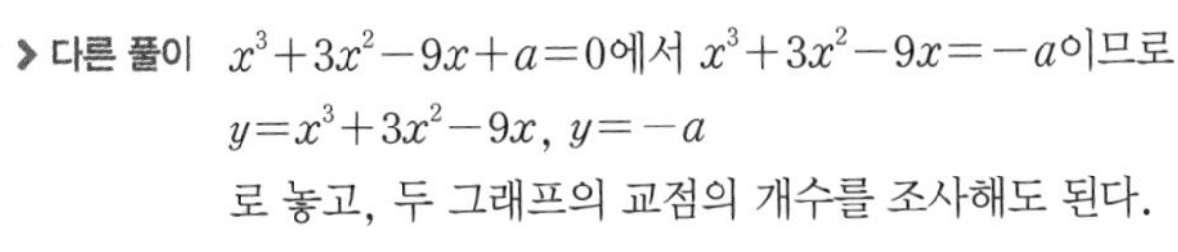

$y=x^3+3x^2-9x$, $y=-a$

로 놓고, 두 그래프의 교점의 개수를 조사해도 된다.

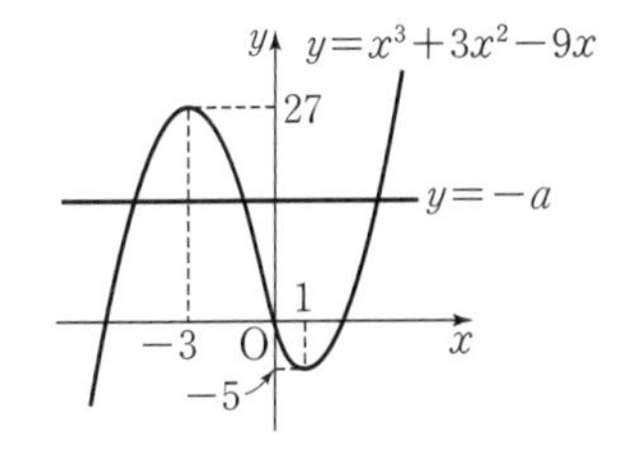

(1) $-5<-a<27$

$\therefore$ $-27<a<5$

(2) $-a=-5$ 또는 $-a=27$

$\therefore$ $a=-27$ 또는 $a=5$

(3) $-a<-5$ 또는 $-a>27$

$\therefore$ $a<-27$ 또는 $a>5$

정답과 풀이 31쪽

유제 **209** **방정식 $2x^3-6x^2+a+6=0$의 근이 다음과 같을 때, 상수 a의 값 또는 범위를 구하여라.**

(1) 서로 다른 세 실근 (2) 중근과 다른 한 실근 (3) 한 실근과 두 허근

210 **방정식 $x^3-3x+a=0$의 근이 다음과 같을 때, 상수 a의 값 또는 범위를 구하여라.**

(1) 한 개의 음근과 두 개의 서로 다른 양근

(2) 한 개의 음근과 양의 중근

(3) 한 개의 양근과 두 개의 허근

풍산자日 이 문제는 '실근'하고 마는 것이 아니라, '양수, 음수'라는 좀 더 깊숙한 정보를 요구한다.
음근을 가지려면 그래프가 x축의 음수쪽에서 만나야 하고
양근을 가지려면 그래프가 x축의 양수쪽에서 만나야 한다.
조건에 맞는 그래프를 그린 후 극댓값, 극솟값의 부호의 범위를 생각한다.

> 풀이

$f(x)=x^3-3x+a$로 놓으면
$f'(x)=3x^2-3=3(x+1)(x-1)$
$f'(x)=0$에서 $x=-1$ 또는 $x=1$
함수 $f(x)$의 증가와 감소를 표로 나타내면 다음과 같다.

x	$\cdots$	-1	$\cdots$	1	$\cdots$
$f'(x)$	$+$	0	$-$	0	$+$
$f(x)$	↗	$a+2$	↘	$a-2$	↗

따라서 극댓값: $f(-1)=a+2$, 극솟값: $f(1)=a-2$

(1) $y=f(x)$의 그래프가 그림과 같아야 하므로

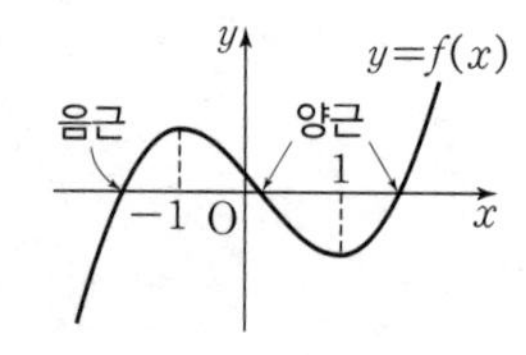

(극댓값)>0,
(극솟값)<0,
(y축과 만나는 점의 y좌표)>0에서
$a+2>0$, $a-2<0$, $a>0$
$\therefore$ **$0<a<2$**

(2) $y=f(x)$의 그래프가 그림과 같아야 하므로

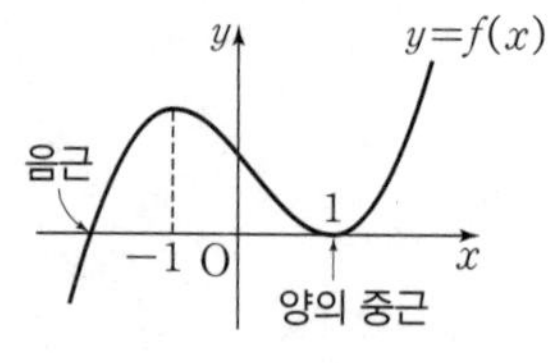

(극솟값)$=0$에서
$a-2=0$ $\therefore$ **$a=2$**

(3) $y=f(x)$의 그래프가 그림과 같아야 하므로

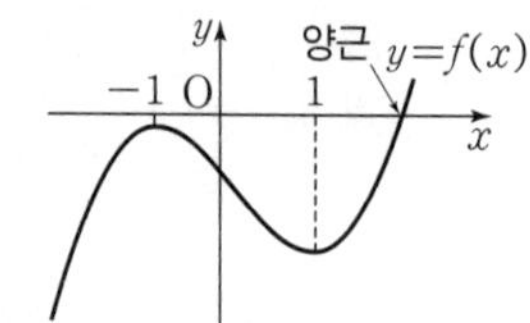

(극댓값)<0에서
$a+2<0$
$\therefore$ **$a<-2$**

정답과 풀이 **32**쪽

유제 **211** **방정식 $x^3-3x^2-9x+a=0$의 근이 다음과 같을 때, 상수 a의 값 또는 범위를 구하여라.**

(1) 두 개의 서로 다른 음근과 한 개의 양근

(2) 한 개의 양근과 음의 중근

(3) 한 개의 음근과 두 개의 허근

02 미분을 이용한 부등식의 증명

부등식의 증명 도구는 매우 다양하지만 미분만큼 강한 파워를 갖는 것도 드물다.

왜 미분이 막강한 힘을 가지는가?

미분을 이용하면 그래프의 개형을 알 수 있고, 최댓값과 최솟값도 구할 수 있기 때문.

[1] 모든 실수 x에 대하여 $f(x)>0$ 또는 $f(x)<0$

부등식 $f(x)>0$이 성립함을 증명하려면 $f(x)$의 최솟값이 0보다 크다는 것만 보이면 된다.

왜냐하면 최솟값이 0보다 크면 다른 값은 0보다 더 크기 때문이다.

부등식 $f(x)<0$도 마찬가지.

최댓값이 0보다 작다는 것만 보이면 된다.

미분을 이용한 부등식의 증명 (1) : 최솟값 또는 최댓값만 확인한다.

(1) 모든 실수 x에 대하여 부등식 $f(x)>0$

➡ ($f(x)$의 최솟값)>0

(2) 모든 실수 x에 대하여 부등식 $f(x)<0$

➡ ($f(x)$의 최댓값)<0

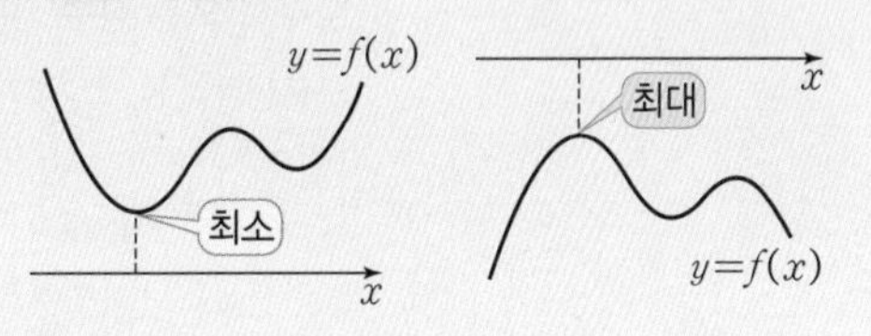

[2] $x \geq a$일 때, $f(x)>0$

$x \geq a$일 때, $f(x)>0$이 성립함을 증명하는 방법도 다르지 않다.

$x \geq a$에서 $f(x)$의 최솟값이 0보다 큰 것을 보이면 된다.

단 $f(x)$가 증가함수일 때,

$x \geq a$에서 $f(x)$의 최솟값은 $f(a)$이므로 $f(a)>0$이면 $f(x)>0$이다.

미분을 이용한 부등식의 증명 (2) : 증가 또는 감소할 때, 출발점만 확인한다.

$x \geq a$에서 $f(x)$가 증가하고, $f(a)>0$

➡ $x \geq a$에서 부등식 $f(x)>0$이 성립한다.

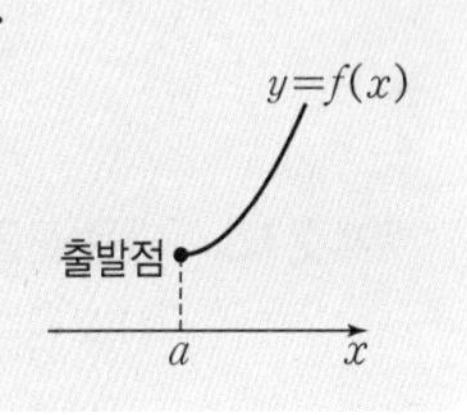

주어진 구간에서 $f(x)$가 증가할 때, 출발점을 확인하면 함수의 최솟값을 알 수 있다.

반대로 $f(x)$가 감소할 때, 출발점을 확인하면 함수의 최댓값을 구할 수 있다.

212 **다음 물음에 답하여라.**

(1) 모든 실수 x에 대하여 부등식 $x^4-4a^3x+3>0$이 항상 성립하도록 하는 상수 a의 값의 범위를 구하여라.

(2) $x\geq 2$일 때, 부등식 $2x^3-3x^2-12x+a>0$이 항상 성립하도록 하는 상수 a의 값의 범위를 구하여라.

풍산자曰 부등식 $f(x)>0$이 성립하려면 $f(x)$의 최솟값이 0보다 커야 한다.

> 풀이 (1) $f(x)=x^4-4a^3x+3$으로 놓으면

$f'(x)=4x^3-4a^3=4(x-a)(x^2+ax+a^2)$

그런데 $x^2+ax+a^2=\left(x+\dfrac{a}{2}\right)^2+\dfrac{3}{4}a^2\geq 0$이므로

증감표에 의하여 $f(x)$는 $x=a$에서 최소이다.

x	$\cdots$	a	$\cdots$
$f'(x)$	$-$	0	$+$
$f(x)$	↘	최소	↗

따라서 모든 실수 x에 대하여 $f(x)>0$이 성립하려면

$f(a)=-3a^4+3>0$, $a^4-1<0$

$(a^2-1)(a^2+1)<0$, $a^2-1<0$ ($\because a^2+1>0$)

$(a+1)(a-1)<0$ $\quad\therefore$ $\mathbf{-1<a<1}$

(2) $f(x)=2x^3-3x^2-12x+a$로 놓으면

$f'(x)=6x^2-6x-12=6(x+1)(x-2)$

그런데 $x\geq 2$에서 $f'(x)\geq 0$이므로 $f(x)$는 증가함수이고,

증감표에 의하여 $f(x)$는 $x=2$에서 최소이다.

x	2	$\cdots$
$f'(x)$	0	$+$
$f(x)$	최소	↗

따라서 $x\geq 2$일 때, $f(x)>0$이려면

$f(2)=16-12-24+a>0$, $-20+a>0$

$\therefore$ $\mathbf{a>20}$

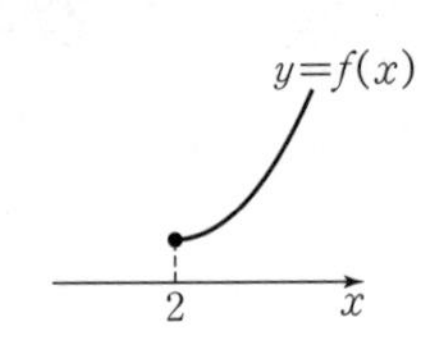

정답과 풀이 **32**쪽

유제 **213** **다음 물음에 답하여라.**

(1) 모든 실수 x에 대하여 부등식 $x^4-4x+a>0$이 항상 성립하도록 하는 상수 a의 값의 범위를 구하여라.

(2) $x>2$일 때, 부등식 $x^3-3x^2+a>0$이 항상 성립하도록 하는 상수 a의 값의 범위를 구하여라.

풍산자 비법

풀이 방법을 외우기보다는 문제에 맞는 그래프를 그려 조건을 찾는 연습을 해야 한다.

필수 확인 문제

* 더 많은 유형은 **풍산자필수유형 수학Ⅱ** 077쪽

정답과 풀이 32쪽

214

방정식 $x^3-6x^2-n=0$이 서로 다른 세 실근을 갖도록 하는 정수 n의 개수를 구하여라.

215

방정식 $2x^3-3x^2-12x+p=0$이 서로 다른 두 개의 양근과 한 개의 음근을 갖도록 하는 정수 p의 개수를 구하여라.

216

두 곡선 $y=x^3-3x^2+5x$, $y=3x^2-4x+m$이 서로 다른 세 점에서 만나도록 하는 상수 m의 값의 범위를 구하여라.

217

$x>2$일 때, 부등식 $x^3-8x+k>4x$이 항상 성립하도록 하는 상수 k의 최솟값을 구하여라.

218

모든 실수 x에 대하여 부등식

$$3x^4-8x^3-18x^2+a\geq 0$$

이 성립하도록 하는 상수 a의 최솟값을 구하여라.

6 속도와 가속도

01 속도와 가속도

미적분학을 만든 위대한 수학자 뉴턴.
그가 미적분학을 만든 이유는 사실 단순한 수학적 호기심보다는 바로 자연계의 다양한 운동의 수학적 규명을 위한 것이었다.
우리는 미분의 이 마지막 단원에서 미적분학을 탄생시킨 속도, 가속도 문제로 귀향한다.
운동은 여러 가지가 있다. 직선운동, 평면운동, 공간운동, …
자유 낙하는 한 직선을 따라 뚝 떨어지는 직선운동이고, 도로 위의 자동차는 평면운동을 한다. 비행기나 우주 왕복선은 3차원 공간을 마음대로 오가므로 공간운동일 것이다.
이런 운동을 모두 미적분학으로 분석할 수 있고 여기서는 직선운동만 다룬다.

변화율은 미분이다. 어떤 양을 '시간'에 대하여 미분하면 어떤 양의 변화율이 된다.
속도는 위치의 변화율이고, 위치 함수를 시간에 대해서 미분하면 속도 함수가 된다.
위치가 빨리빨리 변하면 속도가 빠른 것이고, 위치가 천천히 변하면 속도가 느린 것이다.

속도와 가속도

수직선 위를 움직이는 점 P의 시각 t에서의 위치를 $x=f(t)$라 할 때,

(1) 시각 $t=a$에서 시각 $t=b$까지의 평균속도

➡ $\dfrac{\Delta x}{\Delta t}=\dfrac{f(b)-f(a)}{b-a}$ ⬅ 평균속도는 위치의 평균변화율

(2) 시각 t에서의 속도 ➡ $v=\lim\limits_{\Delta t \to 0}\dfrac{\Delta x}{\Delta t}=\dfrac{dx}{dt}=f'(t)$ ⬅ 속도는 시간에 대한 위치의 순간변화율

(3) 시각 t에서의 가속도 ➡ $a=\lim\limits_{\Delta t \to 0}\dfrac{\Delta v}{\Delta t}=\dfrac{dv}{dt}=v'(t)$ ⬅ 가속도는 시간에 대한 속도의 순간변화율

| 설명 | 속도가 양수일 때는 전진하고, 속도가 음수일 때는 후진한다.
또한 속도가 0일 때에는 운동 방향을 바꾸거나 운동을 정지한다.
속도의 절댓값 $|v|$를 속력이라 하고, 속도를 미분하면 가속도가 된다.

위치(x) —미분→ 속도(v) —미분→ 가속도(a)
속도(v) —절댓값→ 속력$(|v|)$

219 **원점을 출발하여 수직선 위를 움직이는 점 P의 시각 t에서의 위치가 $x=-t^3+12t$일 때, 다음을 구하여라.**

(1) 시각 $t=0$에서 $t=2$까지의 점 P의 평균속도

(2) 시각 $t=1$일 때의 점 P의 속도와 가속도

(3) 점 P가 운동 방향을 바꿀 때의 시각

풍산자Ti (1) 평균속도는 위치의 평균변화율이다.

(2) 위치에 대한 식이 주어져 있다. 위치를 미분하면 속도가 되고, 속도를 미분하면 가속도가 된다.

(3) 운동 방향을 바꿀 때는 속도가 0이다.

> 풀이 (1) $(\text{평균속도})=\dfrac{(-2^3+12\cdot2)-(-0^3+12\cdot0)}{2-0}=\mathbf{8}$

(2) 점 P의 시각 t에서의 속도를 v, 가속도를 a라 하면

$v=\dfrac{dx}{dt}=-3t^2+12$

$a=\dfrac{dv}{dt}=-6t$

따라서 시각 $t=1$일 때의 점 P의 속도와 가속도는

$\boldsymbol{v}=-3\cdot1^2+12=\mathbf{9}$, $\boldsymbol{a}=(-6)\cdot1=\mathbf{-6}$

(3) 점 P가 운동 방향을 바꿀 때의 속도는 0이므로

$v=-3t^2+12=0$에서 $t^2-4=0$

$(t+2)(t-2)=0$

$\therefore\ \boldsymbol{t}=\mathbf{2}\ (\because\ t>0)$

정답과 풀이 **33**쪽

유제 **220** **원점을 출발하여 수직선 위를 움직이는 점 P의 시각 t에서의 위치가 $x=\frac{1}{3}t^3-5t^2$일 때, 다음을 구하여라.**

(1) 시각 $t=0$에서 $t=3$까지의 점 P의 평균속도

(2) 시각 $t=3$일 때의 점 P의 속도와 가속도

(3) 점 P가 운동 방향을 바꿀 때의 시각

221 **지면으로부터 10 m의 높이에서 초속 5 m로 똑바로 위로 던진 물체의 t초 후의 높이를 h m라 하면 $h=-5t^2+5t+10$인 관계가 성립한다. 다음 물음에 답하여라.**

(1) 시각 $t=1$일 때의 물체의 속도와 가속도를 구하여라.

(2) 이 물체가 최고 높이에 도달할 때까지 걸린 시간과 그때의 높이를 구하여라.

(3) 이 물체가 땅에 떨어질 순간의 속도를 구하여라.

풍산자日 위, 아래로 움직이는 직선 운동. 위치가 주어져 있으므로 이것을 미분하면 속도, 한 번 더 미분하면 가속도가 된다.

최고 높이에 도달할 때 ➡ 방향이 바뀔 때이므로 속도가 0

땅에 떨어질 때 ➡ 높이가 0

> 풀이

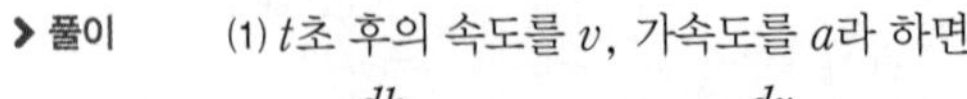

(1) t초 후의 속도를 v, 가속도를 a라 하면

$v=\dfrac{dh}{dt}=-10t+5$, $a=\dfrac{dv}{dt}=-10$

따라서 $t=1$(초)일 때의 속도와 가속도는

$\boldsymbol{v=-10+5=-5}$**(m/초)**

$\boldsymbol{a=-10}$**(m/초^2)**

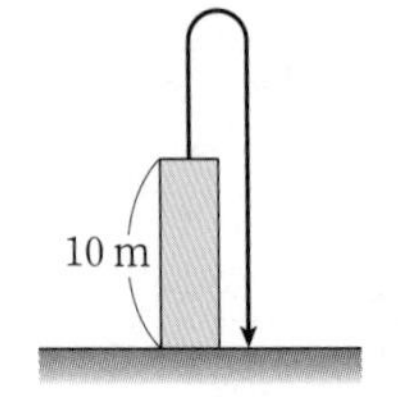

(2) 최고 높이에 도달할 때, $v=0$이므로

$-10t+5=0$ $\quad\therefore$ $\boldsymbol{t=\dfrac{1}{2}}$**(초)**

따라서 최고 높이에 도달할 때까지 걸린 시간은 $\dfrac{1}{2}$초이고, 그때의 높이는

$\boldsymbol{h}=-5\cdot\left(\dfrac{1}{2}\right)^2+5\cdot\dfrac{1}{2}+10=\boldsymbol{\dfrac{45}{4}}$**(m)**

(3) 땅에 떨어질 때, $h=0$이므로 $-5t^2+5t+10=0$에서

$t^2-t-2=0$, $(t+1)(t-2)=0$

$\therefore$ $t=-1$ 또는 $t=2$

그런데 $t>0$이므로 $t=2$(초)

따라서 땅에 떨어질 순간의 속도는

$\boldsymbol{v}=(-10)\cdot2+5=\boldsymbol{-15}$**(m/초)**

정답과 풀이 **33쪽**

유제 **222** **지면으로부터 45 m의 높이에서 초속 40 m로 돌을 똑바로 위를 향하여 던졌을 때, t초 후 돌의 높이를 h m라 하면 $h=45+40t-5t^2$인 관계가 성립한다. 다음 물음에 답하여라.**

(1) $t=2$일 때의 돌의 속도와 가속도를 구하여라.

(2) 이 돌이 최고 높이에 도달할 때까지 걸린 시간과 그때의 높이를 구하여라.

(3) 이 돌이 땅에 떨어질 순간의 속도를 구하여라.

02 변화율

어떤 양이 빨리빨리 변하면 변화율이 큰 것이고,
어떤 양이 천천히 변하면 변화율이 작은 것이다. 미분하면 그 변화율을 알 수 있다.

시각에 대한 변화율
어떤 물체의 시각 t에서의 길이를 l이라 할 때
길이의 변화율: $\lim_{\Delta t \to 0} \frac{\Delta l}{\Delta t} = \frac{dl}{dt}$ ⬅ 길이의 변화율은 길이를 미분

| 길이의 변화율 |

223 **키가 1.65 m인 학생이 지상 3 m 높이의 가로등 바로 밑에서 일직선으로 매분 90 m의 속도로 걸어갈 때, 다음을 구하여라.**
(1) 그림자의 끝이 움직이는 속도 (2) 그림자의 길이의 변화율

풍산자日 끝의 위치와 길이를 시각 t에 대한 식으로 나타내어 t에 대하여 미분하면 된다.

> 풀이

그림과 같이 t분 후에 가로등을 기준으로 학생이 움직인 거리를 $x\text{ m}$, 그림자의 끝이 움직인 거리를 $y\text{ m}$라 하자. $\triangle ABC \backsim \triangle DEC$이므로

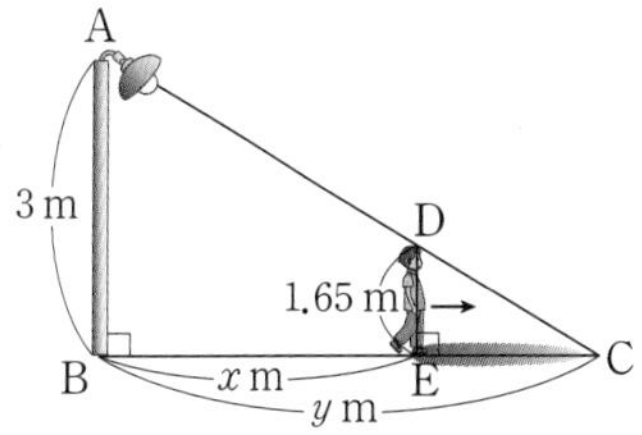

$3 : y = 1.65 : (y-x)$ $\therefore y = \frac{20}{9}x$ ······ ㉠

A
3 m
D
1.65 m
B
x m
E
y m
C

(1) 학생이 매분 90 m의 속도로 걸어가므로 t분 후 학생이 움직인 거리는 $x=90t$ ······ ㉡

㉡을 ㉠에 대입하면 $y=200t$ $\therefore \frac{dy}{dt} = \mathbf{200(m/분)}$

(2) t분 후의 그림자의 길이를 l이라 하면

$l = y - x = 200t - 90t = 110t$ $\therefore \frac{dl}{dt} = \mathbf{110(m/분)}$

정답과 풀이 **34쪽**

유제 **224** **키가 1.8 m인 학생이 지상 4.5 m 높이의 가로등 바로 밑에서 일직선으로 매분 72 m의 속도로 걸어갈 때, 다음을 구하여라.**
(1) 그림자의 끝이 움직이는 속도 (2) 그림자의 길이의 변화율

풍산자 비법

위치를 시간에 대해 미분하면 속도, 속도를 시간에 대해 미분하면 가속도!
특정 함수를 미분하면 그것의 변화율을 구할 수 있다.

필수 확인 문제

* 더 많은 유형은 **풍산자필수유형 수학Ⅱ** 081쪽

정답과 풀이 34쪽

225

원점을 출발하여 수직선 위를 움직이는 점 P의 시각 t에서의 위치가 $x=t^3-3t^2$일 때, 속도가 45인 순간의 점 P의 가속도를 구하여라.

226

어떤 열차가 브레이크를 밟기 시작한 후 t초 동안 미끄러지는 거리가 $s=60t-5t^2$ (m)일 때, 이 열차가 브레이크를 밟기 시작한 후부터 정지할 때까지 움직인 거리를 구하여라.

227

원점을 출발하여 수직선 위를 움직이는 점 P의 시각 t에서의 위치가 $x=t^3-4t+1$로 주어질 때, $1\le t\le 3$에서 점 P의 속력의 최댓값을 구하여라.

228

원점을 출발하여 수직선 위를 움직이는 점 P의 시각 t에서의 위치가

$$x=\frac{1}{3}t^3-\frac{7}{2}t^2+10t$$

라 한다. 점 P가 출발한 후 처음으로 운동 방향을 바꿀 때의 점 P의 가속도를 구하여라.

229

키가 2 m인 농구 선수가 지상에서 3 m 높이의 가로등 바로 밑에서 매초 10 m의 속도로 뛰어갈 때, 그림자 길이의 변화율을 구하여라.

중단원 마무리

▶ 접선의 방정식과 롤의 정리

접선의 방정식	① 함수 위의 접점이 주어질 때, $f'(x)$를 이용해 기울기를 구한다. ② 기울기가 주어질 때, $f'(x)$를 이용해 접점을 구한다. ③ 곡선 밖의 한 점이 주어질 때, 접점을 $\mathrm{P}(t,\ f(t))$로 놓고 식을 세운다.
롤의 정리	함수 $f(x)$가 닫힌구간 $[a,\ b]$에서 연속이고, 열린구간 $(a,\ b)$에서 미분가능할 때, ① 롤의 정리 ➡ $f(a)=f(b)$이면 $f'(c)=0\ (a<c<b)$인 c가 적어도 하나 존재한다. ② 평균값 정리 ➡ $\dfrac{f(b)-f(a)}{b-a}=f'(c)\ (a<c<b)$인 c가 적어도 하나 존재한다.

▶ 극대·극소와 최대·최소

증가와 감소	함수 $y=f(x)$가 어떤 구간에 속하는 임의의 두 수 x_1, x_2에 대하여 ① $x_1<x_2$일 때, $f(x_1)<f(x_2)$이면 함수 $f(x)$는 이 구간에서 증가 ② $x_1<x_2$일 때, $f(x_1)>f(x_2)$이면 함수 $f(x)$는 이 구간에서 감소
극대와 극소	함수 $f(x)$가 $x=a$를 포함하는 어떤 열린구간에 속하는 모든 x에 대하여 ① $f(a)\geq f(x)$일 때, $f(x)$는 $x=a$에서 극대 ② $f(a)\leq f(x)$일 때, $f(x)$는 $x=a$에서 극소
함수의 최대와 최소	$f'(x)=0$인 점을 경계로 증감표를 만든 후, 양 끝값과 극값을 비교했을 때, 가장 큰 값이 최댓값, 가장 작은 값이 최솟값이다.

▶ 방정식과 부등식에서의 활용

삼차방정식 근의 판별	① 서로 다른 세 실근 ➡ (극댓값)×(극솟값)<0 ② 중근과 다른 한 실근 ➡ (극댓값)×(극솟값)$=0$ ③ 한 실근과 두 허근 ➡ (극댓값)×(극솟값)>0
부등식의 증명	① 모든 실수 x에 대하여 부등식 $f(x)>0$ ➡ ($f(x)$의 최솟값)>0 ② 모든 실수 x에 대하여 부등식 $f(x)<0$ ➡ ($f(x)$의 최댓값)<0

▶ 속도와 가속도

속도와 가속도

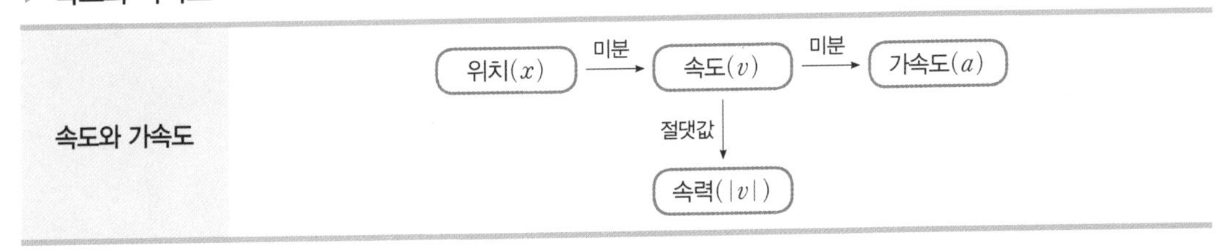

실전 연습문제

STEP 1

230
곡선 $y=x^4+ax+b$ 위의 $x=1$인 점에서의 접선의 방정식이 $y=x$일 때, 상수 a, b에 대하여 $2a+b$의 값을 구하여라.

231
곡선 $y=x^2+1$의 접선이 x축의 양의 방향과 이루는 각의 크기가 $135°$일 때, 그 접선의 방정식을 구하여라.

232
점 $(0,\ -5)$에서 곡선 $y=x^2-4$에 그은 두 접선의 기울기의 곱을 구하여라.

233
함수 $f(x)=x^3+kx^2-k+2$가 $x=1$에서 증가할 때, 다음 중 k의 값이 될 수 있는 것은?

① -7　② -6　③ -4　④ -2　⑤ 0

234
두 곡선 $y=x^3$, $y=ax^2+bx$가 점 $(1,\ 1)$에서 공통인 접선을 가질 때, 상수 a, b에 대하여 ab의 값은?

① $-\frac{1}{2}$　② $-\frac{3}{2}$　③ -2　④ -3　⑤ -4

235
함수 $f(x)=-x^3+ax+b$가 $x=-1$에서 극솟값 0을 가질 때, 극댓값을 구하여라.

236

함수 $f(x)=x^3+ax^2+bx+1$이 $x=3$에서 극솟값 1을 가질 때, 구간 $[-1, 3]$에서 함수 $f(x)$의 최댓값을 구하여라.

237

삼차방정식 $x^3-3x-k=0$이 오직 한 개의 실근을 갖도록 하는 실수 k의 값의 범위는?

① $-2<k<2$　② $k<-2$ 또는 $k>2$
③ $k<-1$ 또는 $k>1$　④ $-1<k<1$
⑤ $1<k<2$

238

x에 대한 방정식 $2x^3-3x^2-12x+1-k=0$이 서로 다른 두 개의 음근과 한 개의 양근을 가질 때, 실수 k의 값의 범위를 구하여라.

STEP 2

239

함수 $f(x)=-x^3+ax^2+bx$가 $-1<x<3$에서 증가하고, $x<-1$ 또는 $x>3$에서 감소하기 위한 실수 a, b의 값을 각각 구하여라.

240

실수 전체의 집합에서 정의된 함수

$$f(x)=x^3+2x^2+kx+3$$

의 역함수가 존재하기 위한 실수 k의 값의 범위를 구하여라.

241

함수 $f(x)=ax^3+6x^2+(15-3a)x+1$이 극댓값과 극솟값을 모두 가질 때, 실수 a의 값의 범위를 구하여라. (단, $a\neq0$)

실전 연습문제

정답과 풀이 37쪽

242

함수 $f(x)=-\frac{1}{3}x^3+ax^2+bx+c$가 $x=2$에서 극댓값 $\frac{4}{3}$를 갖고, $x=-2$에서 극솟값 k를 갖는다. 이때, 실수 k의 값을 구하여라.

243

두 곡선 $y=x^3-4x^2+3x$와 $y=2x^2-6x+a$가 서로 다른 세 점에서 만나도록 하는 모든 정수 a의 값의 합을 구하여라.

244

$x\geq0$에서 두 함수 $f(x)=5x^3-10x^2+a$, $g(x)=5x^2+10$에 대하여 $y=f(x)$의 그래프가 $y=g(x)$의 그래프보다 항상 위쪽에 있을 때, 실수 a의 값의 범위는?

① $a>32$ ② $a>30$ ③ $-32<a<32$ ④ $a<-30$ ⑤ $a<-32$

245

삼차함수 $y=f(x)$의 그래프가 그림과 같을 때, 다음 〈보기〉에서 옳은 것만을 있는 대로 고른 것은?

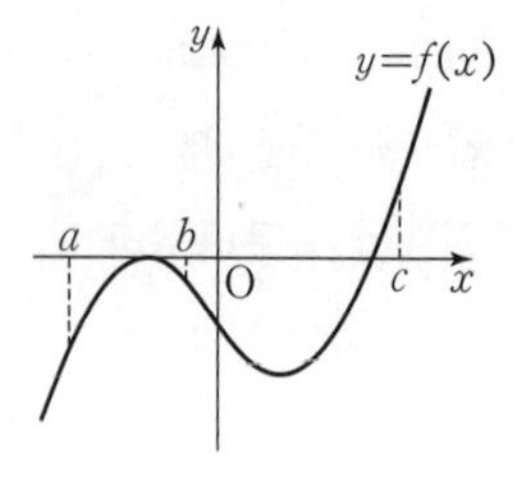

보기

ㄱ. $f'(a)+f(a)>0$

ㄴ. $f'(b)+f(b)<0$

ㄷ. $f'(c)f(c)>0$

① ㄱ ② ㄴ ③ ㄷ ④ ㄱ, ㄷ ⑤ ㄴ, ㄷ

246

원점을 출발하여 수직선 위를 7초 동안 움직이는 점 P의 t초 후의 속도 $v(t)$가 그림과 같을 때, 다음 〈보기〉에서 옳은 것만을 있는 대로 고른 것은?

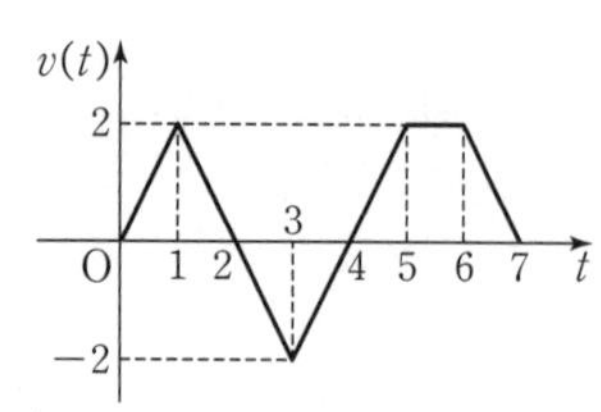

보기

ㄱ. 점 P는 출발하고 나서 한 번 멈춘다.

ㄴ. 점 P는 출발하고 나서 운동방향을 네 번 바꾼다.

ㄷ. 점 P는 출발하고 나서 속력이 1인 때가 6번 있다.

① ㄱ ② ㄴ ③ ㄷ ④ ㄱ, ㄴ ⑤ ㄴ, ㄷ

적분

1 부정적분

2 정적분

3 정적분의 활용

도형의 넓이와 부피를 쉽게 구하는 **적분**

가우스와 함께 역사상 가장 위대한
수학자로 평가받는 아르키메데스.
왕관이 순금이 아니란 걸 알아낸 후
발가벗은 몸뚱이로 유레카를 외친 아르키메데스.
수많은 업적을 남긴 아르키메데스가 특히 자랑스럽게 여기던
넓이를 구하는 방법이 있다.
잘게 쪼개서 각각의 넓이를 더하는 방법.
똑똑한 양반이다. 2천3백 년 전에 요런 걸 생각해 내다니.
하지만 계산이 복잡했다.

2천 년 후, 혜성같이 등장한 뉴턴과 라이프니츠는 복잡했던 방법을
체계적으로 정리하고, 쉽게 계산하는 방법을 찾아냈다.
그 방법이 바로 적분.

부정적분

부정적분은 미분의 역연산.
훗날 정적분을 이용해 넓이를 구할 때
유용한 도구로 쓰인다.

1 부정적분

$$\int 2x\,dx = x^2 + C$$

1 부정적분

01 적분에 대한 환상 깨기 10문 10답

[1문] 정적분이란 무엇인가?

➡ 넓이.

[2문] 부정적분이란 무엇인가?

➡ 미분의 역연산.

덧셈의 역연산이 뺄셈이듯, 미분의 역연산은 부정적분.

[3문] 적분상수란 무엇인가?

➡ 부정적분할 때 되살아나는 수를 적분상수라 한다.

부정적분은 미분의 역연산이라 했다.

미분할 때 사라졌던 수를 임의의 상수로 되살린다.

[4문] 정적분과 부정적분－어떤 게 진짜 적분인가?

➡ 정적분.

[5문] 부정적분은 왜 배우는가?

➡ 부정적분은 정적분의 조력자. 정적분의 계산을 도와준다.

[6문] 적분이 왜 중요한가?

➡ 요상하게 생긴 도형의 넓이와 부피를 구해 주기 때문에.

[7문] 정적분과 넓이의 차이점은 무엇인가?

➡ 넓이는 항상 양수이나, 정적분은 음수일 수도 있다.

단, 절댓값은 같다.

[8문] 넓이는 어떻게 구하는가?

➡ 정적분 값이 양수이면 그대로, 음수이면 양수로 바꿔서 계산한다.

[9문] 미분과 정적분은 어떤 관계가 있는가?

➡ 미분의 역연산은 부정적분. 그리고 부정적분은 정적분의 조력자.

둘 사이를 부정적분이 연결시켜 준다.

[10문] 적분은 쌓는 것이라 들었는데 넓이라니?

➡ 적분에 대해 어떤 환상도 갖지 말라.

적분은 단지 넓이일 뿐이다.

02 부정적분의 정의

부정적분이란 미분의 역연산.

덧셈의 역연산이 뺄셈이듯 미분의 역연산은 부정적분.

x^2을 미분하면 $2x$ ➡ $2x$의 부정적분은 x^2+C (단, C는 적분상수)

x^3을 미분하면 $3x^2$ ➡ $3x^2$의 부정적분은 x^3+C (단, C는 적분상수)

부정적분의 정의

(1) 미분하면 $f(x)$가 되는 함수를 $f(x)$의 **부정적분**이라 하고, 기호로 $\boldsymbol{\int f(x)dx}$로 나타낸다.

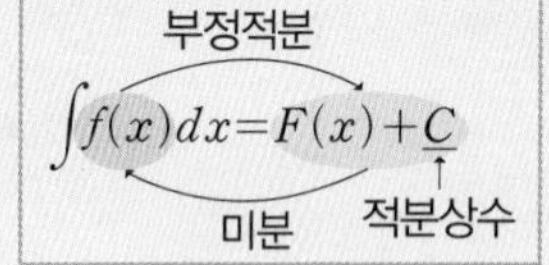

(2) $f(x)$의 부정적분 중 하나를 $F(x)$라 하면 $f(x)$의 모든 부정적분은 $F(x)+C$ (단, C는 상수)의 꼴로 나타내어진다. 즉,

$$F'(x)=f(x) \Rightarrow \int f(x)dx=F(x)+C$$

여기에서 C를 적분상수라 한다.

(3) 함수 $f(x)$의 부정적분, 즉 $\int f(x)dx$를 구하는 것을 $f(x)$를 적분한다고 하며 그 계산법을 적분법이라 한다.

| 설명 | 기호 $\int$은 영어로 integral이라고 한다. 우리말로는 보통 '인테그랄'이라고 읽는데 혀를 잘 굴리는 사람은 '이니그럴'이라고도 읽더라.

- 1의 부정적분은 $x+C$ ➡ $\int 1dx=x+C$ (1을 생략해서 $\int dx$라고도 쓴다.)
- $2x$의 부정적분은 x^2+C ➡ $\int 2xdx=x^2+C$
- $3x^2$의 부정적분은 x^3+C ➡ $\int 3x^2dx=x^3+C$

미분의 역연산으로 부정적분을 하는데 한 가지 문제가 있다.

x^3의 미분은 $3x^2$, x^3+1의 미분도 $3x^2$, x^3+2의 미분도 $3x^2$

그렇다면 $3x^2$의 부정적분은 셋 중 어느 것?

정답은 셋 다 $3x^2$의 부정적분.

즉, 임의의 상수 C에 대하여 x^3+C의 미분은 $3x^2$

따라서 $3x^2$의 부정적분은 x^3+C

함수 $f(x)$의 부정적분은 하나로 정해지지 않으며 조건이 있어야만 하나로 결정된다.

이때 각 부정적분의 상수항을 대표하는 적분상수 C가 필요하다.

부정적분을 하고 나면, 꼭 이렇게 적분상수 C가 튀어나온다.

大 원칙 | 부정적분은 미분의 역연산이다.

$$F'(x)=f(x) \Rightarrow \int f(x)dx=F(x)+C$$

247 다음 등식을 만족시키는 함수 $f(x)$를 구하여라. (단, C는 상수)

(1) $\int f(x)dx=2x^2-4x+C$

(2) $\int f(x)dx=x^3-3x^2+3x+C$

풍산자曰 $\int f(x)dx=F(x)+C$라는 것은 $F'(x)=f(x)$라는 것이다.

> 풀이 (1) $f(x)=(2x^2-4x+C)'$
>
> $\therefore$ $\boldsymbol{f(x)=4x-4}$
>
> (2) $f(x)=(x^3-3x^2+3x+C)'$
>
> $\therefore$ $\boldsymbol{f(x)=3x^2-6x+3}$

정답과 풀이 **38**쪽

유제 **248** 다음 등식을 만족시키는 함수 $f(x)$를 구하여라. (단, C는 상수)

(1) $\int f(x)dx=x^2+3x+C$

(2) $\int f(x)dx=x^3+2x^2-4x+C$

249 다음 부정적분을 구하여라.

(1) $\int 8dx$

(2) $\int 2xdx$

(3) $\int 4x^3dx$

풍산자曰 $\int f(x)dx$를 구하려면 미분해서 $f(x)$가 되는 식을 찾으면 된다.

> 풀이 (1) $(8x)'=8$이므로 $\int 8dx=\boldsymbol{8x+C}$ (단, C는 적분상수)
>
> (2) $(x^2)'=2x$이므로 $\int 2xdx=\boldsymbol{x^2+C}$ (단, C는 적분상수)
>
> (3) $(x^4)'=4x^3$이므로 $\int 4x^3dx=\boldsymbol{x^4+C}$ (단, C는 적분상수)

정답과 풀이 **38**쪽

유제 **250** 다음 부정적분을 구하여라.

(1) $\int (-1)dx$

(2) $\int 5x^4dx$

(3) $\int 6x^5dx$

03 부정적분의 기본 공식

부정적분이 미분의 역연산임을 기억하면서 어떤 함수를 미분해야 k (상수)가 나오고, 어떤 함수를 미분해야 x^n이 나올지 고민해 보자. 다항식을 미분하면 차수가 하나 내려가지만 다항식을 적분하면 차수가 하나 올라간다. 이것이 부정적분의 기본 공식.

부정적분의 기본 공식

(1) $\int k dx = kx + C$ (단, k, C는 상수) ⬅ 상수를 적분하면 일차식이 된다.

(2) $\int x^n dx = \frac{1}{n+1} x^{n+1} + C$ (단, n은 자연수, C는 상수)

⬅ n차식을 적분하면 $(n+1)$차식이 된다.

| 증명 | 부정적분은 미분의 역연산이므로 부정적분의 공식을 증명하려면 미분을 이용하면 된다. 즉, $\int f(x)dx = F(x) + C$ (단, C는 적분상수)를 증명하려면 $\{F(x)+C\}' = f(x)$임을 보인다.

(1) $(kx+C)' = k$이므로 $\int k dx = kx + C$

(2) n이 자연수일 때, $\left(\frac{1}{n+1}x^{n+1}+C\right)' = x^n$이므로 $\int x^n dx = \frac{1}{n+1}x^{n+1} + C$

다음으로 배울 성질은 부정적분은 물론이고 시그마, 극한, 미분에서도 이미 만났던 성질이다.

실수배, 합, 차의 부정적분

(1) $\int kf(x)dx = k\int f(x)dx$ (단, k는 상수) ⬅ 곱해진 상수는 튀어나온다.

(2) $\int \{f(x) \pm g(x)\}dx = \int f(x)dx \pm \int g(x)dx$ (복부호 동순) ⬅ 더하기나 빼기는 찢어진다.

| 증명 | 두 함수 $f(x)$와 $g(x)$의 부정적분을 각각 $F(x)$, $G(x)$라 하고 적분상수를 C라 하면

$$F'(x) = f(x),\ G'(x) = g(x)$$

(1) 임의의 실수 k에 대하여 $\{kF(x)\}' = kF'(x) = kf(x)$이므로

$$\int kf(x)dx = kF(x) + C = k\int f(x)dx$$

(2) $\{F(x)+G(x)\}' = F'(x) + G'(x) = f(x) + g(x)$이므로

$$\int \{f(x)+g(x)\}dx = F(x) + G(x) + C = \int f(x)dx + \int g(x)dx$$

(3) $\{F(x)-G(x)\}' = F'(x) - G'(x) = f(x) - g(x)$이므로

$$\int \{f(x)-g(x)\}dx = F(x) - G(x) + C = \int f(x)dx - \int g(x)dx$$

| 설명 | 시그마 $(\sum)$와 마찬가지로 곱과 나눗셈은 쪼갤 수 없다.

$\int f(x)g(x)dx \neq \int f(x)dx \cdot \int g(x)dx$ ➡ 곱은 전개한 다음 적분한다.

$\int \frac{f(x)}{g(x)}dx \neq \frac{\int f(x)dx}{\int g(x)dx}$ ➡ 나눗셈은 약분한 다음 적분한다.

한걸음 더

부정적분 $\int(ax+b)^n dx$의 공식

$(2x-1)^2$과 같이 적분할 식이 일차식의 거듭제곱일 때는 일일이 전개해서 적분할 수도 있지만 다음 공식을 기억한다면 한 방에 끝낼 수도 있다.

> $a\neq0$이고 n이 자연수일 때,
>
> $$\int(ax+b)^n dx=\frac{1}{a}\cdot\frac{1}{n+1}(ax+b)^{n+1}+C \text{ (단, } C\text{는 적분상수)}$$

| 증명 | 주어진 공식의 우변을 x에 대하여 미분하면

$$\frac{d}{dx}\left\{\frac{1}{a}\cdot\frac{1}{n+1}(ax+b)^{n+1}+C\right\}=\frac{1}{a}\cdot\frac{1}{n+1}\cdot(n+1)(ax+b)^n\cdot(ax+b)'$$
$$=(ax+b)^n$$

> **大 원칙**
>
> (1) 상수를 적분하면 일차식이 되고, n차식을 적분하면 $(n+1)$차식이 된다.
>
> $$\int k\,dx=kx+C,\ \int x^n dx=\frac{1}{n+1}x^{n+1}+C$$
>
> (2) 다항식의 적분은 각 항을 따로따로 적분하고 맨 뒤에 적분상수 C를 붙여 준다.

| 부정적분의 기본 공식 |

251 다음 부정적분을 구하여라.

(1) $\int 3dx$　　(2) $\int x^5 dx$　　(3) $\int 6x^2 dx$

풍산자曰 상수를 적분하면 일차식이 되고, n차식을 적분하면 $(n+1)$차식이 된다.

> 풀이

(1) (주어진 식)$=\mathbf{3x+C}$

(2) (주어진 식)$=\frac{1}{5+1}x^{5+1}+C=\mathbf{\frac{1}{6}x^6+C}$

(3) (주어진 식)$=6\int x^2 dx=6\cdot\frac{1}{3}x^3+C=\mathbf{2x^3+C}$

정답과 풀이 38쪽

유제 252 다음 부정적분을 구하여라.

(1) $\int(-2)dx$　　(2) $\int x^{10}dx$　　(3) $\int 8x^3 dx$

253 다음 부정적분을 구하여라.

(1) $\int(2x^2-3x+4)dx$ (2) $\int 12x^2(x+1)dx$ (3) $\int(2x-1)^2dx$

풍산자답 전개하여 각 항을 따로따로 적분한 후, 맨 뒤에 적분상수 C를 붙여 주면 된다.

> 풀이 (1) (주어진 식) $=\int 2x^2dx-\int 3xdx+\int 4dx=2\int x^2dx-3\int xdx+\int 4dx$

$=\mathbf{\frac{2}{3}x^3-\frac{3}{2}x^2+4x+C}$

(2) (주어진 식) $=\int(12x^3+12x^2)dx=12\cdot\frac{1}{4}x^4+12\cdot\frac{1}{3}x^3+C=\mathbf{3x^4+4x^3+C}$

(3) (주어진 식) $=\int(4x^2-4x+1)dx=\mathbf{\frac{4}{3}x^3-2x^2+x+C}$

> 다른 풀이 (3) (주어진 식) $=\frac{1}{2}\cdot\frac{1}{2+1}(2x-1)^{2+1}+C=\frac{1}{6}(2x-1)^3+C=\frac{4}{3}x^3-2x^2+x+C$

정답과 풀이 38쪽

유제 **254** 다음 부정적분을 구하여라.

(1) $\int(3x^2-2x+1)dx$ (2) $\int 6x(x-1)dx$ (3) $\int(x+2)^3dx$

255 다음 부정적분을 구하여라.

(1) $\int(t-2)(t^2+2t+4)dt$ (2) $\int\frac{y^3-1}{y-1}dy$

(3) $\int(x+1)^3dx-\int(x-1)^3dx$

풍산자답 일단 (1) 전개하거나 (2) 인수분해 하여 약분하거나 (3) 두 적분을 합쳐 식을 간단히 한 후, 각 항을 따로따로 적분하면 된다.

> 풀이 (1) (주어진 식) $=\int(t^3-8)dt=\mathbf{\frac{1}{4}t^4-8t+C}$

(2) (주어진 식) $=\int\frac{(y-1)(y^2+y+1)}{y-1}dy=\int(y^2+y+1)dy=\mathbf{\frac{1}{3}y^3+\frac{1}{2}y^2+y+C}$

(3) (주어진 식) $=\int\{(x+1)^3-(x-1)^3\}dx=\int(6x^2+2)dx=\mathbf{2x^3+2x+C}$

정답과 풀이 38쪽

유제 **256** 다음 부정적분을 구하여라.

(1) $\int(t+1)(t^2-t+1)dt$ (2) $\int\frac{y^2-4}{y-2}dy$

(3) $\int(x+2)^2dx-\int(x-2)^2dx$

04 부정적분과 미분의 관계

미분과 적분이 역연산 관계이므로 미분과 적분이 만나면 당연히 원 상태로 돌아온다. 이때 순서가 중요하다. 적분하고 미분하면 원 상태로 돌아온다.
미분하고 적분하면 원 상태에 상수 C가 달라붙는다.

부정적분과 미분의 관계

(1) $\int\left\{\frac{d}{dx}f(x)\right\}dx=f(x)+C$ (단, C는 상수) ⬅ 먼저 미분하고 적분하면 (원래 함수)$+C$

(2) $\frac{d}{dx}\left\{\int f(x)dx\right\}=f(x)$ ⬅ 먼저 적분하고 미분하면 (원래 함수)

| 부정적분과 미분 |

257 다음을 구하여라.

(1) $\frac{d}{dx}\left(\int x^5dx\right)$ (2) $\int\left(\frac{d}{dx}x^5\right)dx$

풍산자日 적분하고 미분하면 원 상태로 돌아오고, 미분하고 적분하면 (원래의 식)$+C$가 된다.

$$\frac{d}{dx}\left\{\int f(x)dx\right\}=f(x),\ \int\left\{\frac{d}{dx}f(x)\right\}dx=f(x)+C$$

> 풀이

(1) $\frac{d}{dx}\left\{\int f(x)dx\right\}=f(x)$이므로 $\frac{d}{dx}\left(\int x^5dx\right)=\boldsymbol{x^5}$

(2) $\int\left\{\frac{d}{dx}f(x)\right\}dx=f(x)+C$이므로 $\int\left(\frac{d}{dx}x^5\right)dx=\boldsymbol{x^5+C}$

> 참고

(1) $\frac{d}{dx}\left(\int x^5dx\right)=\frac{d}{dx}\left(\frac{1}{6}x^6+C\right)=x^5$

(2) $\int\left(\frac{d}{dx}x^5\right)dx=\int(5x^4)\,dx=x^5+C$

정답과 풀이 38쪽

유제 **258** $\frac{d}{dx}\left\{\int(ax^2+2x+3)dx\right\}=4x^2+bx+c$를 만족시키는 상수 a, b, c의 값을 구하여라.

05 부정적분의 활용

| 부정적분의 활용 (1) |

259 $f'(x)=3x^2+4x-1$, $f(0)=3$을 만족시키는 함수 $f(x)$를 구하여라.

풍산자터 $f'(x)=$♥이면 $f(x)=\int$♥dx임을 이용해 $f(x)$를 구한 후, $f(0)=3$을 이용해 적분상수를 구하면 된다.

> 풀이

$f'(x)=3x^2+4x-1$에서

$f(x)=\int(3x^2+4x-1)dx=x^3+2x^2-x+C$

이때 $f(0)=3$이므로 $C=3$

$\therefore \boldsymbol{f(x)=x^3+2x^2-x+3}$

정답과 풀이 **38**쪽

유제 **260** $f'(x)=6x^2-2x+5$, $f(1)=2$를 만족시키는 함수 $f(x)$를 구하여라.

| 부정적분의 활용 (2) |

261 점 $(0, 4)$를 지나는 곡선 $y=f(x)$ 위의 임의의 점 (x, y)에서의 접선의 기울기가 $3x^2-6x-6$일 때, 함수 $f(x)$를 구하여라.

풍산자터 곡선 $y=f(x)$ 위의 점 (x, y)에서의 접선의 기울기가 ●이면 $f'(x)=$●이다.

> 풀이

곡선 $y=f(x)$ 위의 점 (x, y)에서의 접선의 기울기가 $3x^2-6x-6$이므로

$f'(x)=3x^2-6x-6$

$\therefore f(x)=\int(3x^2-6x-6)dx=x^3-3x^2-6x+C$

한편, 곡선 $y=f(x)$가 점 $(0, 4)$를 지나므로

$f(0)=4 \qquad \therefore C=4$

$\therefore \boldsymbol{f(x)=x^3-3x^2-6x+4}$

정답과 풀이 **39**쪽

유제 **262** 점 $(1, 0)$을 지나는 곡선 $y=f(x)$ 위의 임의의 점 (x, y)에서의 접선의 기울기가 $x-1$일 때, 함수 $f(x)$를 구하여라.

풍산자 비법

도함수가 주어지면 이것을 적분하여 부정적분을 구한 후, 다른 조건을 이용하여 적분상수를 구한다.

$f'(x)=$♥이면 $f(x)=\int$♥$dx+C$ (C는 적분상수)

$f(x)=\int$♥dx이면 $f'(x)=$♥

필수 확인 문제

* 더 많은 유형은 **풍산자필수유형 수학 II** 091쪽

정답과 풀이 39쪽

263

함수 $f(x)$에 대하여

$$\int\{6-2f(x)\}dx=-\frac{2}{3}x^3+x^2+C$$

일 때, $f(2)$의 값을 구하여라. (단, C는 상수)

264

함수

$$f(x)=\int(x-3)^2dx-\int(x+1)^2dx$$

에 대하여 $f(1)=6$일 때, $f(2)$의 값을 구하여라.

265

$f(x)=\int(x^2+x-5)dx$일 때,

$\lim_{h\to0}\frac{f(1+h)-f(1-h)}{h}$의 값을 구하여라.

266

함수 $f(x)=\int\left\{\frac{d}{dx}(x^2+8x)\right\}dx$에 대하여 $f(0)=1$일 때, $f(x)$를 구하여라.

267

다음 두 조건을 만족시키는 함수 $f(x)$에 대하여 $f(1)$의 값을 구하여라.

$$f'(x)=3x^2+4x-1,\ f(2)=17$$

268

두 점 $(-1, 6)$, $(-2, -1)$을 지나는 곡선 $y=f(x)$ 위의 임의의 점 (x, y)에서의 접선의 기울기가 ax^2일 때, $f(0)$의 값을 구하여라.

(단, a는 0이 아닌 상수)

중단원 마무리

▶ 부정적분

부정적분	부정적분과 미분은 역연산 관계이다. 부정적분을 하고 나면 항상 적분상수 C가 튀어나온다. $f(x)=F'(x) \Rightarrow \int f(x)dx=F(x)+C$

▶ 부정적분과 미분이 만나면 원 상태가 된다.

적분하고 미분하면	$\frac{d}{dx}\int f(x)dx=f(x)$
미분하고 적분하면	$\int \frac{d}{dx}f(x)dx=f(x)+C$

▶ 부정적분 공식과 미분 공식의 비교

부정적분 공식	미분 공식
$\int kdx=kx+C$	$(k)'=0$
$\int x^n dx=\frac{1}{n+1}x^{n+1}+C$	$(x^n)'=nx^{n-1}$
$\int (ax+b)^n dx=\frac{1}{a}\cdot\frac{1}{n+1}(ax+b)^{n+1}+C$	$\{(ax+b)^n\}'=n(ax+b)^{n-1}\cdot a$
$\int kf(x)dx=k\int f(x)dx$	$\{kf(x)\}'=kf'(x)$
$\int \{f(x)\pm g(x)\}dx=\int f(x)dx\pm\int g(x)dx$ (복부호 동순)	$\{f(x)\pm g(x)\}'=f'(x)\pm g'(x)$(복부호 동순)
곱의 부정적분 공식이 없다.(미적분에서 배운다.)	$\{f(x)g(x)\}'=f'(x)g(x)+f(x)g'(x)$

실전 연습문제

정답과 풀이 40쪽

269

다음 중 옳은 것은?

① $\int\left\{\frac{d}{dx}f(x)\right\}dx=f(x)$

② $\int\left\{\frac{d}{dx}f(x)\right\}dx=f'(x)+C$

③ $\frac{d}{dx}\int f(x)dx=f(x)$

④ $\frac{d}{dx}\int f(x)dx=f'(x)+C$

⑤ $\frac{d}{dx}\int\left\{\frac{d}{dx}f(x)\right\}dx=f(x)$

270

x^4-2x^2+1이 함수 $f(x)$의 부정적분 중 하나이고, $f(x)$가 함수 $g(x)$의 부정적분 중 하나일 때, $g(1)$의 값을 구하여라.

271

모든 실수 x에 대하여

$$\frac{d}{dx}\int(2x-1)^2dx=ax^2+bx+c$$

가 성립할 때, 상수 a, b, c의 합 $a+b+c$의 값을 구하여라.

272

함수 $f(x)$가 미분가능하고, 그 부정적분을 $F(x)$라 할 때, $F(x)=xf(x)+x^2$이 성립한다. 이때 $f(x)$를 구하여라. (단, $f(0)=1$)

273

함수 $f(x)$의 도함수 $f'(x)$는 삼차함수이고, $y=f'(x)$의 그래프는 그림과 같다. $f(x)$의 극댓값이 3, $f(1)=2$일 때, 방정식 $f(x)=0$의 실근의 개수는?

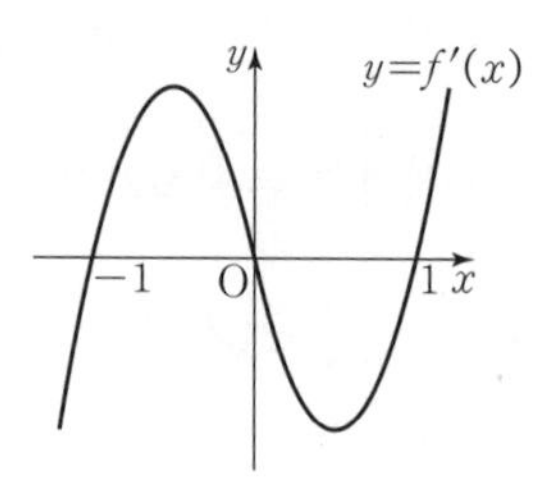

① 0　② 1　③ 2　④ 3　⑤ 4

정적분

정적분이란 넓이.
어떤 환상도 갖지 말라.
적분은 단지 넓이일 뿐이다.

1 정적분

$$\int_a^b f(x)dx$$

2 여러 가지 정적분

$$\frac{d}{dx}\int_a^x f(t)dt=f(x)$$

1 정적분

01 정적분의 정의와 넓이

지금까지 수많은 도형의 넓이를 구해 왔지만 함수의 그래프로 둘러싸인 넓이는 구할 수 없었다. 이를 해결해 줄 마법이 바로 정적분이다.

정적분의 정의

함수 $f(x)$가 구간 $[a, b]$에서 연속일 때, $f(x)$의 한 부정적분 $F(x)$에 대하여 $f(x)$의 a에서 b까지의 정적분을

$$\int_a^b f(x)dx=\left[F(x)\right]_a^b=F(b)-F(a)$$

라 한다.

| 설명 |

- $\int_a^b f(x)dx$에서 b를 정적분의 위끝, a를 아래끝이라 한다.
- 부정적분은 함수를 의미하지만 정적분은 상수를 의미한다.
- 정적분을 구하려면 ➡ 부정적분을 구해 위끝과 아래끝을 대입해서 뺀다.

정적분의 기하적 의미를 살펴보자.

정적분 $\int_a^b f(x)dx$는 그림의 색칠한 부분의 넓이를 나타낸다.
그래프가 x축 위쪽에 있으면 정적분과 넓이는 정확히 같고, 그래프가 x축 아래쪽에 있으면 정적분과 넓이는 부호만 다르다. 다시 말해 $f(x)$가 음수이면 정적분도 음수이다.

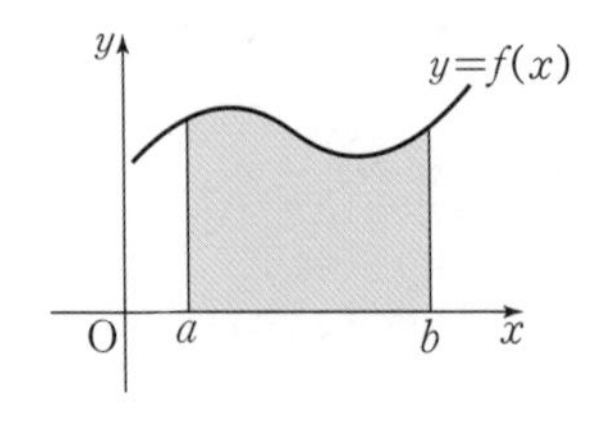

정적분과 넓이의 엄밀한 관계를 정리하면 다음과 같다.

함수 $f(x)$의 그래프가 x축 위쪽에 있을 때	함수 $f(x)$의 그래프가 x축 아래쪽에 있을 때
(그림: a, b, x)	(그림: a, b, x)
(넓이)$=\int_a^b f(x)dx$	(넓이)$=-\int_a^b f(x)dx$

정적분과 넓이에 관련된 다양한 문제는 뒤에 정적분의 활용에서 다루게 된다.

한걸음 더

부정적분과 넓이

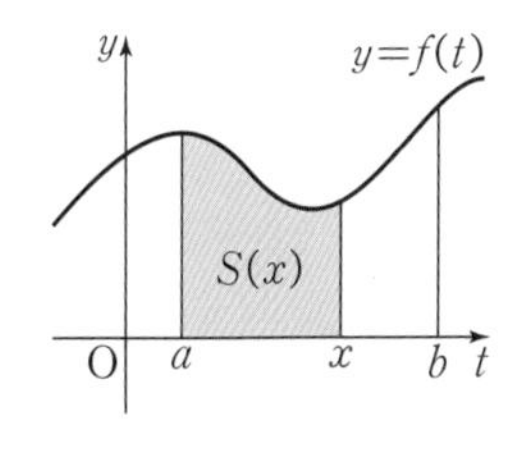

함수 $y=f(t)$가 구간 $[a,\ b]$에서 연속이고 $f(t)\geq 0$일 때,
오른쪽 그림과 같이 구간 $[a,\ b]$에 속하는 모든 t에 대하여 함수 $y=f(t)$의 그래프와 t축 및 두 직선 $t=a$, $t=x$로 둘러싸인 도형의 넓이를 $S(x)$라 하자.
이때 x의 증분 Δx에 대한 $S(x)$의 증분을 ΔS라 하면
$\Delta S=S(x+\Delta x)-S(x)$이다.
한편, 함수 $y=f(x)$는 $\Delta x>0$이면 닫힌구간 $[x,\ x+\Delta x]$에서, $\Delta x<0$이면 $[x+\Delta x,\ x]$에서 연속이므로 이 구간에서 최댓값과 최솟값을 갖는다.

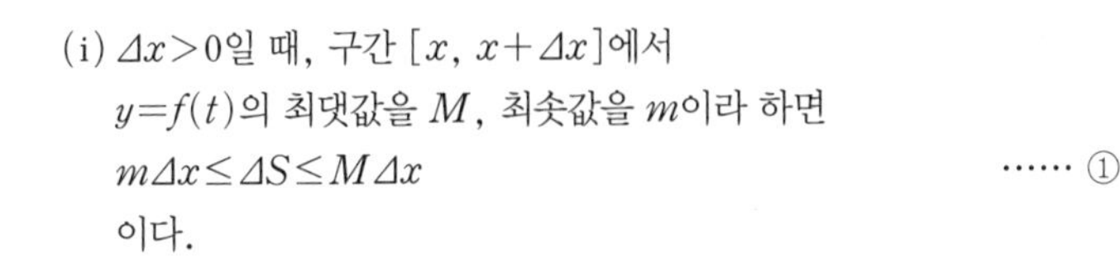

(i) $\Delta x>0$일 때, 구간 $[x,\ x+\Delta x]$에서
$y=f(t)$의 최댓값을 M, 최솟값을 m이라 하면
$m\Delta x\leq\Delta S\leq M\Delta x$ ······ ①
이다.

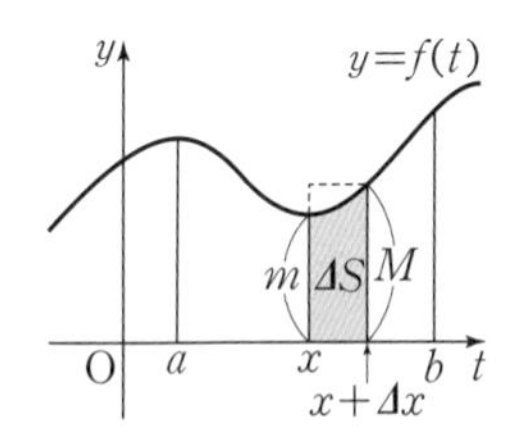

(ii) $\Delta x<0$일 때, 구간 $[x+\Delta x,\ x]$에서
$y=f(t)$의 최댓값을 M, 최솟값을 m이라 하면
$M(-\Delta x)\leq-\Delta S\leq m(-\Delta x)$ ······ ②
이다.

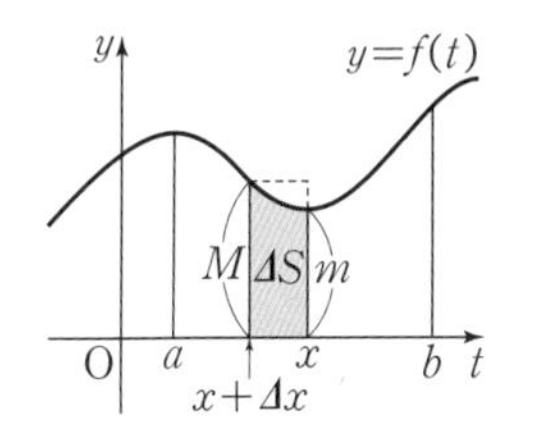

부등식 ①의 각 변을 Δx로, ②의 각 변을 $-\Delta x$로 나누면 Δx의 부호에 관계없이

$$m\leq\frac{\Delta S}{\Delta x}\leq M \quad \cdots\cdots ③$$

이 성립한다. 이때 $\Delta x\to 0$이면

$$\lim_{\Delta x\to 0}m\leq\lim_{\Delta x\to 0}\frac{\Delta S}{\Delta x}\leq\lim_{\Delta x\to 0}M \quad \cdots\cdots ④$$

이고, 함수 $f(t)$는 구간 $[a,\ b]$에서 연속이므로 $\Delta x\to 0$이면 $m\to f(x)$이고 $M\to f(x)$이다.
따라서 ④에서 $\dfrac{d}{dx}S(x)=\lim\limits_{\Delta x\to 0}\dfrac{\Delta S}{\Delta x}=f(x)$이다.

즉, $S'(x)=f(x)$가 성립한다.
$S'(x)=f(x)$이므로 $S(x)$는 $f(x)$의 한 부정적분이다.
따라서 $f(x)$의 부정적분 중의 하나를 $F(x)$라 하면
$S(x)=\int f(x)dx=F(x)+C$ (C는 적분상수)이다.
$S(x)$의 정의에 의하여 $x=a$이면 $S(a)=0$이므로
$S(a)=F(a)+C$, 즉 $C=-F(a)$이다.
따라서
$S(x)=F(x)-F(a)$
이 식에 $x=b$를 대입하면
$S(b)=F(b)-F(a)$
그러므로 구간 $[a,\ b]$에서 $f(x)\geq 0$인 함수 $y=f(x)$의 그래프와 두 직선 $x=a$, $x=b$ 및 x축으로 둘러싸인 도형의 넓이는
$F(b)-F(a)$
가 된다.

274 다음 정적분을 구하여라.

(1) $\int_0^1 4x^3dx$　　(2) $\int_1^3 (2x+6)dx$

(3) $\int_1^3 (6x^2-4x+2)dx$　　(4) $\int_0^1 (x-1)(x^2+x+1)dx$

풍산자비 정적분의 계산 ➡ 부정적분을 구해 아래끝과 위끝을 대입하여 뺀다.

> 풀이 (1) [1단계] 부정적분을 구한다.

$$\int 4x^3dx=x^4+C$$

[2단계] 아래끝과 위끝을 대입하여 뺀다.

$$\int_0^1 4x^3dx=\Big[x^4+C\Big]_0^1$$
$$=(1^4+C)-(0^4+C)=1$$

대입해서 빼면 적분상수 C는 항상 없어진다.

따라서 정적분에서는 적분상수 C를 무시하고 보통 다음과 같이 계산한다.

$$\int_0^1 4x^3dx=\Big[x^4\Big]_0^1=1^4-0^4=\mathbf{1}$$

(2) $$\int_1^3 (2x+6)dx=\Big[x^2+6x\Big]_1^3$$
$$=(3^2+6\cdot3)-(1^2+6\cdot1)=27-7=\mathbf{20}$$

(3) $$\int_1^3 (6x^2-4x+2)dx=\Big[2x^3-2x^2+2x\Big]_1^3$$
$$=(2\cdot3^3-2\cdot3^2+2\cdot3)-(2\cdot1^3-2\cdot1^2+2\cdot1)$$
$$=42-2=\mathbf{40}$$

(4) $$\int_0^1 (x-1)(x^2+x+1)dx=\int_0^1 (x^3-1)dx$$
$$=\Big[\frac{1}{4}x^4-x\Big]_0^1$$
$$=\frac{1}{4}-1=-\frac{\mathbf{3}}{\mathbf{4}}$$

정답과 풀이 **41**쪽

유제 **275** 다음 정적분을 구하여라.

(1) $\int_2^3 3x^2dx$　　(2) $\int_1^3 (4x+3)dx$

(3) $\int_1^2 (3x^2-2x+2)dx$　　(4) $\int_0^3 (x+1)(x-1)dx$

02 정적분의 성질

이번 단원에서는 정적분의 성질을 배우게 된다.

모든 성질을 활용할 수 있게 되는 것이 이번 단원의 목표!

정적분의 성질

(1) $\int_a^a f(x)dx=0$ ⬅ 아래끝, 위끝이 같으면 정적분은 0이다.

(2) $\int_a^b f(x)dx=-\int_b^a f(x)dx$ ⬅ 아래끝, 위끝을 바꾸면 $-$가 튀어나온다.

(3) $\int_a^b f(x)dx=\int_a^b f(t)dt$ ⬅ 변수를 바꾸어도 정적분은 같다.

(4) $\int_a^b kf(x)dx=k\int_a^b f(x)dx$ (단, k는 상수) ⬅ 상수는 튀어나올 수 있다.

(5) $\int_a^b f(x)dx\pm\int_a^b g(x)dx=\int_a^b \{f(x)\pm g(x)\}dx$ (복부호 동순)

⬅ 구간이 같으면 함수를 합칠 수 있다.

(6) $\int_a^c f(x)dx+\int_c^b f(x)dx=\int_a^b f(x)dx$ ⬅ 함수가 같으면 구간을 합칠 수 있다.

| 증명 | 위의 정적분의 성질은 앞에서 배운 정적분의 정의를 이용하면 쉽게 증명할 수 있다.

함수 $f(x)$, $g(x)$의 부정적분을 각각 $F(x)$, $G(x)$라 하면

(1) $\int_a^a f(x)dx=F(a)-F(a)=0$

(2) $\int_a^b f(x)dx=F(b)-F(a)=-\{F(a)-F(b)\}=-\int_b^a f(x)dx$

(3) $\int_a^b f(x)dx=\Big[F(x)\Big]_a^b=F(b)-F(a)=\Big[F(t)\Big]_a^b=\int_a^b f(t)dt$

(4) $\int_a^b kf(x)dx=kF(b)-kF(a)=k\{F(b)-F(a)\}=k\int_a^b f(x)dx$

(5)
$$\begin{aligned}\int_a^b f(x)dx+\int_a^b g(x)dx&=\{F(b)-F(a)\}+\{G(b)-G(a)\}\\&=\{F(b)+G(b)\}-\{F(a)+G(a)\}\\&=\int_a^b \{f(x)+g(x)\}dx\end{aligned}$$

(6)
$$\begin{aligned}\int_a^c f(x)dx+\int_c^b f(x)dx&=\{F(c)-F(a)\}+\{F(b)-F(c)\}\\&=F(b)-F(a)\\&=\int_a^b f(x)dx\end{aligned}$$

276 다음 정적분을 구하여라.

(1) $\int_{2}^{2}(x^2+2x+4)dx$ (2) $\int_{1}^{0}(8x+4)dx$

풍산자日 아래끝, 위끝이 같으면 정적분이 0이다.

> 풀이 (1) $\int_{2}^{2}(x^2+2x+4)dx=\mathbf{0}$

(2) $\int_{1}^{0}(8x+4)dx=-\int_{0}^{1}(8x+4)dx=-\left[4x^2+4x\right]_{0}^{1}=-(8-0)=\mathbf{-8}$

정답과 풀이 **41**쪽

유제 **277** 다음 정적분을 구하여라.

(1) $\int_{3}^{3}(x^2-3x-4)dx$ (2) $\int_{2}^{0}(6x-2)dx$

278 다음 정적분을 구하여라.

(1) $\int_{1}^{3}(x+1)^2dx-\int_{1}^{3}2xdx$ (2) $\int_{0}^{1}(x^3+1)dx+\int_{1}^{2}(x^3+1)dx$

(3) $\int_{1}^{2}(2x^2-2x+1)dx+\int_{2}^{1}(t^2-2t)dt$

풍산자日 (1) 두 정적분의 구간이 같으므로 함수를 합칠 수 있다.

(2) 두 정적분의 함수가 같으므로 구간을 합칠 수 있다.

(3) 뒷식의 아래끝, 위끝을 바꾸면 구간이 같아짐에 착안한다.

또, 변수를 바꾸어도 정적분은 같으므로 변수를 x로 통일한다.

> 풀이 (1) (주어진 식)$=\int_{1}^{3}(x^2+2x+1-2x)dx=\int_{1}^{3}(x^2+1)dx=\left[\frac{1}{3}x^3+x\right]_{1}^{3}$

$=(9+3)-\left(\frac{1}{3}+1\right)=\mathbf{\frac{32}{3}}$

(2) (주어진 식)$=\int_{0}^{2}(x^3+1)dx=\left[\frac{1}{4}x^4+x\right]_{0}^{2}=4+2=\mathbf{6}$

(3) (주어진 식)$=\int_{1}^{2}(2x^2-2x+1)dx-\int_{1}^{2}(x^2-2x)dx$

$=\int_{1}^{2}(x^2+1)dx=\left[\frac{1}{3}x^3+x\right]_{1}^{2}=\left(\frac{8}{3}+2\right)-\left(\frac{1}{3}+1\right)=\mathbf{\frac{10}{3}}$

정답과 풀이 **41**쪽

유제 **279** 다음 정적분을 구하여라.

(1) $\int_{0}^{1}(x+2)^2dx-\int_{0}^{1}(x-2)^2dx$ (2) $\int_{0}^{1}(x^2-2x)dx+\int_{1}^{2}(x^2-2x)dx$

(3) $\int_{0}^{2}(x^2-1)dx-\int_{2}^{0}(t^2+1)dt$

280 함수 $f(x)=\begin{cases} 3x^2+1 & (x<1) \\ 4x^3 & (x\geq 1) \end{cases}$일 때, $\int_0^3 f(x)dx$를 구하여라.

풍산자日 정적분 범위 안에 구간에 따라 함수가 다르게 정의되어 있으면 구간을 나누어서 계산한다.

> 풀이 $\int_0^3 f(x)dx=\int_0^1 (3x^2+1)dx+\int_1^3 4x^3dx=\left[x^3+x\right]_0^1+\left[x^4\right]_1^3=2+80=\mathbf{82}$

정답과 풀이 **41**쪽

유제 **281** 함수 $f(x)=\begin{cases} 3x^2 & (x<1) \\ 6x-3 & (x\geq 1) \end{cases}$일 때, $\int_0^2 f(x)dx$를 구하여라.

282 다음 정적분을 구하여라.

(1) $\int_0^3 |x-1|dx$ (2) $\int_0^2 |x^2-x|dx$

풍산자日 절댓값 기호가 있는 함수를 정적분하려면 절댓값 기호 안을 0으로 하는 수를 기준으로 구간을 나누어 생각한다.

> 풀이 (1) $|x-1|=\begin{cases} -x+1 & (x<1) \\ x-1 & (x\geq 1) \end{cases}$이므로

(주어진 식)$=\int_0^1 (-x+1)dx+\int_1^3 (x-1)dx$

$=\left[-\frac{1}{2}x^2+x\right]_0^1+\left[\frac{1}{2}x^2-x\right]_1^3=\frac{1}{2}+2=\mathbf{\frac{5}{2}}$

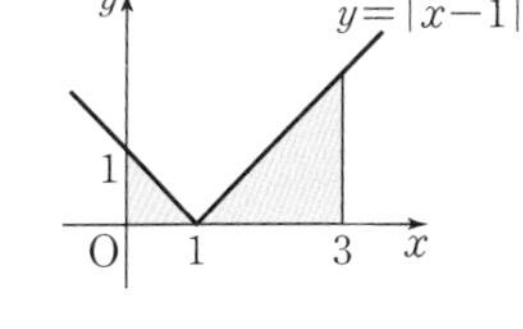

(2) $|x^2-x|=\begin{cases} -x^2+x & (0<x<1) \\ x^2-x & (x\leq 0 \text{ 또는 } x\geq 1) \end{cases}$이므로

(주어진 식)$=\int_0^1 (-x^2+x)dx+\int_1^2 (x^2-x)dx$

$=\left[-\frac{1}{3}x^3+\frac{1}{2}x^2\right]_0^1+\left[\frac{1}{3}x^3-\frac{1}{2}x^2\right]_1^2=\frac{1}{6}+\frac{5}{6}=\mathbf{1}$

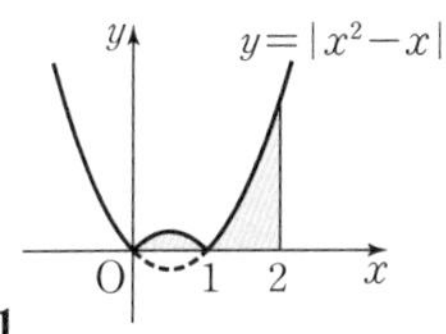

정답과 풀이 **41**쪽

유제 **283** 다음 정적분을 구하여라.

(1) $\int_0^6 |x-2|dx$ (2) $\int_0^3 |x^2-2x|dx$

풍산자 비법

함수 $f(x)$의 a에서 b까지의 정적분 $\int_a^b f(x)dx=\left[F(x)\right]_a^b=F(b)-F(a)$

➔ 닫힌구간 $[a, b]$에서 함수 $f(x)$의 그래프가 x축과 이루는 도형의 넓이.

➔ $f(x)$의 부정적분을 구해 아래끝과 위끝을 대입하여 뺀다.

필수 확인 문제

* 더 많은 유형은 **풍산자필수유형 수학Ⅱ** 099쪽

정답과 풀이 41쪽

284

다음 정적분을 구하여라.

(1) $\int_0^3 \frac{x^3}{x+2}dx+\int_0^3 \frac{8}{x+2}dx$

(2) $\int_{-1}^2 (3x^2-3x)dx+\int_2^3 3x(x-1)dx$

(3) $\int_1^{-2} (3x^2+2x)dx+\int_{-2}^0 (3t^2+2t)dt$

(4) $\int_0^8 |2x-6|dx$

285

$$\int_{-1}^0 (x^3-2x+1)dx+\int_0^1 (y^3-2y+1)dy+\int_1^2 (z^3-2z+1)dz$$

를 구하여라.

286

$\int_0^a (2x-1)dx+\int_a^{2a} (2x-1)dx=6$을 만족시키는 양수 a의 값을 구하여라.

287

함수 $f(x)=\begin{cases} x+2 & (x\le 1) \\ -x^2+4 & (x>1) \end{cases}$ 일 때,

$\int_0^2 f(x)dx$를 구하여라.

288

$\int_0^2 (x^3+2x+1+|x-1|)dx$를 구하여라.

2 여러 가지 정적분

01 짝함수와 홀함수의 정적분

그래프가 y축에 대하여 대칭인 함수를 짝함수 (또는 우함수)라 하고, 그래프가 원점에 대하여 대칭인 함수를 홀함수 (또는 기함수)라 한다.

$f(x)=x^4+x^2+1$과 같이 짝수차항만으로 이루어진 다항함수는 짝함수이고,

$f(x)=x^5+x^3+x$와 같이 홀수차항만으로 이루어진 다항함수는 홀함수이다.

짝함수는 항상 $f(-x)=f(x)$를 만족시키고, 홀함수는 항상 $f(-x)=-f(x)$를 만족시킨다.

대칭성을 갖는 대표적인 함수인 짝함수와 홀함수는 그 아름다운 대칭성으로 인해 적분 문제로 자주 등장한다.

짝함수와 홀함수의 정적분

(1) 함수 $f(x)$가 짝함수이면

$$\int_{-a}^{a} f(x)dx=2\int_{0}^{a} f(x)dx$$

(2) 함수 $f(x)$가 홀함수이면

$$\int_{-a}^{a} f(x)dx=0$$

| 설명 | 함수 $f(x)$가 짝함수일 때, $-a$에서 a까지의 정적분은
위끝과 아래끝의 부호가 반대이고 절댓값의 크기가 같으면 y축을 기준으로 오른쪽 부분과 왼쪽 부분의 넓이가 같다.
이때 오른쪽 부분과 왼쪽 부분의 정적분도 같다.
따라서 오른쪽 부분의 정적분을 구하여 2배하면 된다.

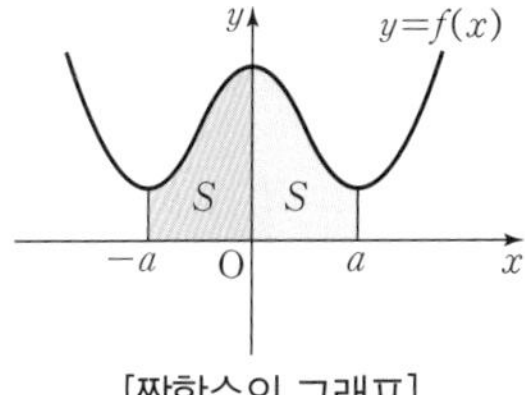

[짝함수의 그래프]

함수 $f(x)$가 홀함수일 때, $-a$에서 a까지의 정적분은
위끝과 아래끝의 부호가 반대이고 절댓값이 같으면 원점을 기준으로 오른쪽 부분과 왼쪽 부분의 넓이가 같다.
이때 오른쪽 부분과 왼쪽 부분의 정적분은 부호는 반대, 절댓값의 크기는 같다.
따라서 정적분은 0이다.

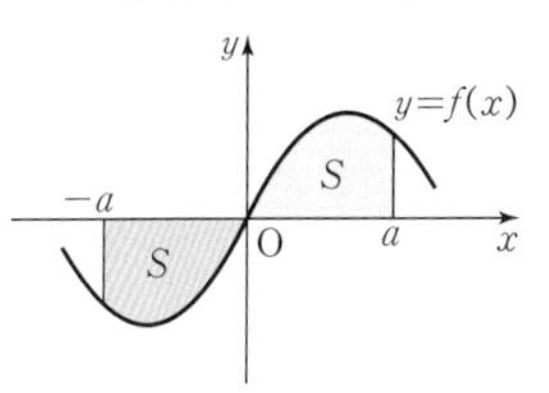

[홀함수의 그래프]

大 원칙 짝함수와 홀함수의 정적분 공식은 아래끝, 위끝이 절댓값은 같고, 부호만 다를 때 유용하게 사용된다.

289 다음 정적분을 구하여라.

(1) $\int_{-3}^{3}(x^7-2x^5-3x^3+4x^2-5x-6)dx$

(2) $\int_{-1}^{0}(5x^4-4x^3+3x^2-2x+1)dx-\int_{1}^{0}(5x^4-4x^3+3x^2-2x+1)dx$

풍산자日 위끝과 아래끝의 부호가 반대이고 절댓값의 크기가 같으면 홀함수의 정적분은 0이다.

> 풀이

(1) $(\text{주어진 식})=\int_{-3}^{3}(x^7-2x^5-3x^3-5x)dx+\int_{-3}^{3}(4x^2-6)dx$

$=0+2\int_{0}^{3}(4x^2-6)dx$

$=2\left[\frac{4}{3}x^3-6x\right]_0^3$

$=2\{(36-18)-0\}=\mathbf{36}$

(2) $(\text{주어진 식})=\int_{-1}^{0}(5x^4-4x^3+3x^2-2x+1)dx+\int_{0}^{1}(5x^4-4x^3+3x^2-2x+1)dx$

$=\int_{-1}^{1}(5x^4-4x^3+3x^2-2x+1)dx$

$=\int_{-1}^{1}(5x^4+3x^2+1)dx+\int_{-1}^{1}(-4x^3-2x)dx$

$=2\int_{0}^{1}(5x^4+3x^2+1)dx+0$

$=2\left[x^5+x^3+x\right]_0^1$

$=2(3-0)=\mathbf{6}$

정답과 풀이 **42**쪽

유제 **290** 다음 정적분을 구하여라.

(1) $\int_{-2}^{2}(x^5-5x^3+3x^2-3x+2)dx$

(2) $\int_{-1}^{0}(x^5+2x^3-6x^2-x+2)dx-\int_{1}^{0}(x^5+2x^3-6x^2-x+2)dx$

02 주기함수의 정적분

주기함수의 그래프는 일정한 모양을 반복하므로 그림에서 볼 수 있듯이
구간의 양 끝에 주기 T만큼 더해 줘도 정적분의 값이 같고,
구간의 시작점과 관계없이 한 주기의 정적분은 항상 같다.

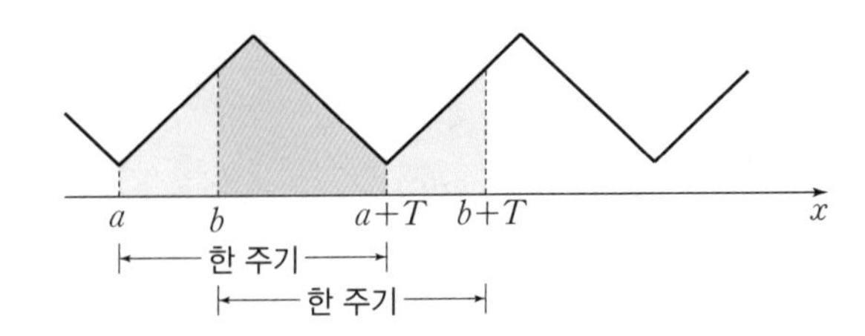

주기함수의 정적분

$f(x)$의 주기가 T일 때

(1) 아래끝과 위끝에 각각 주기만큼 더하면 정적분의 값은 변하지 않는다.

$$\int_a^b f(x)dx=\int_{a+T}^{b+T} f(x)dx$$

(2) 한 주기의 정적분은 항상 같다.

$$\int_a^{a+T} f(x)dx=\int_b^{b+T} f(x)dx$$

大 원칙

주기가 p인 함수 $\Longleftrightarrow$ $f(x)=f(x+p)$ $\Longleftrightarrow$ $f\left(x-\frac{p}{2}\right)=f\left(x+\frac{p}{2}\right)$

짝함수 $\Longleftrightarrow$ $f(-x)=f(x)$

홀함수 $\Longleftrightarrow$ $f(-x)=-f(x)$

| 개념확인 |

함수 $f(x)$가 다음 세 조건을 만족할 때, $-5\le x\le 5$인 범위에서 그래프를 그려라.

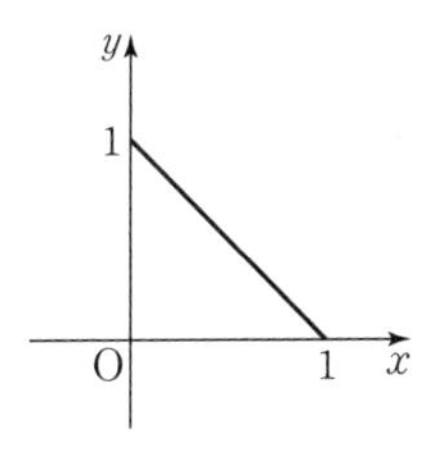

(가) $0\le x\le 1$에서 $y=f(x)$의 그래프가 오른쪽 그림과 같다.

(나) $f(-x)=f(x)$

(다) $f(x+2)=f(x)$

> **풀이** (나)에서 $f(x)$는 짝함수 ➡ y축 대칭
> (다)에서 $f(x)$는 주기가 2인 함수 ➡ 2마다 같은 모양이 반복
> 따라서 함수 $f(x)$의 그래프는 그림과 같다.

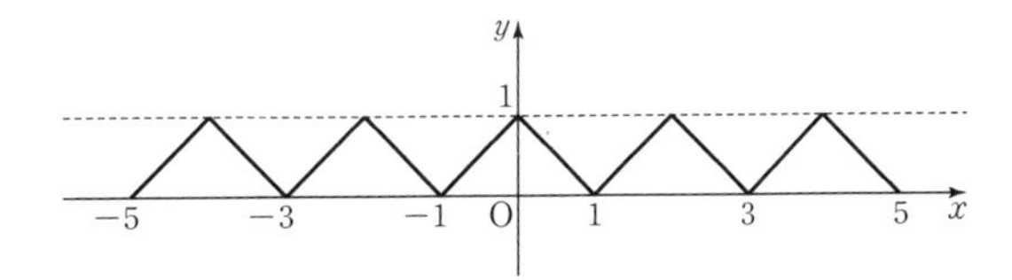

291 **함수 $f(x)$가 다음 두 조건을 만족할 때, $\int_{2}^{8} f(x)dx$의 값을 구하여라.**

(가) $-1 \le x \le 1$일 때, $f(x)=1-x^2$
(나) $f(x+2)=f(x)$

풍산자曰 $f(x+2)=f(x)$는 주기가 2라는 소리.
주기함수의 경우 구간의 시작점과 관계없이 한 주기의 정적분은 항상 같다.

> 풀이 $f(x+2)=f(x)$에서 $f(x)$는 주기가 2인 주기함수이다.
$\int_{2}^{8} f(x)dx$는 세 주기의 정적분.
따라서 한 주기의 정적분만 구해 세 배하면 된다.
한 주기의 정적분은 첫 번째 식을 적분하면 되므로

$$\begin{aligned}\int_{2}^{8} f(x)dx &= 3\int_{2}^{4} f(x)dx = 3\int_{2-3}^{4-3} f(x)dx \\ &= 3\int_{-1}^{1} f(x)dx = 3\int_{-1}^{1} (1-x^2)dx \\ &= 6\int_{0}^{1} (1-x^2)dx \\ &= 6\left[x-\frac{1}{3}x^3\right]_0^1 = \mathbf{4}\end{aligned}$$

정답과 풀이 **42**쪽

유제 **292** **함수 $f(x)$가 다음 세 조건을 만족할 때, $\int_{-12}^{12} f(x)dx$의 값을 구하여라.**

(가) $0 \le x \le 2$에서 $y=f(x)$의 그래프가 그림과 같다.
(나) $f(-x)=f(x)$
(다) $f(x+4)=f(x)$

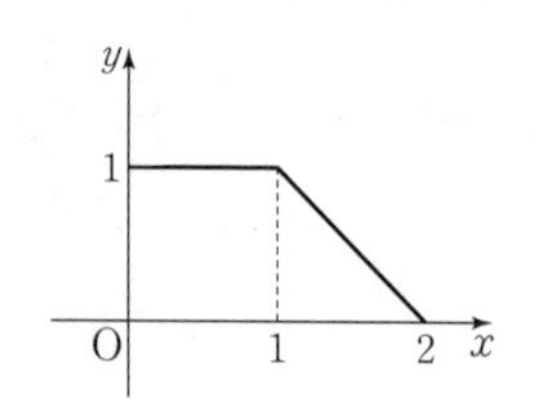

풍산자 비법

- $f(-x)=f(x)$이면 $\int_{-a}^{a} f(x)dx = 2\int_{0}^{a} f(x)dx$
- $f(-x)=-f(x)$이면 $\int_{-a}^{a} f(x)dx = 0$
- $f(x+p)=f(x)$이면 $\int_{a}^{b} f(x)dx = \int_{a+p}^{b+p} f(x)dx$

03 정적분으로 정의된 함수의 미분

적분하고 미분하면 원 상태로 돌아온다.

이것은 부정적분에서 이미 들었던 이야기.

$\dfrac{d}{dx}\displaystyle\int f(x)dx=f(x)$ ⬅ 부정적분을 미분하면 원 상태로 돌아온다.

그런데 일반적으로 정적분은 상수이다. 이 상수를 미분하면 원래는 0이 된다.

그러나 위끝이 x인 정적분은 상수가 아니라 x에 대한 식이다.

따라서 이 식을 미분하면 원 상태로 돌아온다.

정적분으로 정의된 함수의 미분 중요!

(1) $\dfrac{d}{dx}\displaystyle\int_a^x f(t)dt=f(x)$ ⬅ 적분하고 미분하면 원 상태로 돌아온다.

(2) $\dfrac{d}{dx}\displaystyle\int_x^{x+a} f(t)dt=f(x+a)-f(x)$

| 증명 | $\displaystyle\int f(t)dt=F(t)+C$로 놓으면 $F'(t)=f(t)$

(1) $\displaystyle\int_a^x f(t)dt=\Big[F(t)\Big]_a^x=F(x)-F(a)$이므로

$$\frac{d}{dx}\int_a^x f(t)dt=\frac{d}{dx}\{F(x)-F(a)\}$$
$$=F'(x)=f(x)$$

(2) $\displaystyle\int_x^{x+a} f(t)dt=\Big[F(t)\Big]_x^{x+a}=F(x+a)-F(x)$이므로

$$\frac{d}{dx}\int_x^{x+a} f(t)dt=\frac{d}{dx}\{F(x+a)-F(x)\}$$
$$=F'(x+a)-F'(x)$$
$$=f(x+a)-f(x)$$

| 개념확인 | 다음을 구하여라.

(1) $\dfrac{d}{dx}\displaystyle\int_1^x (2t^2-4t+3)dt$

(2) $\dfrac{d}{dx}\displaystyle\int_x^{x+1} (t^2+2)dt$

> 풀이

(1) $\dfrac{d}{dx}\displaystyle\int_1^x (2t^2-4t+3)dt=\mathbf{2x^2-4x+3}$

(2) $\dfrac{d}{dx}\displaystyle\int_x^{x+1} (t^2+2)dt=\{(x+1)^2+2\}-(x^2+2)=\mathbf{2x+1}$

04 정적분을 포함한 등식의 풀이법

정적분의 대표적인 유형으로 정적분을 포함한 등식이 주어지는 유형이 있다.
유형은 두 가지로 나뉘는데 하나는 아래끝, 위끝이 모두 상수인 유형, 또하나는 위끝에 x가 있는 유형이다.
첫 번째 유형은 간단하지만 두 번째 유형은 미분하고 대입하는 과정이 꽤 까다롭다.

정적분을 포함한 등식의 풀이법

(1) 적분구간이 상수로 주어진 경우: $A=B+\int_a^b f(t)dt$ 꼴

➡ 정적분은 상수이므로 $\int_a^b f(t)dt=k$ (k는 상수)로 놓는다.

(2) 적분구간이 변수로 주어진 경우: $A=B+\int_a^x f(t)dt$ 꼴

➡ 양변을 x에 대하여 미분하고, 양변에 $x=a$를 대입한다.

| 적분구간이 상수로 주어진 경우 |

293 다음 등식을 만족시키는 다항함수 $f(x)$를 구하여라.

(1) $f(x)=3x^2+2x+\int_0^2 f(x)dx$　　(2) $f(x)=4x+\int_0^3 xf'(x)dx$

풍산자답 정적분의 계산 결과는 상수이다. ➡ $\int_a^b f(x)dx=a$ (a는 상수)로 놓는다.

> 풀이

(1) $\int_0^2 f(x)dx=a$ (a는 상수) ……㉠로 놓으면

$f(x)=3x^2+2x+a$ ……㉡

㉡을 ㉠에 대입하면

$a=\int_0^2 f(x)dx=\int_0^2 (3x^2+2x+a)dx=\left[x^3+x^2+ax\right]_0^2=12+2a$

$a=12+2a$에서 $a=-12$

이것을 ㉡에 대입하면 $\mathbf{f(x)=3x^2+2x-12}$

(2) $\int_0^3 xf'(x)dx=a$ (a는 상수) ……㉠로 놓으면

$f(x)=4x+a$ ……㉡

㉡에서 $f'(x)=4$이므로 ㉠에 대입하면 $a=\int_0^3 4xdx=\left[2x^2\right]_0^3=18$

이것을 ㉡에 대입하면 $\mathbf{f(x)=4x+18}$

정답과 풀이 43쪽

유제 **294** 다음 등식을 만족시키는 다항함수 $f(x)$를 구하여라.

(1) $f(x)=4x^3-3x^2\int_0^1 f(x)dx$　　(2) $f(x)=3x^2-2x+\int_0^1 xf'(x)dx$

295 **다음 등식을 만족시키는 다항함수 $f(x)$를 구하여라.**

(1) $\int_{1}^{x} f(t)dt = x^4 - ax^3 + x^2$

(2) $xf(x) = x^3 + x^2 + \int_{1}^{x} f(t)dt$

풍산자日 위끝에 x가 있는 문제는 두 가지 필살기로 푼다.

[필살기 1] 적분하고 미분하면 원 상태가 돌아온다. ➡ $\frac{d}{dx}\int_{1}^{x} f(t)dt = f(x)$

➡ 양변을 x에 대해 미분한다.

[필살기 2] 아래끝, 위끝이 같으면 정적분은 0이다. ➡ $\int_{1}^{1} f(t)dt = 0$

➡ 양변에 $x=1$을 대입한다.

> 풀이 (1) 주어진 식의 양변에 $x=1$을 대입하면

$0 = 1 - a + 1 \quad \therefore a = 2$

$\int_{1}^{x} f(t)dt = x^4 - 2x^3 + x^2$

양변을 x에 대하여 미분하면

$\boldsymbol{f(x) = 4x^3 - 6x^2 + 2x}$

(2) [1단계] 주어진 식의 양변을 x에 대하여 미분하면

$f(x) + xf'(x) = 3x^2 + 2x + f(x)$

$\therefore xf'(x) = x(3x+2)$

이 식이 모든 실수 x에 대하여 성립하므로

$f'(x) = 3x + 2$

$\therefore f(x) = \int (3x+2)dx = \frac{3}{2}x^2 + 2x + C$ (단, C는 적분상수) ······㉠

[2단계] 주어진 식의 양변에 $x=1$을 대입하면

$1 \cdot f(1) = 1 + 1 + 0 \quad \therefore f(1) = 2$

이때 ㉠에서 $f(1) = \frac{3}{2} + 2 + C = 2$

$\therefore C = -\frac{3}{2}$

이것을 ㉠에 대입하면 $\boldsymbol{f(x) = \frac{3}{2}x^2 + 2x - \frac{3}{2}}$

정답과 풀이 **43**쪽

유제 **296** **다음 등식을 만족시키는 다항함수 $f(x)$를 구하여라.**

(1) $\int_{3}^{x} f(t)dt = x^3 - ax + 3$

(2) $xf(x) = 2x^3 + x^2 + 14 + \int_{2}^{x} f(t)dt$

05 정적분으로 정의된 함수의 극한

이번에 소개할 유형은 정적분의 정의와 미분 공식이 오묘하게 협력하고 있는 유형이다.
생긴 것은 복잡해 보이지만 결론적으로 $t=a$를 대입하면 끝나는 간단한 문제이다.
변형된 형태가 많기 때문에, 결론만 기억하기보다는 유도 과정을 이해하고 기억해야 한다.

정적분으로 정의된 함수의 극한

(1) $\displaystyle\lim_{x\to a}\frac{1}{x-a}\int_a^x f(t)dt=f(a)$

(2) $\displaystyle\lim_{h\to 0}\frac{1}{h}\int_a^{a+h} f(t)dt=f(a)$

| 증명 | $\int f(t)dt=F(t)+C$로 놓으면 $F'(t)=f(t)$

(1) $\displaystyle\int_a^x f(t)dt=\Big[F(t)\Big]_a^x=F(x)-F(a)$이므로

$\displaystyle\lim_{x\to a}\frac{1}{x-a}\int_a^x f(t)dt=\lim_{x\to a}\frac{F(x)-F(a)}{x-a}=F'(a)=f(a)$

(2) $\displaystyle\int_a^{a+h} f(t)dt=\Big[F(t)\Big]_a^{a+h}=F(a+h)-F(a)$이므로

$\displaystyle\lim_{h\to 0}\frac{1}{h}\int_a^{a+h} f(t)dt=\lim_{h\to 0}\frac{F(a+h)-F(a)}{h}=F'(a)=f(a)$

| 정적분으로 정의된 함수의 극한 (1) |

297 $\displaystyle\lim_{x\to 2}\frac{1}{x-2}\int_2^x (3t^2+2)dt$의 값을 구하여라.

풍산자 정적분을 전개한 후, 미분계수의 정의를 이용한다.

> 풀이 $\int(3t^2+2)dt=F(t)+C$ ……㉠로 놓으면

$\displaystyle\int_2^x (3t^2+2)dt=\Big[F(t)\Big]_2^x=F(x)-F(2)$

$\displaystyle\therefore$ (주어진 식)$\displaystyle=\lim_{x\to 2}\frac{F(x)-F(2)}{x-2}=F'(2)$

㉠에서 $F'(t)=3t^2+2$이므로 $F'(2)=12+2=14$

$\therefore$ (주어진 식)$=\mathbf{14}$

정답과 풀이 43쪽

유제 **298** $\displaystyle\lim_{x\to 1}\frac{1}{x-1}\int_1^x (t^2-t-1)dt$의 값을 구하여라.

299 $\lim_{h \to 0} \frac{1}{h} \int_{2}^{2+2h} (x^3-2x+2)dx$**의 값을 구하여라.**

풍산자日 정적분을 간단히 한 후, 미분계수의 정의를 이용한다.

> 풀이 $\int (x^3-2x+2)dx = F(x)+C$ ······㉠로 놓으면

$\int_{2}^{2+2h} (x^3-2x+2)dx = \Big[F(x)\Big]_{2}^{2+2h} = F(2+2h)-F(2)$

$\therefore$ (주어진 식) $= \lim_{h \to 0} \frac{F(2+2h)-F(2)}{h} = \lim_{h \to 0} \frac{F(2+2h)-F(2)}{2h} \cdot 2 = 2F'(2)$

㉠에서 $F'(x) = x^3-2x+2$이므로 $F'(2) = 8-4+2 = 6$

$\therefore$ (주어진 식) $= 2F'(2) = 2 \cdot 6 = \mathbf{12}$

정답과 풀이 **43**쪽

유제 **300** $\lim_{h \to 0} \frac{1}{h} \int_{1}^{1+3h} (x^2+3)dx$**의 값을 구하여라.**

301 **함수** $f(x) = \int_{0}^{x} (t^2-2t-3)dt$**의 극댓값을 구하여라.**

풍산자日 적분하여 $f(x)$를 구할 수도 있지만 양변을 x에 대하여 미분하면 $f'(x)$를 구할 수 있다. 이를 이용하여 $f(x)$의 증가와 감소를 표로 나타내면 극대, 극소를 알 수 있다.

> 풀이 $f(x) = \int_{0}^{x} (t^2-2t-3)dt$의 양변을 x에 대하여 미분하면

$f'(x) = x^2-2x-3 = (x+1)(x-3)$

$f'(x) = 0$에서 $x = -1$ 또는 $x = 3$

x	$\cdots$	-1	$\cdots$	3	$\cdots$
$f'(x)$	$+$	0	$-$	0	$+$
$f(x)$	↗	극대	↘	극소	↗

$x = -1$일 때, $f(x)$는 극대이므로 극댓값은

$f(-1) = \int_{0}^{-1} (t^2-2t-3)dt = \left[\frac{1}{3}t^3 - t^2 - 3t\right]_{0}^{-1} = \mathbf{\frac{5}{3}}$

정답과 풀이 **44**쪽

유제 **302** **함수** $f(x) = \int_{-1}^{x} t(t-1)dt$**의 극댓값과 극솟값을 구하여라.**

풍산자 비법

정적분 문제 유형을 정복하는 필살기 두 가지.

[필살기 1] 적분하고 미분하면 원 상태로 돌아온다. ➔ $\frac{d}{dx}\int_{1}^{x} f(t)dt = f(x)$

[필살기 2] 아래끝, 위끝이 같으면 정적분은 0이다. ➔ $\int_{a}^{a} f(t)dt = 0$

필수 확인 문제

* 더 많은 유형은 **풍산자필수유형 수학Ⅱ** 103쪽

정답과 풀이 44쪽

303

$\int_{-2}^{8}(5x^4-6x^3+2x+1)dx$

$+\int_{8}^{2}(5x^4-6x^3+2x+1)dx$

를 구하여라.

304

함수 $f(x)=3x^2+2x$에 대하여

$$\int_{1}^{4}f(x)dx-\int_{3}^{4}f(x)dx+\int_{-3}^{1}f(x)dx$$

를 구하여라.

305

연속함수 $f(x)$는 임의의 실수 x에 대하여 다음 조건을 만족시킨다. $\int_{0}^{2}f(x)dx=8$일 때, $\int_{-4}^{12}f(x)dx$를 구하여라.

(가) $f(-x)=f(x)$
(나) $f(x)=f(x+4)$

306

함수 $f(x)=3x^2-6x-\int_{0}^{1}f(t)dt$에 대하여 방정식 $f(x)=0$의 모든 근의 곱을 구하여라.

307

다항함수 $f(x)$가 모든 실수 x에 대하여 $\int_{1}^{x}f(t)dt=x^3-2ax^2+ax$를 만족시킬 때, $f(3)$의 값을 구하여라. (단, a는 상수)

308

함수 $f(x)=x^3-3x+a$가

$\lim_{x\to 1}\frac{1}{x-1}\int_{1}^{x^3}f(t)dt=6$을 만족시킬 때, 상수 a의 값을 구하여라.

중단원 마무리

▶ 정적분

정적분의 정의	함수 $f(x)$가 구간 $[a,\ b]$에서 연속일 때 $f(x)$의 한 부정적분 $F(x)$에 대하여 $\int_a^b f(x)dx=\Big[F(x)\Big]_a^b=F(b)-F(a)$
정적분의 성질	① $\int_a^a f(x)dx=0$ ➡ 아래끝, 위끝이 같으면 정적분은 0이다. ② $\int_a^b f(x)dx=-\int_b^a f(x)dx$ ➡ 아래끝, 위끝을 바꾸면 $-$가 튀어나온다.

▶ 여러 가지 함수의 정적분

짝함수, 홀함수의 정적분	① 함수 $f(x)$가 짝함수이면 $\int_{-a}^a f(x)dx=2\int_0^a f(x)dx$ ② 함수 $f(x)$가 홀함수이면 $\int_{-a}^a f(x)dx=0$
주기함수의 정적분	① 아래끝과 위끝에 각각 주기만큼 더하면 정적분의 값은 변하지 않는다. $\int_a^b f(x)dx=\int_{a+T}^{b+T} f(x)dx$ ② 한 주기의 정적분은 항상 같다. $\int_a^{a+T} f(x)dx=\int_b^{b+T} f(x)dx$

▶ 정적분의 응용

정적분으로 정의된 함수	① $\frac{d}{dx}\int_a^x f(t)dt=f(x)$ ➡ 적분하고 미분하면 원 상태로 돌아온다. ② $\frac{d}{dx}\int_x^{x+a} f(t)dt=f(x+a)-f(x)$
정적분의 핵심 유형과 풀이법	① $A=B+\int_a^b f(t)dt$ 꼴 ➡ $\int_a^b f(t)dt=k$ (k는 상수)로 놓는다. ② $A=B+\int_a^x f(t)dt$ 꼴 ➡ 양변을 x에 대하여 미분하고, 양변에 $x=a$를 대입한다. ③ $\lim_{x\to a}\frac{1}{x-a}\int_a^x f(t)dt$ 또는 $\lim_{h\to 0}\frac{1}{h}\int_a^{a+h} f(t)dt$ 꼴 ➡ 정적분을 간단히 한 후, 미분계수의 정의를 이용한다.

실전 연습문제

STEP 1

309

$$\int_{-3}^{1}(x^2+x)dx+\int_{1}^{3}(x^2+x+1)dx$$

를 구하여라.

310

$$\int_{1}^{2}x^2dx-\int_{1}^{2}2xdx-\int_{3}^{2}(x^2-2x)dx$$

를 구하여라.

311

$\int_{-2}^{2}(|x|+1)^2dx$는?

① $\frac{16}{3}$ ② 6 ③ 12

④ $\frac{47}{3}$ ⑤ $\frac{52}{3}$

312

함수 $f(x)=\begin{cases} x^2 & (-1\le x\le 1) \\ -|x|+2 & (x<-1,\ x>1) \end{cases}$ 일 때,

$\int_{0}^{3}f(x)dx$를 구하여라.

313

함수 $f(x)$가 미분가능할 때, 다음 〈보기〉에서 옳은 것만을 있는 대로 고른 것은?

보기

ㄱ. $\frac{d}{dx}\int_{a}^{x}f(t)dt=f(x)$

ㄴ. $\lim_{x\to a}\frac{\int_{a}^{x}f(t)dt}{x-a}=f(a)$

ㄷ. $\int_{a}^{x}\lim_{t\to a}\frac{f(t)-f(a)}{t-a}dt=f(a)$

① ㄱ ② ㄱ, ㄴ ③ ㄱ, ㄷ

④ ㄴ, ㄷ ⑤ ㄱ, ㄴ, ㄷ

314

연속함수 $f(x)$가

$f(x)=\begin{cases} -x^2+2x & (0\le x<1) \\ -x+2 & (1\le x<2) \end{cases}$ 이고, 모든 실수 x에 대하여 $f(x+2)=f(x)$를 만족시킬 때,

$\int_{0}^{13}f(x)dx$의 값은?

① $\frac{20}{3}$ ② 7 ③ $\frac{22}{3}$

④ $\frac{23}{3}$ ⑤ 8

315

$f(x)=x^3-16+\int_1^x f(t)dt$를 만족시키는 함수 $f(x)$에 대하여 $f'(1)$의 값은?

① -12　② -8　③ -6
④ -4　⑤ -2

316

$f(x)=x^3-3x^2+\int_0^2 f(t)dt$를 만족시키는 함수 $f(x)$에 대하여 $f(1)$의 값을 구하여라.

317

함수 $f(x)=x^4-4x^2+2x-3$일 때, $\lim_{x\to1}\frac{x+1}{x-1}\int_1^x f(t)dt$의 값은?

① 0　② -2　③ -4
④ -6　⑤ -8

STEP 2

318

두 함수 $f(x)$, $g(x)$에 대하여
$f(-x)=-f(x)$, $g(-x)=g(x)$,
$\int_0^a f(x)dx=p$, $\int_0^a g(x)dx=q$일 때,
$\int_{-a}^a \{f(x)+g(x)-f(x)g(x)\}dx$를 p, q로 나타내면?

① $2p$　② $2q$　③ pq
④ $q+pq$　⑤ $2(p+q-pq)$

319

이차함수 $y=f(x)$의 그래프와 직선 $y=g(x)$가 그림과 같이 서로 다른 두 점에서 만날 때, $\int_{-3}^3 f(x)dx-\int_{-3}^3 g(x)dx$의 값을 구하여라.

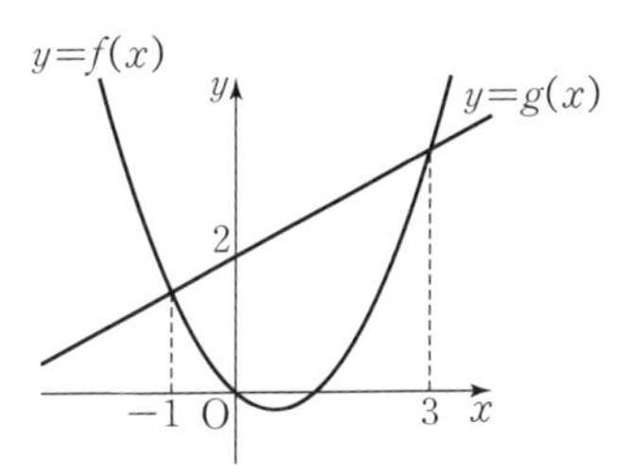

실전 연습문제

정답과 풀이 47쪽

320

함수 $f(x)$가 다음 두 조건을 만족시킬 때, $\int_0^2 f(x)dx$는?

(가) $f(x)=f(4-x)$
(나) $\int_0^3 f(x)dx=6$, $\int_1^3 f(x)dx=4$

① 0　② 1　③ 2
④ 3　⑤ 4

321

함수 $f(x)=\int_1^x (t-1)(t-3)dt$의 극댓값을 M, 극솟값을 m이라 할 때, $M-m$의 값을 구하여라.

322

$\lim_{h\to 0}\frac{1}{h}\int_{2-h}^{2+h}(3x^3-2x^2-4x+1)dx$의 값을 구하여라.

323

$0\le x\le 2$에서 함수 $f(x)=\int_0^x t^2(t-1)dt$의 최솟값은?

① $-\frac{1}{24}$　② $-\frac{1}{12}$　③ $-\frac{1}{4}$
④ $-\frac{1}{3}$　⑤ 0

324

함수 $f(x)$가 $\int_a^b f(x)dx=1$, $\int_a^b xf(x)dx=3$을 만족시킬 때, $\int_a^b (x-k)^2 f(x)dx$의 값을 최소로 하는 실수 k의 값은?

① -2　② 0　③ 1
④ 2　⑤ 3

325

함수 $f(x)$의 도함수 $f'(x)$가 임의의 실수 x에 대하여 등식

$$\int_1^x (x-t)f'(t)dt=x^4-x^3-3x^2+5x+a$$

를 만족시킨다. 함수 $f(x)$의 극댓값을 M, 극솟값을 m이라 할 때, $M-m$의 값을 구하여라.

정적분의 활용

정적분의 계산이 익숙해졌다면
정적분의 고향인 넓이로 돌아가
그 활용을 배워 보자.

1 넓이의 계산

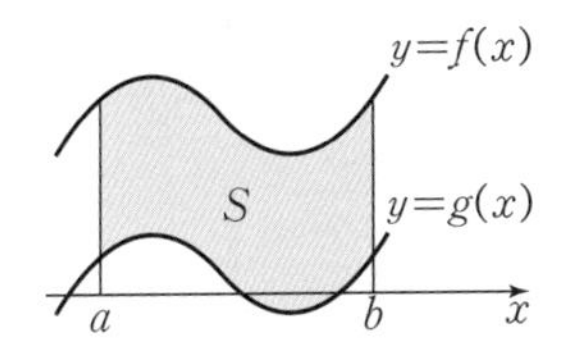

$$S=\int_a^b \{f(x)-g(x)\}dx$$

2 넓이의 활용

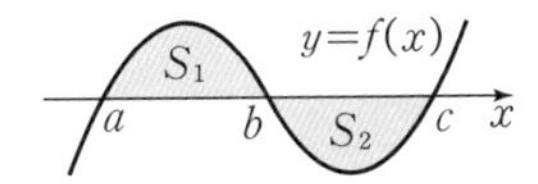

3 속도와 거리

$$\int_a^b |v(t)|dt$$

1 넓이의 계산

01 곡선과 x축 사이의 넓이

정적분의 고향은 넓이. 정적분은 탄생한 순간부터 넓이와 연관되어 있었다.

하지만 정적분과 넓이 사이에는 중대한 차이점이 하나 있다.

그것은 바로 부호!

함수 $f(x)$의 함숫값이 음수일 때, 그 정적분도 음수가 된다.

그런데 넓이는 항상 양수이다.

따라서 곡선과 x축 사이의 넓이를 구할 때에는 곡선이 x축 위쪽에 있는지 아래쪽에 있는지가 중요하다. x축 위쪽에 있을 때는 정적분과 넓이가 정확히 같지만, x축 아래쪽에 있을 때는 부호가 다르기 때문이다.

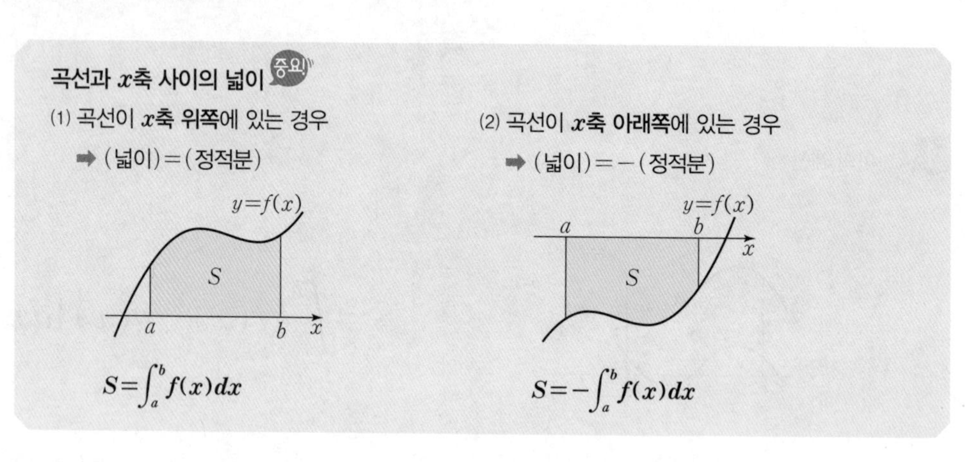

곡선이 x축의 위, 아래에 걸쳐 있을 때에는

x축 위쪽과 아래쪽의 넓이를 따로따로 구해서 더하면 된다.

그림에서 S_1은 정적분도 양수, 넓이도 양수!

그림에서 S_2는 정적분은 음수, 넓이는 양수!

따라서 넓이 S는 다음과 같다.

$$S=S_1+S_2=\int_a^c f(x)dx+\int_c^b \{-f(x)\}dx$$

이것을 절댓값 기호를 써서 하나의 식으로 나타낼 수도 있다.

$$S=S_1+S_2=\int_a^c f(x)dx+\int_c^b \{-f(x)\}dx=\int_a^c |f(x)|dx+\int_c^b |f(x)|dx$$

$$=\int_a^b |f(x)|dx$$

02 곡선과 y축 사이의 넓이

x축을 따라 정적분하면 x축과의 넓이가 되는 것처럼
y축을 따라 정적분하면 y축과의 넓이가 된다.
y축과의 넓이를 구할 때에는 일단 주어진 식을 $x=f(y)$ 꼴로 고친 후 y에 대하여 정적분해야 한다.

x축과의 넓이: $S=\int_a^b f(x)dx$

y축과의 넓이: $S=\int_a^b f(y)dy$

곡선과 y축 사이의 넓이를 구할 때에는 곡선이 y축 오른쪽에 있는지 왼쪽에 있는지가 중요하다. 곡선이 y축 오른쪽에 있을 때는 정적분과 넓이가 정확히 같지만 곡선이 y축 왼쪽에 있을 때는 부호가 다르기 때문이다.

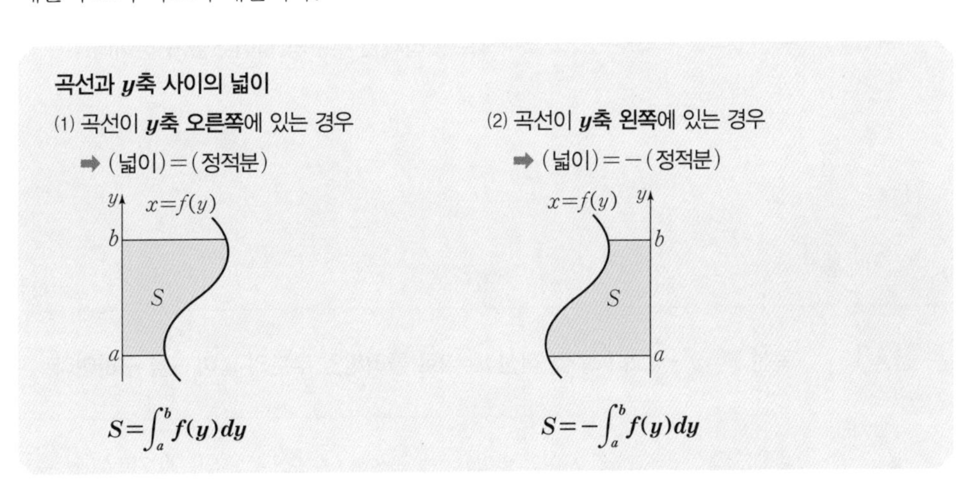

곡선과 y축 사이의 넓이 문제도 곡선과 x축 사이의 넓이 문제를 구하는 방법과 다르지 않다. 곡선이 y축의 오른쪽, 왼쪽에 걸쳐 있을 때는 y축 오른쪽과 왼쪽의 넓이를 따로따로 구해서 더하면 된다. y축 왼쪽의 곡선의 정적분 값은 음수이므로 넓이를 구할 때는 그 절댓값을 더해야 한다.

大 원칙

곡선과 좌표축 사이의 넓이를 구할 때에는 곡선이 좌표축의 어느 쪽에 있는지가 중요하다.
(1) 곡선이 x축 위쪽(y축 오른쪽)에 있으면 ➡ (넓이)=(정적분)
(2) 곡선이 x축 아래쪽(y축 왼쪽)에 있으면 ➡ (넓이)=−(정적분)

326 곡선 $y=x^3-3x^2+2x$와 x축으로 둘러싸인 부분의 넓이 S를 구하여라.

풍산자日 곡선과 x축 사이의 넓이에서는 곡선이 x축 위쪽에 있는지 아래쪽에 있는지가 중요하다. 따라서 일단 곡선과 x축의 교점을 구한다.

> 풀이 $y=x(x-1)(x-2)$이므로 이 곡선은 x축과 $x=0,\ 1,\ 2$에서 만난다.
따라서 그림에서 구하는 넓이는

$$S_1=\int_0^1(x^3-3x^2+2x)dx=\left[\frac{1}{4}x^4-x^3+x^2\right]_0^1=\frac{1}{4}$$

$$S_2=-\int_1^2(x^3-3x^2+2x)dx=-\left[\frac{1}{4}x^4-x^3+x^2\right]_1^2=\frac{1}{4}$$

$$\therefore\ S=S_1+S_2=\frac{1}{4}+\frac{1}{4}=\mathbf{\frac{1}{2}}$$

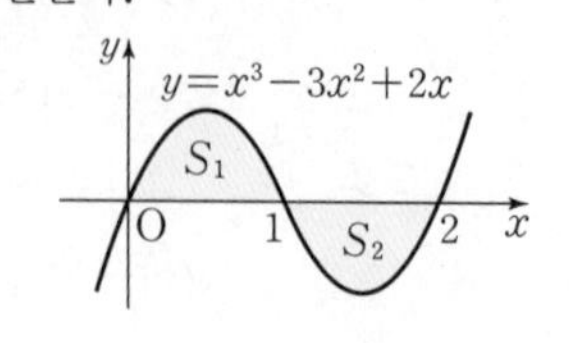

정답과 풀이 48쪽

유제 **327** 곡선 $y=x^3-4x^2+3x$와 x축으로 둘러싸인 부분의 넓이 S를 구하여라.

328 곡선 $x=y^2-1$과 y축 및 직선 $y=2$로 둘러싸인 부분의 넓이 S를 구하여라.

풍산자日 곡선과 y축 사이의 넓이에서는 곡선이 y축 오른쪽에 있는지 왼쪽에 있는지가 중요하다. 따라서 일단 곡선과 y축의 교점을 구한다.

> 풀이 $x=(y+1)(y-1)$이므로 이 곡선은 y축과 $y=-1,\ 1$에서 만난다.
따라서 그림에서 구하는 넓이는

$$S_1=-\int_{-1}^1(y^2-1)dy=-\left[\frac{1}{3}y^3-y\right]_{-1}^1=\frac{4}{3}$$

$$S_2=\int_1^2(y^2-1)dy=\left[\frac{1}{3}y^3-y\right]_1^2=\frac{4}{3}$$

$$\therefore\ S=S_1+S_2=\frac{4}{3}+\frac{4}{3}=\mathbf{\frac{8}{3}}$$

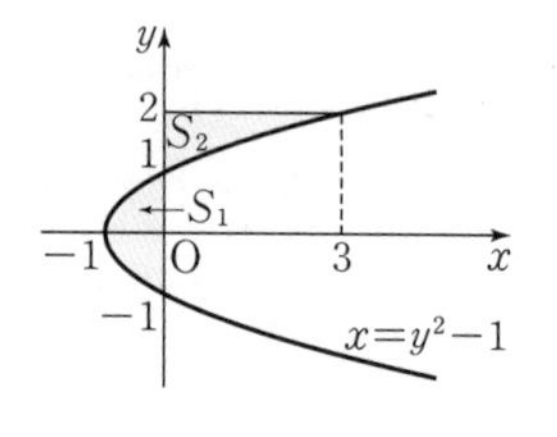

정답과 풀이 48쪽

유제 **329** 곡선 $y^2=x+4$와 y축 및 직선 $y=4$로 둘러싸인 부분의 넓이 S를 구하여라.

03 두 곡선 사이의 넓이

두 곡선 사이의 넓이에서는 두 곡선 중 어느 쪽의 함숫값이 큰지가 중요하다.
'무조건' (함숫값이 큰 쪽)에서(함숫값이 작은 쪽)을 빼서 정적분하여 넓이를 구한다.

두 곡선 사이의 넓이

(1) x축 적분 꼴의 두 곡선 사이의 넓이

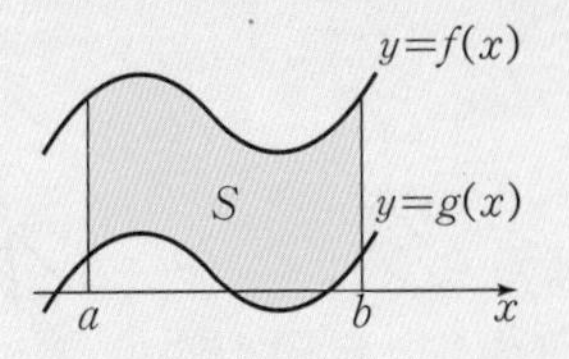

$$S=\int_a^b\{(\text{위쪽})-(\text{아래쪽})\}dx$$
$$=\int_a^b\{f(x)-g(x)\}dx$$

(2) y축 적분 꼴의 두 곡선 사이의 넓이

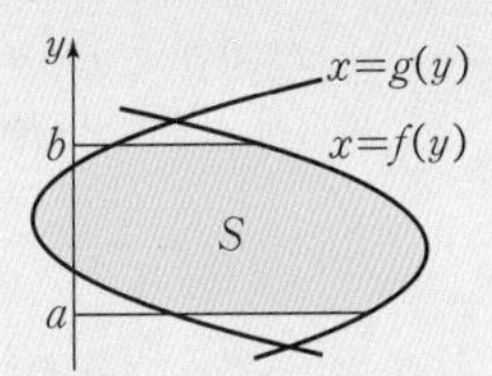

$$S=\int_a^b\{(\text{오른쪽})-(\text{왼쪽})\}dy$$
$$=\int_a^b\{f(y)-g(y)\}dy$$

| 설명 |

• x축 적분 꼴의 두 곡선 사이의 넓이는 위쪽의 식에서 아래쪽의 식을 뺀 후 정적분하면 된다.

$S=$(도형 AEFB의 넓이)$-$(도형 CEFD의 넓이)

$$=\int_a^b f(x)dx-\int_a^b g(x)dx$$
$$=\int_a^b\{f(x)-g(x)\}dx$$

두 곡선 사이의 넓이를 구하는 위의 공식은 만사형통의 마술 공식이다.
두 곡선이 모두 x축 아래에 있거나 두 곡선이 x축에 걸쳐 있어도 같은 방식으로 넓이를 구할 수 있다.

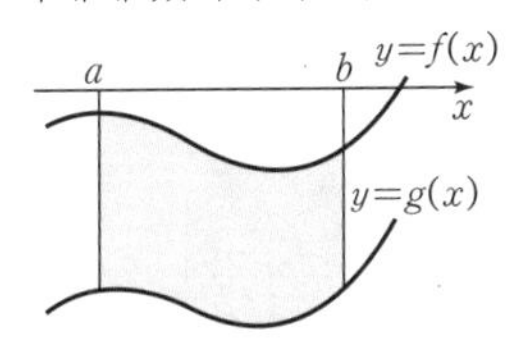

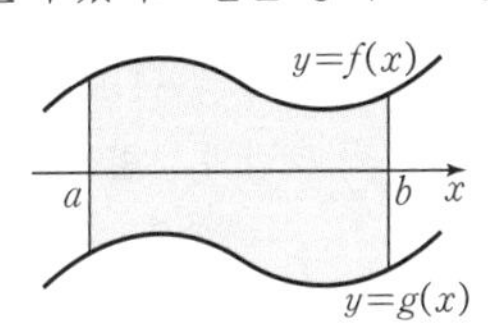

• y축 적분 꼴의 두 곡선 사이의 넓이를 구하는 경우에는 두 곡선 $x=f(y)$, $x=g(y)$ 중에 오른쪽의 식에서 왼쪽의 식을 뺀 후 정적분하면 된다. 따라서 두 곡선 중 어느 것이 오른쪽에 있는지 어느 것이 왼쪽에 있는지가 중요하다.

大 원칙

두 곡선 사이의 넓이를 구할 때 두 곡선의 교점을 이용해 그래프를 '대강' 그려 그래프의 모양을 파악한다. x축 긋고 y축 긋고 해 봤자 더 복잡해질 뿐 아무 도움이 안 된다. 어느 것이 위(오른쪽)에 있는지만 파악하면 된다.

330 곡선 $y=x^3-6x^2+9x$와 직선 $y=x$로 둘러싸인 부분의 넓이를 구하여라.

풍산자日 두 곡선 $y=f(x)$, $y=g(x)$ 사이의 넓이에서는 어느 것이 위쪽에 있는지가 중요하다.
일단 두 식을 연립하여 교점의 x좌표를 구한다.

> 풀이

곡선과 직선의 교점의 x좌표를 구하면
$x^3-6x^2+9x=x$에서 $x(x-2)(x-4)=0$
$\therefore$ $x=0$ 또는 $x=2$ 또는 $x=4$
따라서 그림에서 구하는 넓이는

$$\int_0^2(x^3-6x^2+9x-x)dx+\int_2^4\{x-(x^3-6x^2+9x)\}dx$$
$$=\left[\frac{1}{4}x^4-2x^3+4x^2\right]_0^2+\left[-\frac{1}{4}x^4+2x^3-4x^2\right]_2^4=4+4=8$$

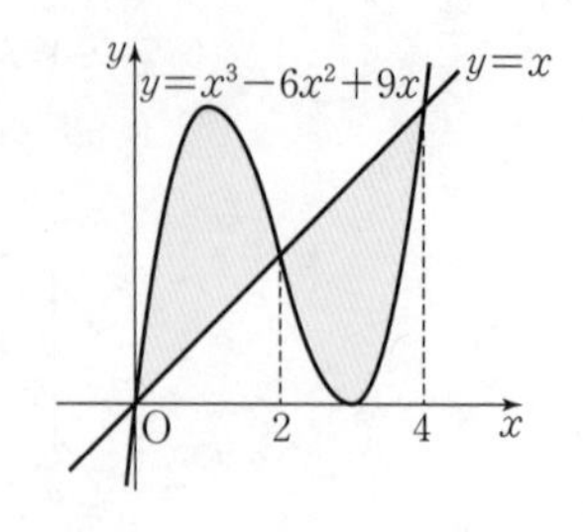

정답과 풀이 **48**쪽

유제 **331** 곡선 $y=x^3-x^2-x$와 직선 $y=x$로 둘러싸인 부분의 넓이를 구하여라.

332 곡선 $x=y^2$과 직선 $x=y+2$로 둘러싸인 부분의 넓이를 구하여라.

풍산자日 두 곡선 $x=f(y)$, $x=g(y)$ 사이의 넓이에서는 어느 것이 오른쪽에 있는지가 중요하다.
일단 두 식을 연립하여 교점의 y좌표를 구한다.

> 풀이

곡선과 직선의 교점의 y좌표를 구하면
$y^2=y+2$에서 $(y+1)(y-2)=0$
$\therefore$ $y=-1$ 또는 $y=2$
따라서 그림에서 구하는 넓이는

$$\int_{-1}^2(y+2-y^2)dy=\left[-\frac{1}{3}y^3+\frac{1}{2}y^2+2y\right]_{-1}^2=\frac{9}{2}$$

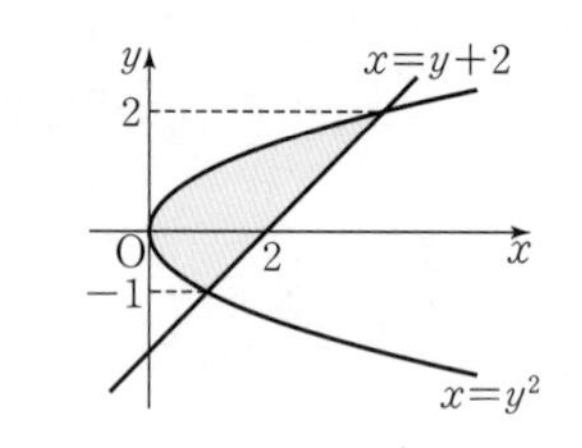

정답과 풀이 **49**쪽

유제 **333** 곡선 $x=y^2-1$과 직선 $x=-y+1$로 둘러싸인 부분의 넓이를 구하여라.

풍산자 비법

• 곡선과 축 사이의 넓이
➔ 곡선이 x축 위쪽(y축 오른쪽)에 있으면 (넓이)=(정적분)
➔ 곡선이 x축 아래쪽(y축 왼쪽)에 있으면 (넓이)=−(정적분)

• 두 곡선 사이의 넓이 ➔ $S=\int_a^b\{(\text{위쪽})-(\text{아래쪽})\}dx$

04 포물선 킬러 공식

정적분의 최고 골칫덩어리는 두말할 것 없이 지저분한 산수 계산.

하지만 걱정마라.

이차항의 계수와 교점만 알면 이 단원에서 배우는 포물선 킬러 공식이 정적분을 간단하게 구할 수 있게 해 준다.

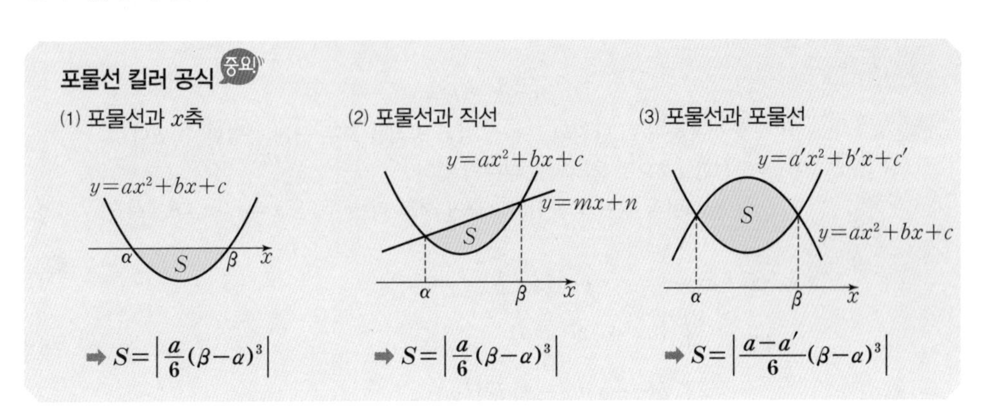

포물선 킬러 공식의 핵심은

$$\int_{\alpha}^{\beta} a(x-\alpha)(x-\beta)dx=-\frac{a}{6}(\beta-\alpha)^3$$

두 근과 이차항의 계수만 알면 포물선의 정적분을 간단하게 구할 수 있다.

넓이니까 어차피 양수가 될 팔자.

절댓값을 취하고 부호는 신경 끈다.

따라서 최종 공식은 다음과 같다.

$$S=\left|\frac{a}{6}(\beta-\alpha)^3\right|$$

두 가지만 신경 쓴다.

첫째, 이차항의 계수.

둘째, 그래프의 교점.

大 원칙 포물선과 x축, 포물선과 직선, 포물선과 포물선으로 둘러싸인 부분의 넓이는 포물선 킬러 공식으로 손쉽게 계산할 수 있다.

한걸음 더 **포물선 킬러 공식 증명**

$$\int_{\alpha}^{\beta} a(x-\alpha)(x-\beta)dx = a\int_{\alpha}^{\beta}\{x^2-(\alpha+\beta)x+\alpha\beta\}dx$$

$$= a\left[\frac{1}{3}x^3-\frac{1}{2}(\alpha+\beta)x^2+\alpha\beta x\right]_{\alpha}^{\beta}$$

$$= a\left\{\frac{1}{3}(\beta^3-\alpha^3)-\frac{1}{2}(\alpha+\beta)(\beta^2-\alpha^2)+\alpha\beta(\beta-\alpha)\right\}$$

$$= \frac{a}{6}(\beta-\alpha)\{2(\beta^2+\alpha\beta+\alpha^2)-3(\alpha+\beta)^2+6\alpha\beta\}$$

$$= -\frac{a}{6}(\beta-\alpha)(\beta^2-2\alpha\beta+\alpha^2)$$

$$= -\frac{a}{6}(\beta-\alpha)^3$$

이 식을 이용하면 이 단원의 포물선 킬러 공식을 모두 쉽게 증명할 수 있다.

(1) 포물선과 x축으로 둘러싸인 부분의 넓이

오른쪽 그림과 같이 포물선과 x축이 서로 다른 두 점 $x=\alpha$, $x=\beta$에서 만나면

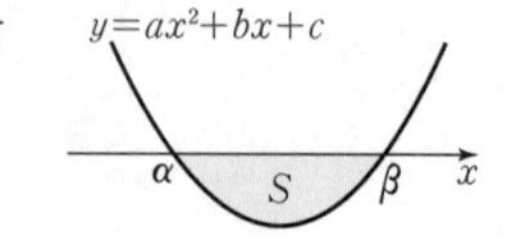

$ax^2+bx+c=a(x-\alpha)(x-\beta)$

$$\therefore S=\left|\int_{\alpha}^{\beta}(ax^2+bx+c)dx\right|$$

$$=\left|\int_{\alpha}^{\beta}a(x-\alpha)(x-\beta)dx\right|$$

$$=\left|\frac{a}{6}(\beta-\alpha)^3\right|$$

(2) 포물선과 직선으로 둘러싸인 부분의 넓이

오른쪽 그림과 같이 포물선과 직선이 서로 다른 두 점 $x=\alpha$, $x=\beta$에서 만나면

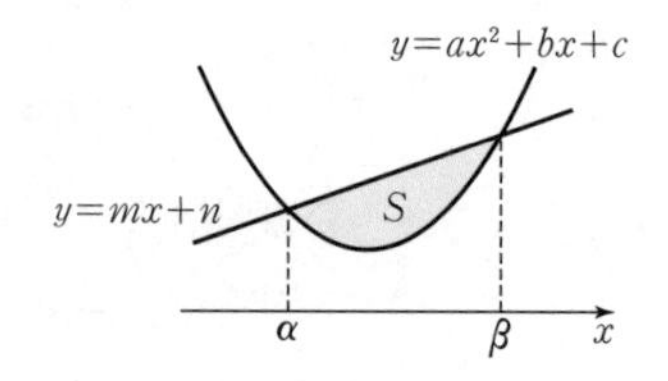

$ax^2+bx+c-(mx+n)=a(x-\alpha)(x-\beta)$

$$\therefore S=\left|\int_{\alpha}^{\beta}\{ax^2+bx+c-(mx+n)\}dx\right|$$

$$=\left|\int_{\alpha}^{\beta}a(x-\alpha)(x-\beta)dx\right|$$

$$=\left|\frac{a}{6}(\beta-\alpha)^3\right|$$

(3) 포물선과 포물선으로 둘러싸인 부분의 넓이

오른쪽 그림과 같이 포물선과 포물선이 서로 다른 두 점 $x=\alpha$, $x=\beta$에서 만나면

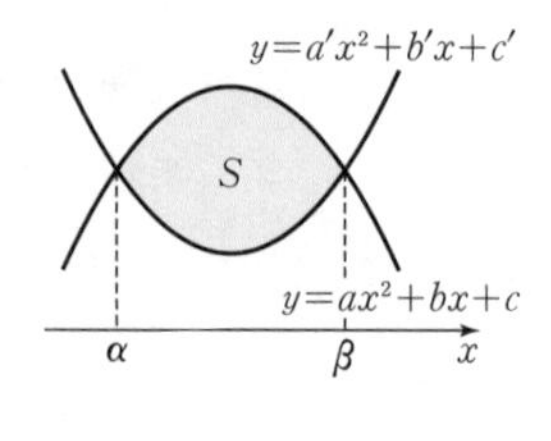

$ax^2+bx+c-(a'x^2+b'x+c')=(a-a')(x-\alpha)(x-\beta)$

$$\therefore S=\left|\int_{\alpha}^{\beta}\{ax^2+bx+c-(a'x^2+b'x+c')\}dx\right|$$

$$=\left|\int_{\alpha}^{\beta}(a-a')(x-\alpha)(x-\beta)dx\right|$$

$$=\left|\frac{a-a'}{6}(\beta-\alpha)^3\right|$$

334 **다음 물음에 답하여라.**

(1) 포물선 $y=-3x^2+9x-6$과 x축으로 둘러싸인 부분의 넓이를 구하여라.

(2) 포물선 $y=2x^2-7x+5$와 직선 $y=x-1$로 둘러싸인 부분의 넓이를 구하여라.

(3) 두 포물선 $y=2x^2-7x+5$, $y=-x^2+5x-4$로 둘러싸인 부분의 넓이를 구하여라.

풍산자티 포물선과 x축, 포물선과 직선, 포물선과 포물선으로 둘러싸인 부분의 넓이는 포물선 킬러 공식으로 손쉽게 계산할 수 있다.

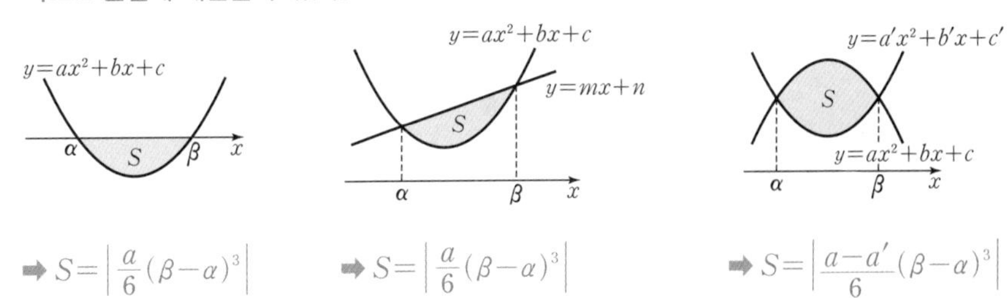

➡ $S=\left|\frac{a}{6}(\beta-\alpha)^3\right|$ ➡ $S=\left|\frac{a}{6}(\beta-\alpha)^3\right|$ ➡ $S=\left|\frac{a-a'}{6}(\beta-\alpha)^3\right|$

> 풀이

(1) 포물선과 x축의 교점의 x좌표는

$-3x^2+9x-6=0$에서 $3(x-1)(x-2)=0$

$\therefore x=1$ 또는 $x=2$

$\therefore S=\left|\frac{a}{6}(\beta-\alpha)^3\right|=\frac{3}{6}(2-1)^3=\mathbf{\frac{1}{2}}$

(2) 포물선과 직선의 교점의 x좌표는

$2x^2-7x+5=x-1$에서 $2(x-1)(x-3)=0$

$\therefore x=1$ 또는 $x=3$

$\therefore S=\left|\frac{a}{6}(\beta-\alpha)^3\right|=\frac{2}{6}(3-1)^3=\mathbf{\frac{8}{3}}$

(3) 두 포물선의 교점의 x좌표는

$2x^2-7x+5=-x^2+5x-4$에서 $3(x-1)(x-3)=0$

$\therefore x=1$ 또는 $x=3$

$\therefore S=\left|\frac{a-a'}{6}(\beta-\alpha)^3\right|=\frac{2-(-1)}{6}(3-1)^3=\mathbf{4}$

정답과 풀이 49쪽

유제 **335** **다음 물음에 답하여라.**

(1) 포물선 $y=-2x^2+2x+4$와 x축으로 둘러싸인 부분의 넓이를 구하여라.

(2) 포물선 $y=2x^2-x+1$과 직선 $y=x+5$로 둘러싸인 부분의 넓이를 구하여라.

(3) 두 포물선 $y=x^2+3x-1$, $y=-x^2+5x+3$으로 둘러싸인 부분의 넓이를 구하여라.

336 **포물선 $y=x^2-mx$와 x축으로 둘러싸인 부분의 넓이가 $\frac{9}{2}$일 때, 양수 m의 값을 구하여라.**

풍산자日 포물선 킬러 공식을 이용하면 계산이 간단하다.

> 풀이

포물선과 x축의 교점의 x좌표는 $x^2-mx=0$에서

$x(x-m)=0$

$\therefore x=0$ 또는 $x=m$

포물선과 x축으로 둘러싸인 부분의 넓이는

$$\left|\frac{a}{6}(\beta-\alpha)^3\right|=\frac{1}{6}(m-0)^3$$

$$=\frac{m^3}{6}$$

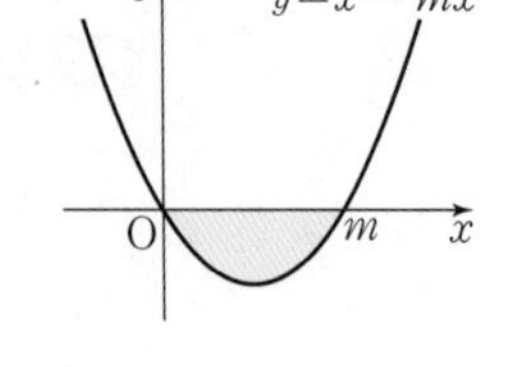

주어진 조건에서 위의 넓이가 $\frac{9}{2}$이므로

$\frac{m^3}{6}=\frac{9}{2}$, $m^3=27$

$\therefore m=\mathbf{3}$

정답과 풀이 **49**쪽

유제 **337** **포물선 $y=x^2-x$와 직선 $y=mx$로 둘러싸인 부분의 넓이가 $\frac{4}{3}$일 때, 양수 m의 값을 구하여라.**

풍산자 비법

정적분의 골칫덩어리 산수 계산을 해결하는 포물선 킬러 공식 ➔ $S=\left|\frac{a}{6}(\beta-\alpha)^3\right|$

필수 확인 문제

* 더 많은 유형은 **풍산자필수유형 수학 Ⅱ** 111쪽

정답과 풀이 49쪽

338

곡선 $y=x(x-2)^2$과 x축으로 둘러싸인 부분의 넓이를 구하여라.

339

그림과 같이 곡선 $x=y(1-y^2)$과 y축으로 둘러싸인 부분의 넓이를 구하여라.

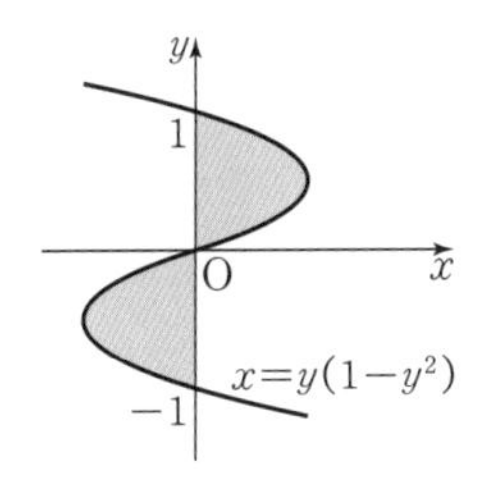

340

두 곡선

$$y=x^2-4x+5,\ y=-x^2+6x-3$$

으로 둘러싸인 부분의 넓이를 구하여라.

341

두 곡선 $y^2=x+2$, $y^2=2x$로 둘러싸인 부분의 넓이를 S라 할 때, $3S$의 값을 구하여라.

342

포물선 $y=x^2-x+m$와 직선 $y=mx$로 둘러싸인 부분의 넓이가 $\frac{32}{3}$일 때, 상수 m의 값을 구하여라. (단, $m<0$)

343

곡선 $y=-3x^2+ax$와 x축 및 두 직선 $x=1$, $x=2$로 둘러싸인 부분의 넓이가 11일 때, 상수 a의 값을 구하여라. (단, $a>6$)

2 넓이의 활용

01 곡선과 x축으로 둘러싸인 두 부분의 넓이가 같을 조건

정적분과 넓이는 절댓값은 같으므로 부호만 주의하면 된다.

x축 위쪽의 정적분은 양수, 아래쪽의 정적분은 음수.

그런데 위쪽과 아래쪽의 넓이가 같다면? 전체 정적분이 0이 된다.

곡선과 x축으로 둘러싸인 두 부분의 넓이가 같을 조건

그림과 같은 곡선 $y=f(x)$와 x축으로 둘러싸인 두 부분의 넓이 S_1, S_2가 같을 때,

$$\int_a^c f(x)dx=0$$

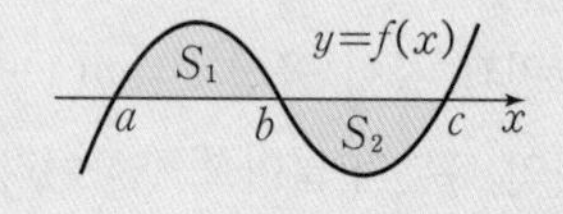

| 곡선과 x축으로 둘러싸인 두 부분의 넓이가 같을 때 |

344 곡선 $y=x(x-1)(x-a)$와 x축으로 둘러싸인 두 부분의 넓이가 같을 때, 상수 a의 값을 구하여라. (단, $a>1$)

풍산자비법 x축 위쪽과 아래쪽의 넓이가 같으면 전체 정적분은 0이다.

> 풀이 주어진 곡선은 x축과 $x=0$, $x=1$, $x=a$에서 만나고, $a>1$이므로 그림과 같다. 색칠한 두 부분의 넓이가 같으므로

$$\int_0^a x(x-1)(x-a)dx=0$$

$$\int_0^a \{x^3-(1+a)x^2+ax\}dx=\left[\frac{1}{4}x^4-\frac{1+a}{3}x^3+\frac{a}{2}x^2\right]_0^a=0$$

$$-\frac{1}{12}a^4+\frac{1}{6}a^3=0,\ a^3(a-2)=0$$

$\therefore\ a=\mathbf{2}$ ($\because\ a>1$)

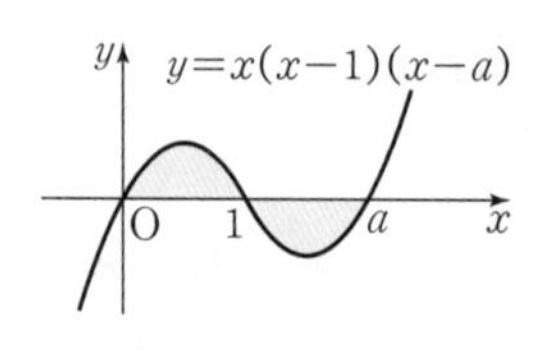

정답과 풀이 50쪽

유제 **345** 곡선 $y=x(x-2)(x-a)$와 x축으로 둘러싸인 두 부분의 넓이가 같을 때, 상수 a의 값을 구하여라. (단, $a>2$)

02 곡선과 접선으로 둘러싸인 부분의 넓이

곡선과 접선으로 둘러싸인 부분의 넓이를 구하려면 먼저 접선을 구해야 한다.
접선을 구해 놓고 보면 평범한 두 그래프 사이의 넓이를 구하는 문제가 된다.

곡선과 접선으로 둘러싸인 부분의 넓이

곡선과 접선으로 둘러싸인 부분의 넓이를 구하려면

[1단계] 접선의 방정식을 구한다.

[2단계] 넓이를 구한다.

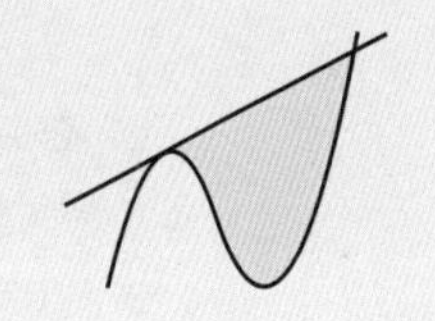

| 곡선과 접선으로 둘러싸인 부분의 넓이 |

346 곡선 $y=x^3-3x^2+x+4$와 이 곡선 위의 점 $(0,\ 4)$에서의 접선으로 둘러싸인 부분의 넓이를 구하여라.

풍산자日 먼저 접선을 구한 후, 두 그래프 사이의 넓이를 구하면 된다.

> 풀이

[1단계] $f(x)=x^3-3x^2+x+4$로 놓으면

$f'(x)=3x^2-6x+1 \qquad \therefore f'(0)=1$

따라서 점 $(0,\ 4)$에서의 접선의 방정식은

$y-4=1\cdot(x-0) \qquad \therefore y=x+4$

[2단계] 곡선과 접선의 교점의 x좌표는

$x^3-3x^2+x+4=x+4$에서 $x^2(x-3)=0$

$\therefore x=0$ 또는 $x=3$

따라서 그림에서 구하는 넓이는

$$\int_0^3\{(x+4)-(x^3-3x^2+x+4)\}dx=\left[-\frac{1}{4}x^4+x^3\right]_0^3=\frac{27}{4}$$

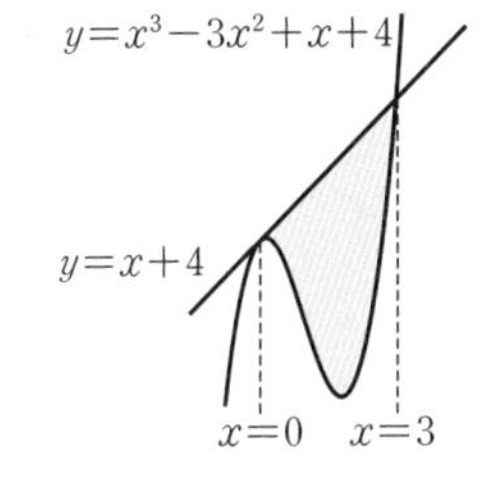

정답과 풀이 51쪽

유제 **347** 곡선 $y=x^3$과 이 곡선 위의 점 $(1,\ 1)$에서의 접선으로 둘러싸인 부분의 넓이를 구하여라.

03 함수와 그 역함수의 그래프로 둘러싸인 부분의 넓이

함수와 그 역함수는 직선 $y=x$에 대하여 대칭이다.
이 성질을 이용하면 역함수를 구하지 않아도 함수와 그 역함수의 그래프로 둘러싸인 넓이를 구할 수 있다.

함수와 그 역함수의 그래프로 둘러싸인 부분의 넓이

함수 $y=f(x)$와 그 역함수 $y=g(x)$의 그래프로 둘러싸인 부분의 넓이는 곡선 $y=f(x)$와 직선 $y=x$로 둘러싸인 부분의 넓이의 2배이다.

즉, $S=\int_{\alpha}^{\beta}\{f(x)-g(x)\}dx=2\int_{\alpha}^{\beta}|f(x)-x|dx$

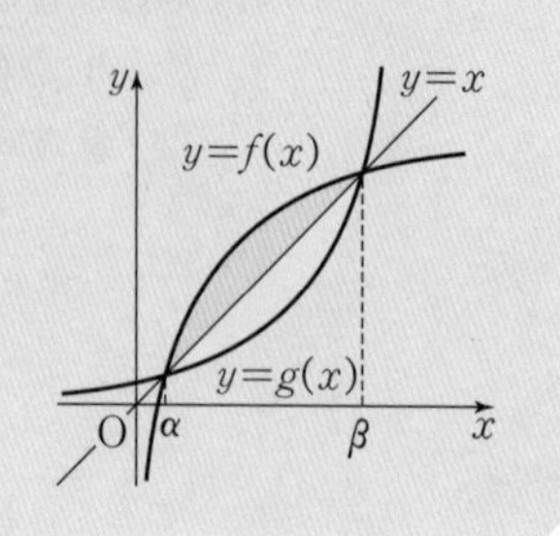

| 함수와 그 역함수의 그래프로 둘러싸인 부분의 넓이 |

348 **함수 $f(x)=x^3-2x^2+2x$의 역함수를 $g(x)$라 할 때, 두 곡선 $y=f(x)$, $y=g(x)$로 둘러싸인 부분의 넓이를 구하여라.**

풍산자日 함수 $f(x)$와 직선 $y=x$ 사이의 넓이를 2배 하면
함수와 그 역함수의 그래프로 둘러싸인 부분의 넓이를 쉽게 구할 수 있다.

> 풀이

[1단계] 곡선 $y=x^3-2x^2+2x$와 직선 $y=x$의 교점의 x좌표는
$x^3-2x^2+2x=x$에서 $x^3-2x^2+x=0$
$x(x-1)^2=0$ $\therefore x=0$ 또는 $x=1$

[2단계] 따라서 구하는 넓이는

$$2\int_0^1\{(x^3-2x^2+2x)-x\}dx=2\int_0^1(x^3-2x^2+x)dx$$
$$=2\left[\frac{1}{4}x^4-\frac{2}{3}x^3+\frac{1}{2}x^2\right]_0^1$$
$$=\mathbf{\frac{1}{6}}$$

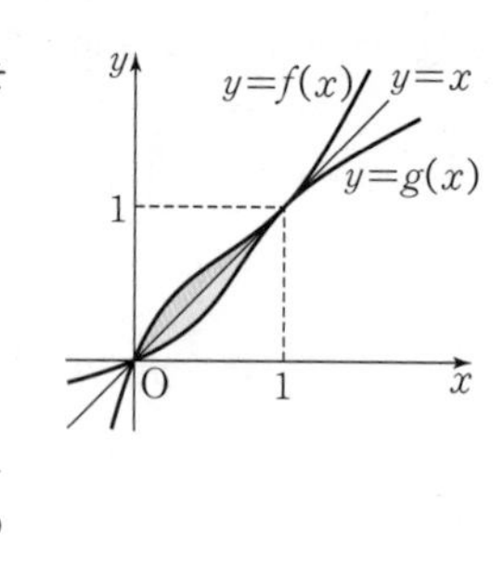

정답과 풀이 51쪽

유제 **349** **함수 $f(x)=x^3-x^2+x$의 역함수를 $g(x)$라 할 때, 두 곡선 $y=f(x)$, $y=g(x)$로 둘러싸인 부분의 넓이를 구하여라.**

풍산자 비법

그래프로 둘러싸인 부분의 넓이를 구할 때는 그래프를 직접 그려 보면 좀 더 쉽게 이해할 수 있다.

필수 확인 문제

* 더 많은 유형은 **풍산자필수유형 수학Ⅱ** 113쪽

정답과 풀이 51쪽

350

그림과 같이 곡선 $y=3x^2-3$과 x축 및 직선 $x=k$로 둘러싸인 두 부분을 각각 A, B라 하면 A, B의 넓이가 서로 같다. 이때 상수 k의 값을 구하여라. (단, $k>1$)

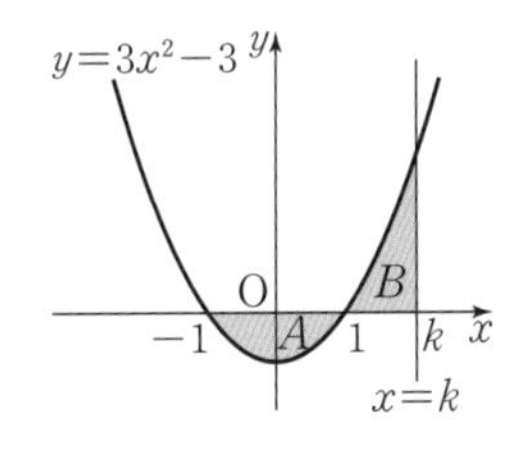

351

그림과 같이 사차함수 $f(x)=x^2(x-a)(x-2)$의 그래프와 x축으로 둘러싸인 두 부분 A, B의 넓이가 서로 같도록 하는 상수 a의 값을 구하여라.

(단, $0<a<2$)

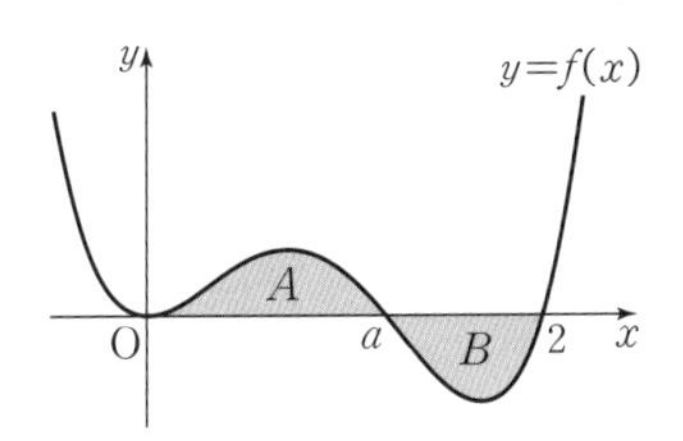

352

곡선 $y=-\frac{1}{4}x^2$과 이 곡선 위의 점 $(2, -1)$에서의 접선 및 y축으로 둘러싸인 부분의 넓이를 구하여라.

353

곡선 $y=x^3-3x^2+x+2$ 위의 점 $(0, 2)$에서 이 곡선에 접하는 직선을 그을 때, 이 직선과 곡선으로 둘러싸인 도형의 넓이를 구하여라.

354

두 함수 $y=x^3-x^2+x$, $x=y^3-y^2+y$의 그래프로 둘러싸인 부분의 넓이를 구하여라.

3 속도와 거리

01 위치의 변화량과 움직인 거리

위치를 미분하면 속도가 된다. 이것은 미분에서 이미 배운 사실이다. 그렇다면 이것을 뒤집어서 속도를 적분하면 위치가 될 것이라고 추측할 수 있다. 물론 정말 그렇다.

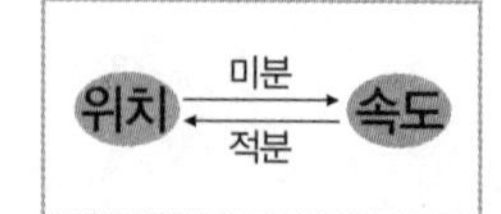

위치의 변화량과 움직인 거리

수직선 위를 움직이는 점 P의 시각 t에서의 속도를 $v(t)$, 위치를 $x(t)$라 하면

(1) $t=a$에서 $t=b$까지 점 P의 **위치의 변화량** ➡ $\displaystyle\int_a^b v(t)dt$

(2) $t=a$에서 $t=b$까지 점 P가 **움직인 거리** ➡ $\displaystyle\int_a^b |v(t)|dt$

(3) $t=a$에서 **점 P의 위치** ➡ $x(a)=x(0)+\displaystyle\int_0^a v(t)dt$

속도는 전진할 때는 양수이고, 후진할 때 음수이다.

속도의 정적분은 전진한 양에서 후진한 양을 뺀 값, 즉 위치의 변화량이고, 속도의 절댓값의 정적분은 속도를 양수로 만들어 전진하는 것으로 계산하므로 전진한 양에 후진한 양을 더한 값, 즉 실제로 움직인 거리이다.

그래프의 경우에도 마찬가지이다.

속도의 그래프

그림과 같이 속도 $v(t)$의 그래프가 주어지고, 각 부분의 넓이를 S_1, S_2라 할 때, $t=a$에서 $t=b$까지

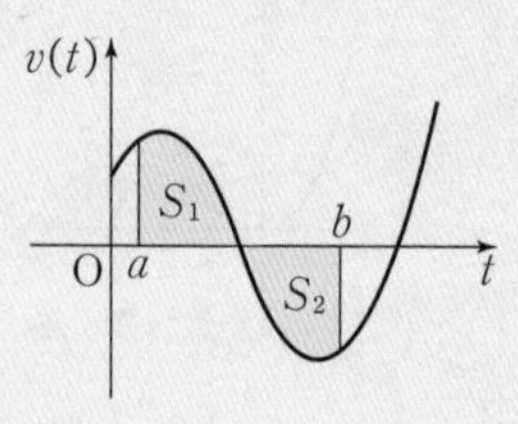

(1) 위치의 변화량은

$$\int_a^b v(t)dt=S_1-S_2$$ ⬅ 정적분의 값

(2) 움직인 거리는

$$\int_a^b |v(t)|dt=S_1+S_2$$ ⬅ 넓이의 합

大 원칙

속도와 거리에서 가장 중요한 것은 3가지

(1) (위치의 변화량)=(속도의 정적분)

(2) (움직인 거리)=(|속도|의 정적분)

(3) (위치)=(출발점의 위치)+(위치의 변화량)

355 **수직선 위를 움직이는 점 P의 시각 t에서의 속도가 $v(t)=3t^2-9t+6$이고, 시각 $t=0$일 때의 점 P의 위치가 5일 때, 다음을 구하여라.**

(1) 시각 $t=1$에서 $t=3$까지 점 P의 위치의 변화량

(2) 시각 $t=1$에서 $t=3$까지 점 P가 실제로 움직인 거리

(3) 시각 $t=2$일 때의 점 P의 위치

풍산자日 (1) 속도의 정적분은 위치의 변화량이다.

(2) 속도의 절댓값의 정적분은 움직인 거리이다.

(3) 출발점의 위치에 위치의 변화량을 더하면 위치가 된다.

> 풀이 (1) $t=1$에서 $t=3$까지 점 P의 위치의 변화량은

$$\int_1^3 (3t^2-9t+6)dt=\left[t^3-\frac{9}{2}t^2+6t\right]_1^3=\mathbf{2}$$

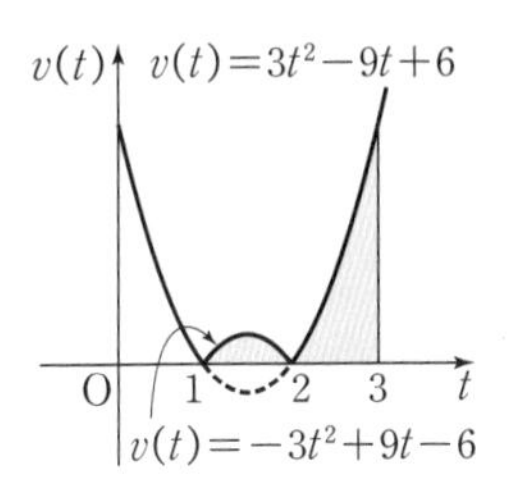

(2) $t=1$에서 $t=3$까지 점 P가 실제로 움직인 거리는

$$\int_1^3 |3t^2-9t+6|dt$$

$$=\int_1^2 (-3t^2+9t-6)dt+\int_2^3 (3t^2-9t+6)dt$$

$$=\left[-t^3+\frac{9}{2}t^2-6t\right]_1^2+\left[t^3-\frac{9}{2}t^2+6t\right]_2^3$$

$$=\frac{1}{2}+\frac{5}{2}=\mathbf{3}$$

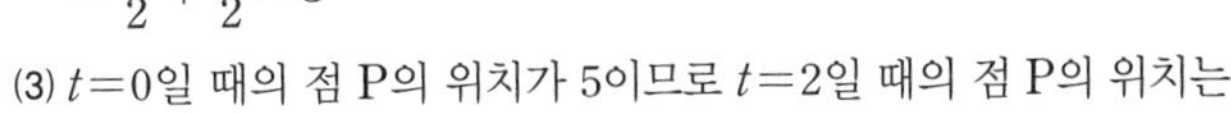

(3) $t=0$일 때의 점 P의 위치가 5이므로 $t=2$일 때의 점 P의 위치는

$$5+\int_0^2 (3t^2-9t+6)dt=5+\left[t^3-\frac{9}{2}t^2+6t\right]_0^2$$

$$=5+2=\mathbf{7}$$

정답과 풀이 **52쪽**

유제 **356** **수직선 위를 움직이는 점 P의 시각 t에서의 속도가 $v(t)=t^2-2t$이고, 시각 $t=0$일 때의 점 P의 위치가 4일 때, 다음을 구하여라.**

(1) 시각 $t=0$에서 $t=3$까지 점 P의 위치의 변화량

(2) 시각 $t=0$에서 $t=3$까지 점 P가 실제로 움직인 거리

(3) 시각 $t=6$일 때의 점 P의 위치

357 **지상 15 m의 높이에서 처음 속도 20 m/초로 똑바로 위로 발사한 물체의 t초 후의 속도가 $v(t)=20-10t$(m/초)일 때, 다음을 구하여라.**

(1) 발사 후 3초가 지났을 때, 지상으로부터의 높이

(2) 최고점에 도달했을 때, 지상으로부터의 높이

(3) 발사 후 3초 동안 움직인 거리

풍산자日 **(속도)>0일 때는 위로 이동하고, (속도)<0일 때는 아래로 이동한다.**
(속도)$=0$일 때가 최고점.

> 풀이

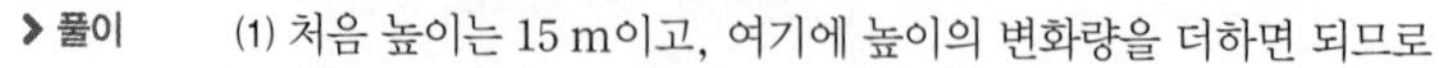

(1) 처음 높이는 15 m이고, 여기에 높이의 변화량을 더하면 되므로

$$15+\int_0^3(20-10t)dt=15+\Big[20t-5t^2\Big]_0^3$$
$$=15+15$$
$$=\mathbf{30(m)}$$

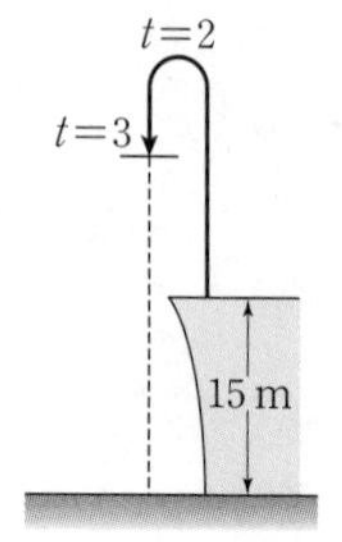

(2) 최고점에 도달했을 때는

$v(t)=20-10t=0$에서 $t=2$(초)

따라서 $t=2$(초)일 때의 높이를 구하면 되므로

$$15+\int_0^2(20-10t)dt=15+\Big[20t-5t^2\Big]_0^2$$
$$=15+20$$
$$=\mathbf{35(m)}$$

(3) 속도의 절댓값의 정적분은 움직인 거리가 되므로

$$\int_0^3|v(t)|dt=\int_0^3|20-10t|dt$$
$$=\int_0^2(20-10t)dt+\int_2^3\{-(20-10t)\}dt$$
$$=\Big[20t-5t^2\Big]_0^2-\Big[20t-5t^2\Big]_2^3$$
$$=20-(-5)$$
$$=\mathbf{25(m)}$$

정답과 풀이 **52**쪽

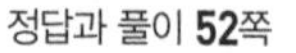

유제 **358** **지상 50 m의 높이에서 처음 속도 30 m/초로 똑바로 위로 발사한 물체의 t초 후의 속도가 $v(t)=30-10t$(m/초)일 때, 다음을 구하여라.**

(1) 발사 후 5초가 지났을 때, 지상으로부터의 높이

(2) 최고점에 도달했을 때, 지상으로부터의 높이

(3) 발사 후 5초 동안 움직인 거리

359 **원점을 출발하여 수직선 위를 움직이는 점 P의 시각 t에서의 속도 $v(t)$의 그래프가 그림과 같을 때, 다음을 구하여라.**

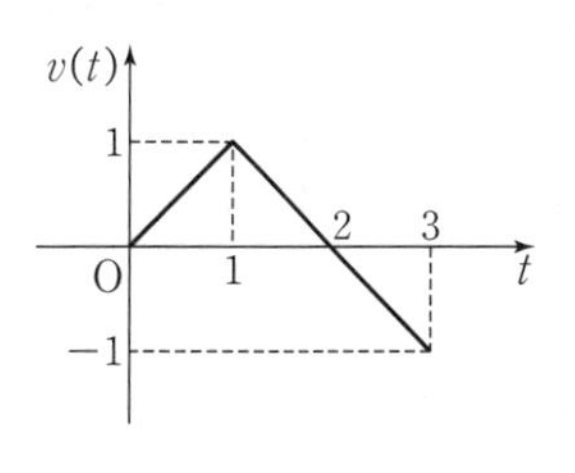

(1) 운동 방향을 바꿀 때까지 점 P가 실제로 움직인 거리

(2) 시각 $t=0$에서 $t=3$까지 점 P가 실제로 움직인 거리

(3) 시각 $t=3$일 때, 점 P의 위치

풍산자日 (속도)$=0$일 때를 경계로 속도가 양수에서 음수로 변하면 그 순간을 경계로 전진하다가 후진한다는 뜻이다.

> 풀이 (1) 시각 $t=2$일 때 운동 방향을 바꾸므로 이때까지 움직인 거리는

$$\int_0^2 v(t)dt=\frac{1}{2}\cdot 2\cdot 1=\mathbf{1}$$

(2) 실제로 움직인 거리는 속도의 그래프와 t축 사이의 넓이와 같으므로

$$\begin{aligned}\int_0^3 |v(t)|dt&=\int_0^2 |v(t)|dt+\int_2^3 |v(t)|dt\\&=\frac{1}{2}\cdot 2\cdot 1+\frac{1}{2}\cdot 1\cdot 1\\&=1+\frac{1}{2}=\mathbf{\frac{3}{2}}\end{aligned}$$

(3) 출발점의 위치가 0이므로 시각 $t=3$일 때, 점 P의 위치는

$$\begin{aligned}0+\int_0^3 v(t)dt&=\int_0^2 v(t)dt+\int_2^3 v(t)dt\\&=\frac{1}{2}\cdot 2\cdot 1+\left(-\frac{1}{2}\cdot 1\cdot 1\right)\\&=1-\frac{1}{2}=\mathbf{\frac{1}{2}}\end{aligned}$$

정답과 풀이 **52**쪽

유제 **360** **원점을 출발하여 수직선 위를 움직이는 점 P의 시각 t에서의 속도 $v(t)$의 그래프가 그림과 같을 때, 다음을 구하여라.**

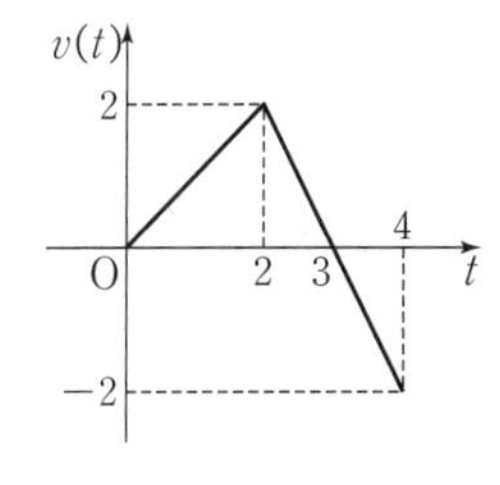

(1) 운동 방향을 바꿀 때까지 점 P가 실제로 움직인 거리

(2) 시각 $t=0$에서 $t=4$까지 점 P가 실제로 움직인 거리

(3) 시각 $t=4$일 때, 점 P의 위치

풍산자 비법

속도의 그래프에서 정적분은 위치의 변화량이고, 넓이는 움직인 거리이다.

$\int_a^b v(t)dt$ ➔ 위치의 변화량, $\int_a^b |v(t)|dt$ ➔ 움직인 거리

필수 확인 문제

* 더 많은 유형은 **풍산자필수유형 수학Ⅱ** 116쪽
정답과 풀이 53쪽

361

수직선 위의 한 점 A를 출발하여 수직선 위를 움직이는 점 P의 시각 t에서의 속도가 $v(t)=t^2-6t+8$이라 한다. 시각 $t=5$일 때, 점 P와 점 A 사이의 거리를 구하여라.

362

x축 위를 움직이는 점 P는 $x=1$인 점에서 출발하여 t초 후의 속도가 $v(t)=2t+a$이다. 1초 후에 $x=3$인 점에 있기 위한 상수 a의 값을 구하여라.

363

초속 20 m로 달리는 열차가 브레이크를 건 후 t초가 지났을 때의 속도가 $v(t)=20-2t$(m/초)라고 한다. 이 열차가 브레이크를 건 후 정지할 때까지 움직인 거리를 구하여라.

364

원점을 출발하여 수직선 위를 움직이는 점 P의 시각 t에서의 속도 $v(t)$의 그래프가 그림과 같다. 점 P가 출발 후 처음으로 방향을 바꿀 때까지 실제로 움직인 거리를 구하여라.

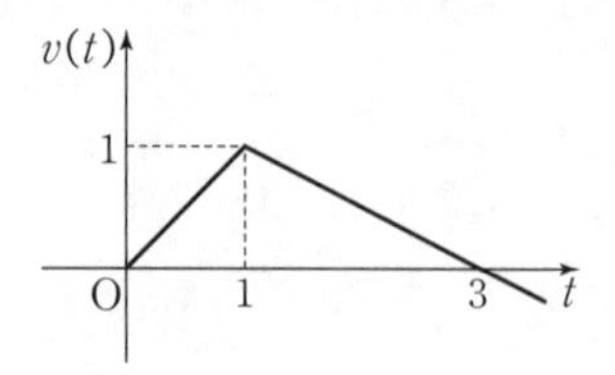

365

그림은 원점을 출발하여 수직선 위를 움직이는 물체의 t초 후의 속도 $v(t)$의 그래프이다.

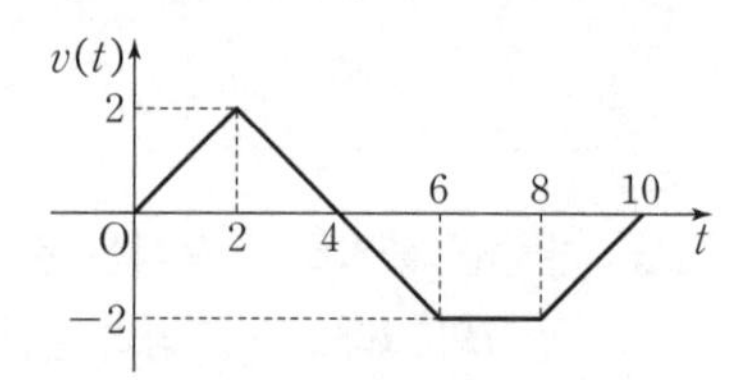

시각 $t=0$에서 $t=10$까지의 위치의 변화량을 a m, 시각 $t=0$에서 $t=10$까지 물체가 실제로 움직인 거리를 b m라 할 때, $a+b$의 값을 구하여라.

중단원 마무리

▶ 넓이의 계산

곡선과 x축 사이의 넓이	① 곡선이 x축 위쪽에 있는 경우 ➡ (넓이)=(정적분) ② 곡선이 x축 아래쪽에 있는 경우 ➡ (넓이)=−(정적분)
곡선과 y축 사이의 넓이	$x=f(y)$로 정리한 후 ① 곡선이 y축 오른쪽에 있는 경우 ➡ (넓이)=(정적분) ② 곡선이 y축 왼쪽에 있는 경우 ➡ (넓이)=−(정적분)
두 곡선 사이의 넓이	① x축 적분 꼴의 두 곡선 사이의 넓이 ➡ $S=\int_a^b\{(\text{위쪽})-(\text{아래쪽})\}dx$ $=\int_a^b\{f(x)-g(x)\}dx$ ② y축 적분 꼴의 두 곡선 사이의 넓이 ➡ $S=\int_a^b\{(\text{오른쪽})-(\text{왼쪽})\}dy$ $=\int_a^b\{f(y)-g(y)\}dy$
포물선 킬러 공식	$\int_\alpha^\beta a(x-\alpha)(x-\beta)dx=-\frac{a}{6}(\beta-\alpha)^3$ ➡ $S=\left\|\frac{a}{6}(\beta-\alpha)^3\right\|$

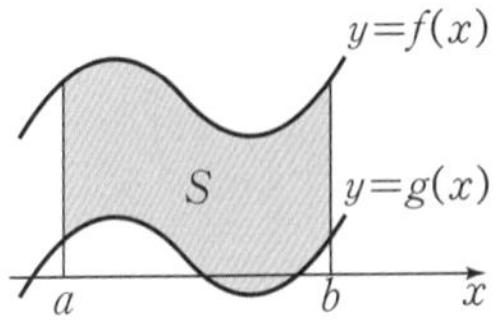

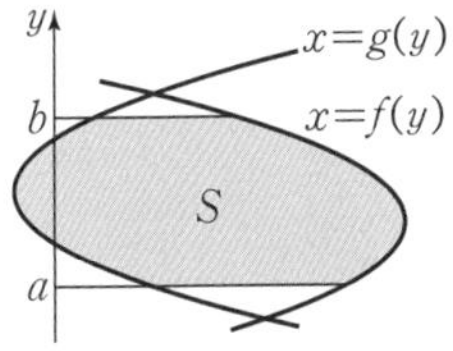

▶ 넓이의 활용

두 부분의 넓이가 같을 조건	그림과 같은 곡선 $y=f(x)$와 x축으로 둘러싸인 두 부분의 넓이 S_1, S_2가 같을 때, $\int_a^c f(x)dx=0$
역함수 관련 문제	함수 $y=f(x)$와 그 역함수 $y=g(x)$의 그래프로 둘러싸인 부분의 넓이는 곡선 $y=f(x)$와 직선 $y=x$로 둘러싸인 부분의 넓이의 2배이다. 즉, $S=\int_\alpha^\beta\|f(x)-g(x)\|dx=2\int_\alpha^\beta\|f(x)-x\|dx$

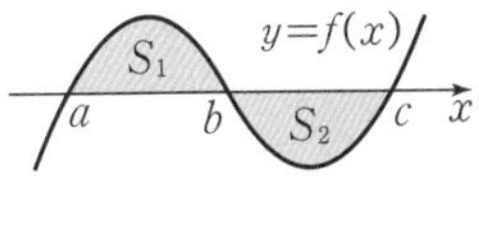

▶ 속도와 거리

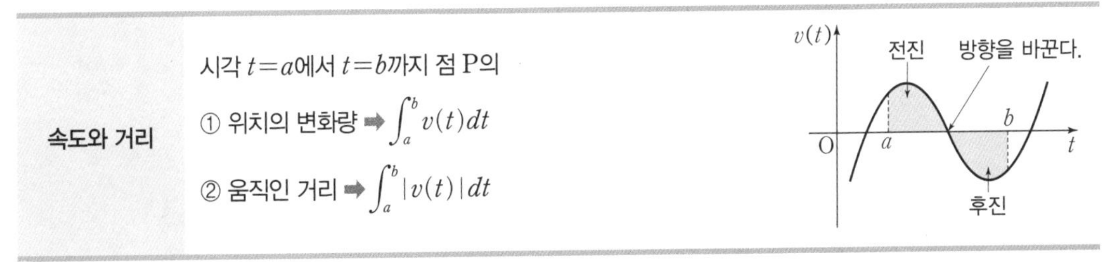

속도와 거리	시각 $t=a$에서 $t=b$까지 점 P의 ① 위치의 변화량 ➡ $\int_a^b v(t)dt$ ② 움직인 거리 ➡ $\int_a^b \|v(t)\|dt$

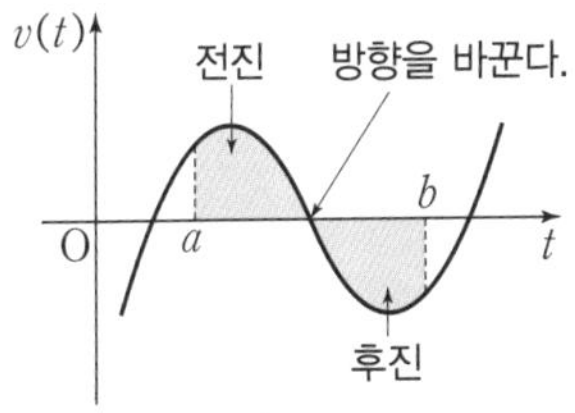

실전 연습문제

STEP 1

366

곡선 $y=x^3$과 x축 및 두 직선 $x=-1$, $x=2$로 둘러싸인 도형의 넓이는?

① $\frac{1}{4}$ ② 1 ③ $\frac{15}{4}$

④ 4 ⑤ $\frac{17}{4}$

367

그림은 곡선 $x=y^2+k$를 나타낸 것이다. 색칠한 도형의 넓이가 6일 때, 상수 k의 값을 구하여라.

(단, $k\geq 0$)

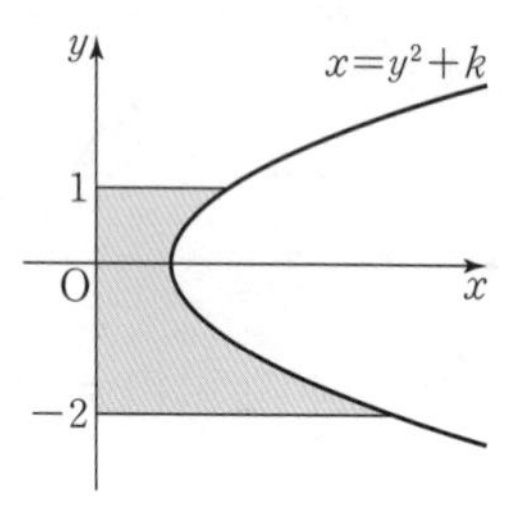

368

두 곡선 $y=x^2-x-2$와 $y=-2x^2+5x+7$로 둘러싸인 도형의 넓이는?

① 24 ② 28 ③ 32

④ 36 ⑤ 40

369

곡선 $y=2x^2-12x+18+k$와 직선 $y=2x$로 둘러싸인 도형의 넓이가 9일 때, 상수 k의 값을 구하여라.

370

함수 $f(x)=x^2$ $(x\geq 0)$의 역함수를 $g(x)$라 할 때, 두 곡선 $y=f(x)$와 $y=g(x)$로 둘러싸인 도형의 넓이를 구하여라.

371

곡선 $y=x^3+x$와 이 곡선 위의 점 $(1,\ 2)$에서의 접선으로 둘러싸인 도형의 넓이는?

① $\frac{9}{2}$ ② $\frac{19}{3}$ ③ $\frac{27}{4}$

④ $\frac{33}{5}$ ⑤ $\frac{37}{6}$

372

곡선 $y=|x^2-1|$과 직선 $y=1$로 둘러싸인 도형의 넓이를 구하여라.

373

함수 $y=x^2-a$의 그래프가 다음 그림과 같고 두 도형의 넓이 A, B가 서로 같을 때, 양수 a의 값을 구하여라.

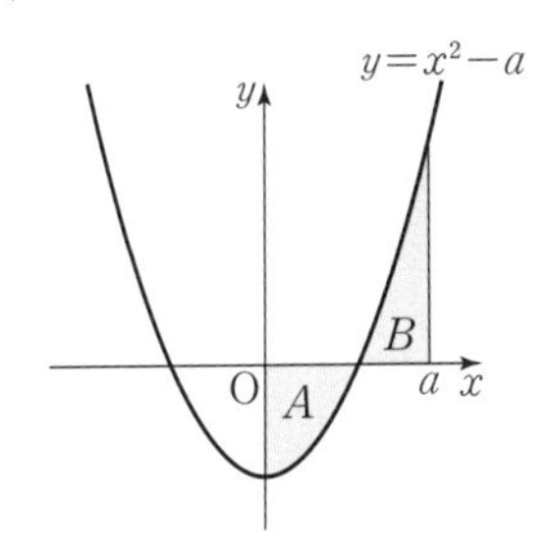

374

다음 그림은 수직선 위의 원점을 출발하여 10초 동안 움직이는 점 P의 t초 후의 속도 $v(t)$의 그래프이다.

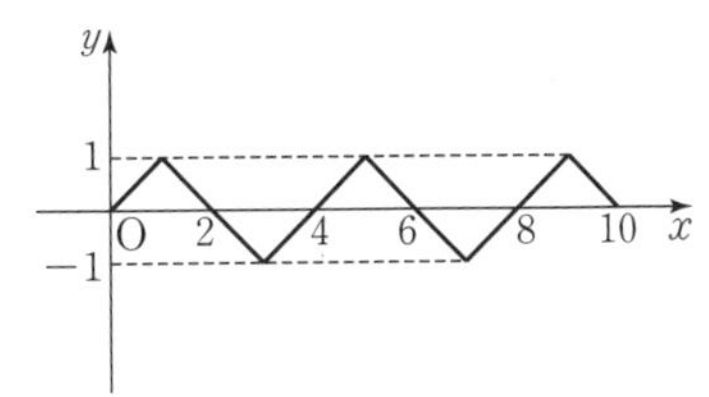

함수 $f(t)$를 $f(t)=\int_0^t v(t)dt$로 정의할 때, 다음 〈보기〉에서 옳은 것만을 있는 대로 고른 것은?

보기

ㄱ. $f(4)=2$

ㄴ. $f(10)=f(2)$

ㄷ. 점 P가 원점을 지나는 것은 출발 후 5번 더 있다.

ㄹ. 점 P가 10초 동안 실제로 움직인 거리는 5이다.

① ㄱ, ㄴ ② ㄴ, ㄷ ③ ㄴ, ㄹ

④ ㄷ, ㄹ ⑤ ㄴ, ㄷ, ㄹ

STEP2

375

함수 $f(x)=ax^2-bx$는 $x=\frac{1}{2}$에서 극대가 되고, 또 이 곡선과 x축으로 둘러싸인 부분의 넓이가 $\frac{1}{6}$일 때, $a+b$의 값을 구하여라. (단, a, b는 상수)

376

포물선 $y=x^2+1$과 직선 $y=ax+2$로 둘러싸인 부분의 넓이의 최솟값은? (단, a는 상수)

① $\frac{1}{3}$　② $\frac{2}{3}$　③ 1

④ $\frac{4}{3}$　⑤ $\frac{5}{3}$

377

함수 $y=f(x)$와 그 역함수 $y=g(x)$의 그래프가 그림과 같을 때,

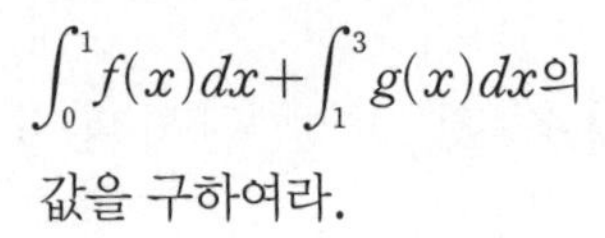

$\int_0^1 f(x)dx+\int_1^3 g(x)dx$의 값을 구하여라.

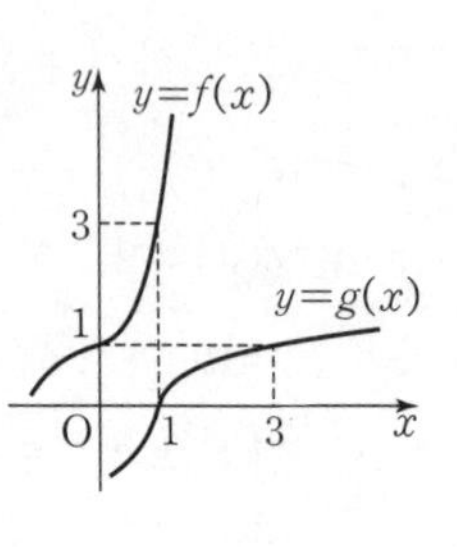

378

다음 그림과 같이 연속함수 $y=f(x)$에 대하여 어두운 두 도형의 넓이 A, B는 각각 25, 5이다.

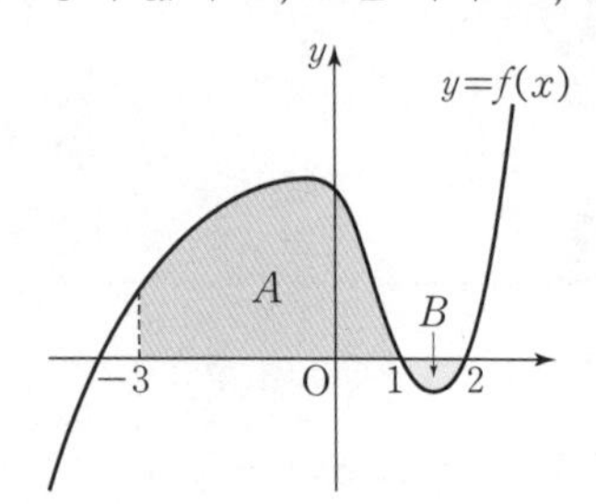

$F(x)=\int_0^x f(t)dt$일 때, $F(2)-F(-3)$의 값을 구하여라.

379

함수 $f(t)$가 등식 $\int_2^x f(t)dt=x^3-kx^2$을 만족시킬 때, 함수 $y=f(x)$의 그래프와 x축으로 둘러싸인 부분의 넓이가 $\frac{a}{b}$이다. 이때, $a-b$의 값은?

(단, a, b는 서로소인 자연수)

① 1　② 2　③ 3

④ 4　⑤ 5

380

지면에 정지해 있던 열기구가 수직 방향으로 출발한 후 t분일 때, 속도 $v(t)$(m/분)를

$$v(t)=\begin{cases} t & (0\le t\le 20) \\ 60-2t & (20\le t\le 40) \end{cases}$$

라고 하자. 출발한 후 $t=35$(분)일 때, 지면으로부터 열기구의 높이를 구하여라. (단, 열기구는 수직 방향으로만 움직이는 것으로 가정한다.)

I. 함수의 극한과 연속 9p

002 (1) 3 (2) -1 (3) 7

004 (1) $-\infty$ (2) ∞

006 (1) ∞ (2) 0

008 (1) 1 (2) 1 (3) 1
(4) 0 (5) 1 (6) 존재하지 않는다.

010 (1) 존재하지 않는다. (2) 존재하지 않는다.
(3) 존재하지 않는다.

012 2　　014 ㄴ　　015 $B<A<C$

016 ①　　017 $B=C<A$　　018 $-\frac{8}{3}$

020 (1) 4 (2) -2 (3) 4 (4) $\frac{1}{6}$

022 (1) 2 (2) 0 (3) ∞ (4) 1

024 (1) ∞ (2) $\frac{1}{2}$

026 (1) -1 (2) $-\frac{\sqrt{2}}{8}$

028 (1) -1 (2) $\frac{1}{2}$

029 (1) -9 (2) 2

030 (1) -5 (2) $\sqrt{3}$

031 (1) ∞ (2) $\frac{1}{2}$

032 (1) 2 (2) $-\frac{1}{4}$

033 (1) $-\frac{1}{2019}$ (2) 2

035 $a=0$, $b=-1$

037 $a=4$, $b=4$

039 $f(x)=3x^2-9x+6$

041 0　　042 -6　　043 $\frac{1}{4}$

044 10　　045 4　　046 12

047 27　　048 ②　　049 16

050 2　　051 8　　052 -2

053 $\frac{2}{3}$　　054 9　　055 ③

056 $-\frac{1}{5}$　　057 ④

059 (1) 불연속 (2) 연속

061 $a=-6$, $b=-5$

063 ㄴ, ㄹ

065 (1) 최댓값: 3, 최솟값: 0
(2) 최댓값: 3, 최솟값은 없다.

067 풀이 참조

069 $0<a<3$

070 ④　　071 ②　　072 -4

073 36　　074 ④　　075 ⑤

076 0　　077 1　　078 8

079 4개　　080 ④　　081 $\frac{1}{4}$

082 21　　083 ⑤　　084 ①

II. 미분 49p

086 (1) -1 (2) 2

088 (1) 3 (2) 3

090 3　092 6

094 (1) 10 (2) 0 (3) 10

096 (1) 1 (2) 3 (3) 16 (4) -5　098 풀이 참조

099 3　100 3　101 -2

102 -2　103 $\frac{2}{3}$　104 1

106 (1) $2x-1$ (2) $2x-1$

108 (1) $y'=12x^2-12x+3$ (2) $y'=6x^2-22x+17$
(3) $y'=3x^2+12x+11$ (4) $y'=10(2x-3)^4$

110 12　112 $a=0$, $b=1$　114 15

116 $a=1$, $b=3$

118 (1) $-10x-9$ (2) $a=5$, $b=4$　119 55

120 $a=-2$, $b=3$　121 4

122 5　123 -8　124 $-\frac{5}{16}$

125 1　126 $\frac{\sqrt{3}}{3}$　127 12

128 $\frac{1}{2}$　129 -3　130 $4\sqrt{2}$

131 5　132 0　133 6

134 ③　135 ④　136 5

137 54　138 -4　139 5

141 $y=-\frac{1}{2}x+2$

143 (1) $y=-6x$, $y=-6x+4$
(2) $y=3x-14$, $y=3x+18$

145 $y=3x-3$, $y=-x-3$

147 $a=3$, $b=7$

149 (1) 3 (2) $a=7$, $b=5$, $c=-2$

150 3　151 6　152 -2

153 $(2, 10)$　154 22　155 -1

157 (1) 3 (2) 0

159 (1) $\frac{1}{2}$ (2) $\frac{2\sqrt{3}}{3}$

160 3　161 ㄱ, ㄷ

162 $\frac{\sqrt{21}}{3}$　163 $\sqrt{3}$

165 (1) 구간 $(-\infty, -1]$, $[1, \infty)$에서 증가,
구간 $[-1, 1]$에서 감소
(2) 구간 $[-2, 1]$에서 증가,
구간 $(-\infty, -2]$, $[1, \infty)$에서 감소

167 $1\le a\le 2$

169 $a\le 0$

171 극댓값: 3, 극솟값: -1

173 $a=0$, $b=-3$

175 $a=-4$, $b=2$

177 (1) 극댓값: 4, 극솟값: 0

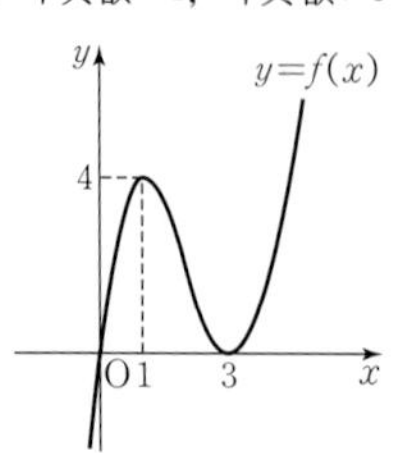

(2) 극댓값: 1, 극솟값: -7

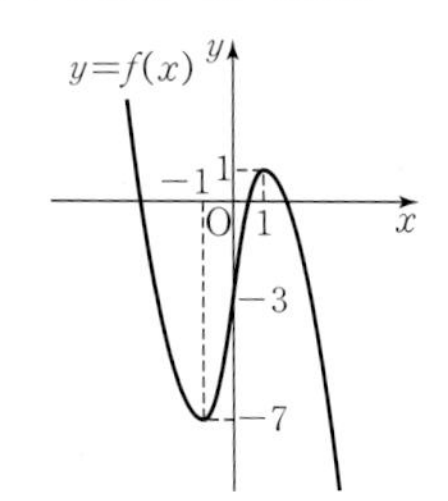

179 (1) 극댓값: 4, 극솟값: 3

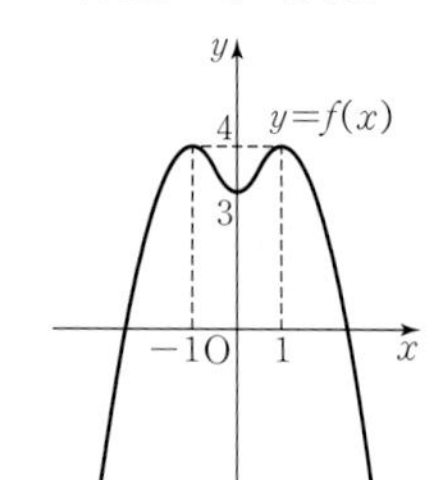

(2) 극댓값: 없다., 극솟값: -23

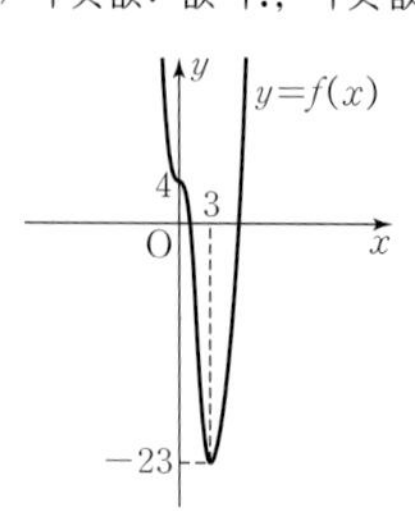

181 ④

183 (1) $a<1$ 또는 $a>2$ (2) $1\le a\le 2$

185 (1) $a<-2$ 또는 $-2<a<\frac{1}{4}$
(2) $a=-2$ 또는 $a\ge\frac{1}{4}$

186 0　187 7　188 4

189 -1　190 25　191 18

193 (1) 최댓값: 7, 최솟값: -20
(2) 최댓값: 15, 최솟값: -2

195 8 197 $a=2$, $b=10$

199 $x=1$, 부피: 16 200 40

201 2 202 1 203 70

204 8 205 ③

207 (1) 2 (2) 2 (3) 4

209 (1) $-6<a<2$ (2) $a=-6$ 또는 $a=2$
(3) $a<-6$ 또는 $a>2$

211 (1) $-5<a<0$ (2) $a=-5$ (3) $a>27$

213 (1) $a>3$ (2) $a\geq 4$

214 31 215 19 216 $0<m<4$

217 16 218 135

220 (1) -12 (2) 속도: -21, 가속도: -4 (3) 10

222 (1) 속도: 20 m/초, 가속도: -10 m/초^2
(2) 걸린 시간: 4초, 높이: 125 m
(3) -50 m/초

224 (1) 120 m/분 (2) 48 m/분

225 24 226 180 m 227 23

228 -3 229 20 m/초 230 -3

231 $y=-x+\frac{3}{4}$ 232 -4

233 ⑤ 234 ③ 235 4

236 5 237 ② 238 $1<k<8$

239 $a=3$, $b=9$

240 $k\geq \frac{4}{3}$ 241 $a<0$ 또는 $0<a<1$ 또는 $a>4$

242 $-\frac{28}{3}$ 243 6 244 ②

245 ⑤ 246 ③

III. 적분 125p

248 (1) $f(x)=2x+3$ (2) $f(x)=3x^2+4x-4$

250 (1) $-x+C$ (2) x^5+C (3) x^6+C

252 (1) $-2x+C$ (2) $\frac{1}{11}x^{11}+C$ (3) $2x^4+C$

254 (1) x^3-x^2+x+C (2) $2x^3-3x^2+C$
(3) $\frac{1}{4}x^4+2x^3+6x^2+8x+C$

256 (1) $\frac{1}{4}t^4+t+C$ (2) $\frac{1}{2}y^2+2y+C$
(3) $4x^2+C$

258 $a=4$, $b=2$, $c=3$

260 $f(x)=2x^3-x^2+5x-4$

262 $f(x)=\frac{1}{2}x^2-x+\frac{1}{2}$

263 5 264 2 265 -6

266 $f(x)=x^2+8x+1$

267 5 268 7 269 ③

270 8 271 1

272 $f(x)=-2x+1$ 273 ①

275 (1) 19 (2) 22 (3) 6 (4) 6

277 (1) 0 (2) -8

279 (1) 4 (2) $-\frac{4}{3}$ (3) $\frac{16}{3}$

281 7 283 (1) 10 (2) $\frac{8}{3}$

284 (1) 12 (2) 16 (3) -2 (4) 34

285 $\frac{15}{4}$ 286 $\frac{3}{2}$ 287 $\frac{25}{6}$

288 11 290 (1) 24 (2) 0

292 18

294 (1) $f(x)=4x^3-\frac{3}{2}x^2$ (2) $f(x)=3x^2-2x+1$

296 (1) $f(x)=3x^2-10$ (2) $f(x)=3x^2+2x+1$

298 -1 300 12

302 극댓값: $\frac{5}{6}$, 극솟값: $\frac{2}{3}$

303 68 304 54 305 64

306 $\frac{1}{3}$ 307 16 308 4

309 20 310 $\frac{2}{3}$ 311 ⑤

312 $\frac{1}{3}$ 313 ② 314 ④

315 ① 316 2 317 ⑤

318 ② 319 0 320 ⑤

321 $\frac{4}{3}$　322 18　323 ②

324 ⑤　325 $\frac{27}{4}$

327 $\frac{37}{12}$　329 $\frac{64}{3}$　331 $\frac{37}{12}$

333 $\frac{9}{2}$　335 (1) 9　(2) 9　(3) 9

337 1　338 $\frac{4}{3}$　339 $\frac{1}{2}$

340 9　341 16　342 -3

343 12　345 4　347 $\frac{27}{4}$

349 $\frac{1}{6}$　350 2　351 $\frac{6}{5}$

352 $\frac{2}{3}$　353 $\frac{27}{4}$　354 $\frac{1}{6}$

356 (1) 0　(2) $\frac{8}{3}$　(3) 40

358 (1) 75 m　(2) 95 m　(3) 65 m

360 (1) 3　(2) 4　(3) 2

361 $\frac{20}{3}$　362 1　363 100 m

364 $\frac{3}{2}$　365 8　366 ⑤

367 1　368 ③　369 2

370 $\frac{1}{3}$　371 ③　372 $\frac{8}{3}(\sqrt{2}-1)$

373 3　374 ③　375 -2

376 ④　377 3　378 20

379 ⑤　380 275 m

풍산자

수학 Ⅱ

정답과 풀이

지학사

풍산자

수학 Ⅱ

정답과 풀이

I 함수의 극한과 연속

1 함수의 극한

002

(1) $f(x)=x^2-2x$로 놓으면 함수 $y=f(x)$의 그래프는 그림과 같다.

x의 값이 3에 한없이 가까워질 때, $f(x)$의 값은 3에 한없이 가까워지므로

$\lim\limits_{x\to3}(x^2-2x)=3$

(2) $f(x)=\dfrac{x^2+3x+2}{x+2}$로 놓으면

$x\neq-2$일 때,

$f(x)=\dfrac{(x+1)(x+2)}{x+2}=x+1$

따라서 함수 $y=f(x)$의 그래프는 그림과 같다.

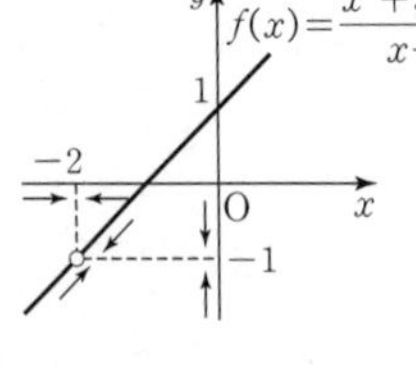

x의 값이 -2에 한없이 가까워질 때, $f(x)$의 값은 -1에 한없이 가까워지므로

$\lim\limits_{x\to-2}\dfrac{x^2+3x+2}{x+2}=-1$

(3) $f(x)=7$로 놓으면 함수 $y=f(x)$의 그래프는 그림과 같다.

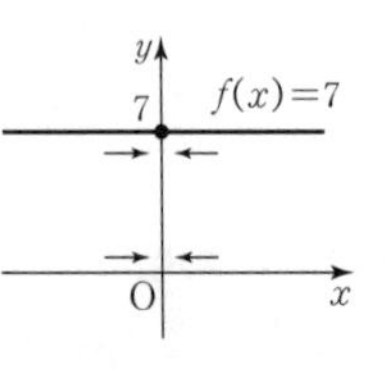

모든 x의 값에 대하여 함숫값 $f(x)$가 항상 7이므로

$\lim\limits_{x\to0}7=7$

답 (1) 3 (2) -1 (3) 7

004

(1) $f(x)=-\dfrac{3}{x^2}$으로 놓으면 그래프에서 x의 값이 0에 한없이 가까워질 때, $f(x)$의 값은 음수이면서 그 절댓값이 한없이 커지므로

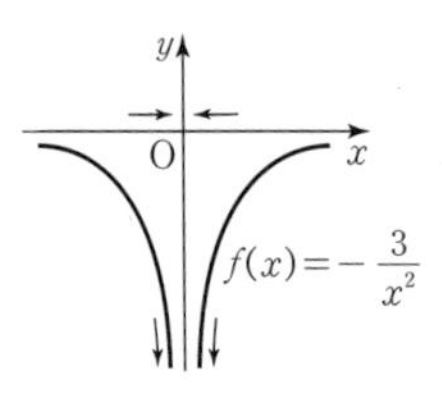

$\lim\limits_{x\to0}\left(-\dfrac{3}{x^2}\right)=-\infty$

(2) $f(x)=\dfrac{5}{|x|}$로 놓으면 그래프에서 x의 값이 0에 한없이 가까워질 때, $f(x)$의 값은 양수이면서 그 절댓값이 한없이 커지므로

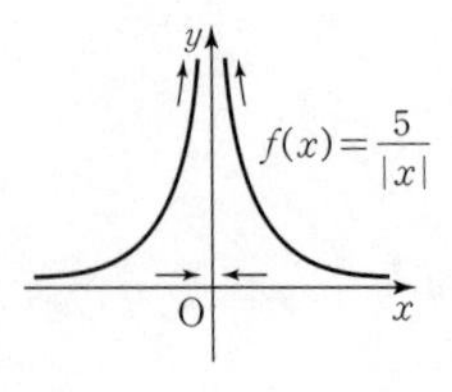

$\lim\limits_{x\to0}\dfrac{5}{|x|}=\infty$

답 (1) $-\infty$ (2) ∞

006

(1) $f(x)=2x-5$로 놓으면 그래프에서 x의 값이 양수이면서 그 절댓값이 한없이 커질 때, $f(x)$의 값이 한없이 커지므로

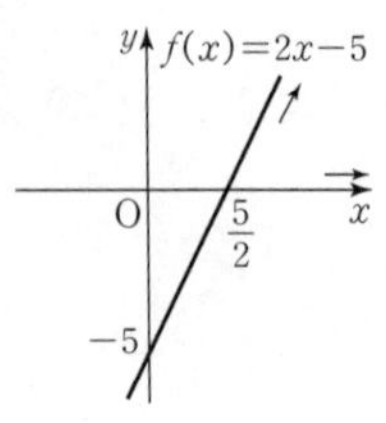

$\lim\limits_{x\to\infty}(2x-5)=\infty$

(2) $f(x)=\dfrac{1}{x-1}$로 놓으면 그래프에서 x의 값이 음수이면서 그 절댓값이 한없이 커질 때, $f(x)$의 값은 0에 한없이 가까워지므로

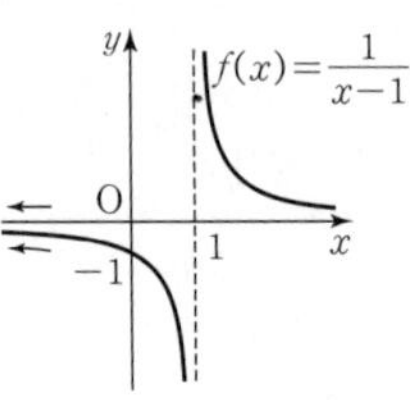

$\lim\limits_{x\to-\infty}\dfrac{1}{x-1}=0$

답 (1) ∞ (2) 0

008

(1) $\lim\limits_{x\to0-}f(x)=1$

(2) $\lim\limits_{x\to0+}f(x)=1$

(3) $\lim\limits_{x\to0}f(x)=1$

(4) $\lim\limits_{x\to1-}f(x)=0$

(5) $\lim\limits_{x\to1+}f(x)=1$

(6) $\lim\limits_{x\to1+}f(x)\neq\lim\limits_{x\to1-}f(x)$이므로 $\lim\limits_{x\to1}f(x)$의 값은 존재하지 않는다.

답 (1) 1 (2) 1 (3) 1 (4) 0 (5) 1 (6) 존재하지 않는다.

010

(1) 함수 $y=\dfrac{1}{x}$의 그래프는 그림과 같으므로

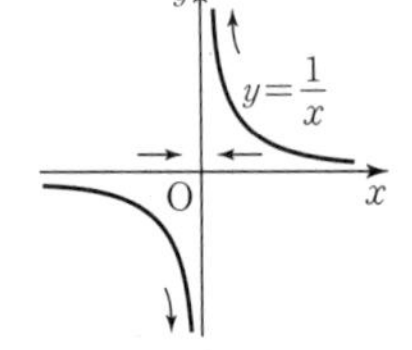

$\lim\limits_{x\to0-}\dfrac{1}{x}=-\infty$,

$\lim\limits_{x\to0+}\dfrac{1}{x}=\infty$

따라서 좌극한과 우극한이 다르므로 주어진 극한은 존재하지 않는다.

(2) 함수 $y=\frac{|x|}{x}$의 그래프는 그림과 같고, $x \to 0-$일 때, $x<0$이므로

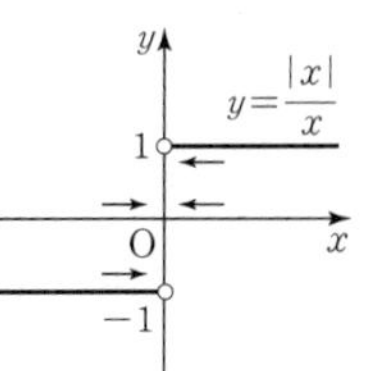

$\frac{|x|}{x}=\frac{-x}{x}=-1$

$x \to 0+$일 때,

$x>0$이므로 $\frac{|x|}{x}=\frac{x}{x}=1$

따라서 좌극한과 우극한이 다르므로 주어진 극한은 존재하지 않는다.

(3) 함수 $y=[x]$의 그래프는 그림과 같으므로

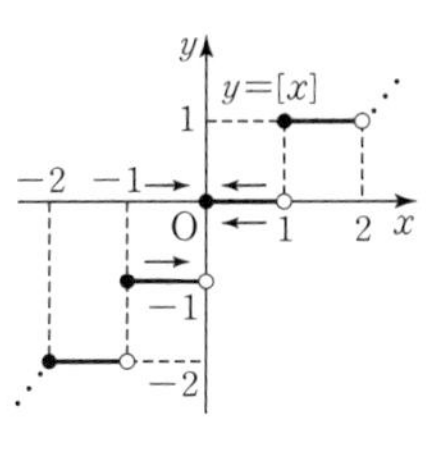

$\lim_{x\to 0-}[x]=-1$

$\lim_{x\to 0+}[x]=0$

따라서 좌극한과 우극한이 다르므로 주어진 극한은 존재하지 않는다.

답 (1) 존재하지 않는다.
(2) 존재하지 않는다.
(3) 존재하지 않는다.

012

$2f(x)+g(x)=h(x)$로 놓으면 $\lim_{x\to 3}h(x)=10$이고,

$f(x)=\frac{h(x)-g(x)}{2}$이므로

$$\lim_{x\to 3}f(x)=\lim_{x\to 3}\frac{h(x)-g(x)}{2}=\frac{\lim_{x\to 3}h(x)-\lim_{x\to 3}g(x)}{2}$$

$$=\frac{10-2}{2}=4$$

$$\therefore \lim_{x\to 3}\frac{f(x)}{g(x)}=\frac{4}{2}=2$$

답 2

› 다른 풀이

함수 $f(x)$가 수렴한다는 조건은 없지만 $\lim_{x\to 3}g(x)$, $\lim_{x\to 3}\frac{f(x)}{g(x)}$가 수렴하면 $\lim_{x\to 3}f(x)$도 수렴하므로 극한의 기본 성질을 이용하여 풀 수도 있다.

$$\lim_{x\to 3}\{2f(x)+g(x)\}=2\lim_{x\to 3}f(x)+\lim_{x\to 3}g(x)$$
$$=2\lim_{x\to 3}f(x)+2$$
$$=10$$

$\therefore \lim_{x\to 3}f(x)=4$ $\quad\therefore \lim_{x\to 3}\frac{f(x)}{g(x)}=\frac{4}{2}=2$

014

ㄱ. (반례) $f(x)=0$, $g(x)=\begin{cases} 1 & (x\ge 0) \\ -1 & (x<0)\end{cases}$이면

$\frac{f(x)}{g(x)}=0$이므로 $\lim_{x\to 0}f(x)=0$, $\lim_{x\to 0}\frac{f(x)}{g(x)}=0$

이지만 $\lim_{x\to 0}g(x)$의 값은 존재하지 않는다. (거짓)

ㄴ. $\lim_{x\to a}g(x)=p$, $\lim_{x\to a}\frac{f(x)}{g(x)}=q$라 하면

$\lim_{x\to a}f(x)=\lim_{x\to a}g(x)\cdot\frac{f(x)}{g(x)}=pq$ (참)

ㄷ. (반례) $f(x)=\begin{cases} 1 & (x\ge 0) \\ 0 & (x<0)\end{cases}$, $g(x)=\begin{cases} 0 & (x\ge 0) \\ 1 & (x<0)\end{cases}$일 때, $f(x)g(x)=0$이므로 $\lim_{x\to 0}f(x)g(x)=0$이지만 $\lim_{x\to 0}f(x)$, $\lim_{x\to 0}g(x)$의 값은 존재하지 않는다.

(거짓)

따라서 보기 중 옳은 것은 ㄴ이다.

답 ㄴ

015

$A=\lim_{x\to 1}\frac{x^2-4}{x-2}=\lim_{x\to 1}(x+2)=3$

$B=\lim_{x\to 2}(\sqrt{x^2+5}-x)=\sqrt{2^2+5}-2=1$

$C=\lim_{x\to 9}\frac{x-1}{\sqrt{x}-1}=\frac{9-1}{\sqrt{9}-1}=4$

$\therefore B<A<C$

답 $B<A<C$

016

① $\lim_{x\to 1-}f(x)=\lim_{x\to 1+}f(x)=a$이므로

$\lim_{x\to 1}f(x)=a$

② $\lim_{x\to 1}f(x)=\infty$이므로 $\lim_{x\to 1}f(x)$는 존재하지 않는다.

③ $\lim_{x\to 1-}f(x)=0$, $\lim_{x\to 1+}f(x)=a$이므로

$\lim_{x\to 1}f(x)$는 존재하지 않는다.

④ $\lim_{x\to 1-}f(x)=b$, $\lim_{x\to 1+}f(x)=a$이므로

$\lim_{x\to 1}f(x)$는 존재하지 않는다.

⑤ $\lim_{x\to 1-}f(x)=-\infty$, $\lim_{x\to 1+}f(x)=\infty$이므로

$\lim_{x\to 1}f(x)$는 존재하지 않는다.

따라서 $\lim_{x\to 1}f(x)$가 존재하는 것은 ①이다.

답 ①

017

[1단계] A의 값을 구한다.

$x \to 1+$ ➡ 오른쪽에서 1로 접근 ➡ $x>1$

$\therefore \lim_{x\to1+}\frac{|x-1|}{x-1}=\lim_{x\to1+}\frac{x-1}{x-1}=1$

[2단계] B의 값을 구한다.

$x \to 1-$ ➡ 왼쪽에서 1로 접근 ➡ $x<1$

$\therefore \lim_{x\to1-}\frac{|x-1|}{x-1}=\lim_{x\to1-}\frac{-(x-1)}{x-1}=-1$

[3단계] C의 값을 구한다.

$x=-1$에서 극한은 $x=-1$ 근처만 중요하다.

x^2+3x에 $x=-1$을 대입하면 -2로 음수

➡ $x=-1$ 근처에서 x^2+3x는 음수

$$\therefore \lim_{x\to-1}\frac{|x^2+3x|-2}{x+1}=\lim_{x\to-1}\frac{-(x^2+3x)-2}{x+1}=\lim_{x\to-1}\frac{-(x+1)(x+2)}{x+1}=\lim_{x\to-1}\{-(x+2)\}=-1$$

$\therefore B=C<A$

답 $B=C<A$

018

$\lim_{x\to10}f(x)=3$, $\lim_{x\to10}g(x)=a$이므로

$\lim_{x\to10}\frac{f(x)+3g(x)}{f(x)g(x)-2}=\frac{3+3a}{3a-2}=\frac{1}{2}$

$6+6a=3a-2$, $3a=-8$

$\therefore a=-\frac{8}{3}$

답 $-\frac{8}{3}$

020

(1) $(주어진\ 식)=\lim_{x\to2}\frac{(x+2)(x-2)}{x-2}=\lim_{x\to2}(x+2)=4$

(2) $(주어진\ 식)=\lim_{x\to1}\frac{(x-1)(x+1)}{(x-1)(x^2-2)}=\lim_{x\to1}\frac{x+1}{x^2-2}=-2$

(3) $(주어진\ 식)=\lim_{x\to4}\frac{(x-4)(\sqrt{x}+2)}{(\sqrt{x}-2)(\sqrt{x}+2)}=\lim_{x\to4}\frac{(x-4)(\sqrt{x}+2)}{x-4}=\lim_{x\to4}(\sqrt{x}+2)=4$

(4) (주어진 식)

$$=\lim_{x\to2}\frac{(\sqrt{x+7}-3)(\sqrt{x+7}+3)}{(x-2)(\sqrt{x+7}+3)}=\lim_{x\to2}\frac{x-2}{(x-2)(\sqrt{x+7}+3)}=\lim_{x\to2}\frac{1}{\sqrt{x+7}+3}=\frac{1}{6}$$

답 (1) 4 (2) -2 (3) 4 (4) $\frac{1}{6}$

022

(1) 분모, 분자를 x^3으로 나누면

$(주어진\ 식)=\lim_{x\to\infty}\frac{6+\frac{2}{x^2}}{3-\frac{4}{x}+\frac{5}{x^2}}=2$

(2) 분모, 분자를 x^2으로 나누면

$(주어진\ 식)=\lim_{x\to\infty}\frac{\frac{3}{x}-\frac{5}{x^2}}{4-\frac{2}{x}+\frac{1}{x^2}}=0$

(3) 분모, 분자를 x^2으로 나누면

$(주어진\ 식)=\lim_{x\to\infty}\frac{2x-\frac{5}{x}+\frac{3}{x^2}}{1+\frac{1}{x^2}}=\infty$

(4) 분모, 분자를 x로 나누면

$(주어진\ 식)=\lim_{x\to\infty}\frac{\sqrt{1+\frac{3}{x^2}}-\frac{3}{x}}{1+\frac{1}{x}}=1$

답 (1) 2 (2) 0 (3) ∞ (4) 1

> 다른 풀이

(1) (분모의 차수)=(분자의 차수)이므로

$\frac{(분자의\ 최고차항의\ 계수)}{(분모의\ 최고차항의\ 계수)}=\frac{6}{3}=2$

(2) (분모의 차수)>(분자의 차수)이므로 0

(3) (분모의차수)<(분자의 차수)이고

$\frac{(분자의\ 최고차항의\ 계수)}{(분모의\ 최고차항의\ 계수)}$가 양수이므로 ∞

(4) (분모의 차수)=(분자의 차수)이므로

$\frac{(분자의\ 최고차항의\ 계수)}{(분모의\ 최고차항의\ 계수)}=\frac{1}{1}=1$

024

(1) $(주어진\ 식)=\lim_{x\to\infty}x^4\left(1-\frac{3}{x^3}-\frac{2}{x^4}\right)$

$=\infty\cdot1=\infty$

(2) (주어진 식)

$$=\lim_{x\to\infty}\frac{(\sqrt{x^2+x}-x)(\sqrt{x^2+x}+x)}{\sqrt{x^2+x}+x}$$

$$=\lim_{x\to\infty}\frac{x}{\sqrt{x^2+x}+x}$$

$$=\lim_{x\to\infty}\frac{1}{\sqrt{1+\frac{1}{x}}+1}=\frac{1}{2}$$

답 (1) ∞ (2) $\frac{1}{2}$

026

(1) (주어진 식) $=\lim_{x\to0}\left(\frac{1}{x}\cdot\frac{-x}{x+1}\right)$

$$=\lim_{x\to0}\left(-\frac{1}{x+1}\right)=-1$$

(2) (주어진 식)

$$=\lim_{x\to0}\left(\frac{1}{x}\cdot\frac{\sqrt{2}-\sqrt{x+2}}{\sqrt{2}\sqrt{x+2}}\right)$$

$$=\lim_{x\to0}\frac{(\sqrt{2}-\sqrt{x+2})(\sqrt{2}+\sqrt{x+2})}{\sqrt{2}x\sqrt{x+2}(\sqrt{2}+\sqrt{x+2})}$$

$$=\lim_{x\to0}\frac{-x}{\sqrt{2}x\sqrt{x+2}(\sqrt{2}+\sqrt{x+2})}$$

$$=\lim_{x\to0}\frac{-1}{\sqrt{2}\sqrt{x+2}(\sqrt{2}+\sqrt{x+2})}$$

$$=-\frac{1}{4\sqrt{2}}=-\frac{\sqrt{2}}{8}$$

답 (1) -1 (2) $-\frac{\sqrt{2}}{8}$

028

(1) $x=-t$로 놓으면 $x\to-\infty$일 때, $t\to\infty$이므로

(주어진 식) $=\lim_{t\to\infty}\frac{-t}{\sqrt{t^2+1}+1}$

$$=\lim_{t\to\infty}\frac{-1}{\sqrt{1+\frac{1}{t^2}}+\frac{1}{t}}=-1$$

(2) $x=-t$로 놓으면 $x\to-\infty$일 때, $t\to\infty$이므로

(주어진 식) $=\lim_{t\to\infty}(\sqrt{t^2+t}-t)$

$$=\lim_{t\to\infty}\frac{(\sqrt{t^2+t}-t)(\sqrt{t^2+t}+t)}{\sqrt{t^2+t}+t}$$

$$=\lim_{t\to\infty}\frac{t}{\sqrt{t^2+t}+t}$$

$$=\lim_{t\to\infty}\frac{1}{\sqrt{1+\frac{1}{t}}+1}=\frac{1}{2}$$

답 (1) -1 (2) $\frac{1}{2}$

029

(1) $\lim_{x\to-2}\frac{x^3-3x+2}{x^2+3x+2}=\lim_{x\to-2}\frac{(x+2)(x-1)^2}{(x+2)(x+1)}$

$$=\lim_{x\to-2}\frac{(x-1)^2}{x+1}$$

$$=\frac{(-2-1)^2}{-2+1}=-9$$

(2) $\lim_{x\to2}\frac{\sqrt{x^2-3}-1}{x-2}$

$$=\lim_{x\to2}\frac{(x^2-3)-1}{(x-2)(\sqrt{x^2-3}+1)}$$

$$=\lim_{x\to2}\frac{(x-2)(x+2)}{(x-2)(\sqrt{x^2-3}+1)}$$

$$=\lim_{x\to2}\frac{x+2}{\sqrt{x^2-3}+1}=\frac{2+2}{\sqrt{4-3}+1}=2$$

답 (1) -9 (2) 2

030

(1) 분자, 분모의 차수가 같다.

➡ 최고차항의 계수만 관찰하면 된다.

$\lim_{x\to\infty}\frac{(-5x-1)(6x-1)}{(2x+1)(3x+1)}$에서 $\frac{-5\times6}{2\times3}=-5$

(2) $\frac{\infty}{\infty}$꼴 ➡ 분모의 최고차항인 $\sqrt{x^2}$, 즉 x로 분자, 분모를 나눈다.

(주어진 식) $=\lim_{x\to\infty}\frac{3+\frac{1}{x}}{\sqrt{3+\frac{1}{x}+\frac{1}{x^2}}-\frac{1}{x}}$

$$=\frac{3+0}{\sqrt{3+0+0}-0}=\sqrt{3}$$

답 (1) -5 (2) $\sqrt{3}$

031

(1) $\lim_{x\to\infty}(2x^6+3x^3-4)=\lim_{x\to\infty}x^6\left(2+\frac{3}{x^3}-\frac{4}{x^6}\right)$

$$=\infty\cdot2=\infty$$

(2) $\lim_{x\to\infty}\sqrt{x}(\sqrt{x+1}-\sqrt{x})$

$$=\lim_{x\to\infty}\frac{\sqrt{x}(\sqrt{x+1}-\sqrt{x})(\sqrt{x+1}+\sqrt{x})}{\sqrt{x+1}+\sqrt{x}}$$

$$=\lim_{x\to\infty}\frac{\sqrt{x}}{\sqrt{x+1}+\sqrt{x}}=\lim_{x\to\infty}\frac{1}{\sqrt{1+\frac{1}{x}}+1}$$

$$=\frac{1}{1+1}=\frac{1}{2}$$

답 (1) ∞ (2) $\frac{1}{2}$

032

(1) $\lim_{x\to-4}\frac{1}{x+4}\left\{\frac{1}{(x+3)^2}-1\right\}$

$=\lim_{x\to-4}\frac{1}{x+4}\cdot\frac{1-(x+3)^2}{(x+3)^2}$

$=\lim_{x\to-4}\frac{1}{x+4}\cdot\frac{-x^2-6x-8}{(x+3)^2}$

$=\lim_{x\to-4}\frac{1}{x+4}\cdot\frac{-(x+2)(x+4)}{(x+3)^2}$

$=\lim_{x\to-4}\frac{-(x+2)}{(x+3)^2}=\frac{-(-4+2)}{(-4+3)^2}=2$

(2) $\lim_{x\to0}\frac{4}{x}\left(\frac{1}{\sqrt{x+4}}-\frac{1}{2}\right)$

$=\lim_{x\to0}\frac{4}{x}\cdot\frac{2-\sqrt{x+4}}{2\sqrt{x+4}}$

$=\lim_{x\to0}\frac{4}{x}\cdot\frac{(2-\sqrt{x+4})(2+\sqrt{x+4})}{2\sqrt{x+4}\cdot(2+\sqrt{x+4})}$

$=\lim_{x\to0}\frac{4}{x}\cdot\frac{-x}{2\sqrt{x+4}\cdot(2+\sqrt{x+4})}$

$=\lim_{x\to0}\frac{-2}{\sqrt{x+4}\cdot(2+\sqrt{x+4})}$

$=\frac{-2}{\sqrt{4}\cdot(2+\sqrt{4})}=-\frac{1}{4}$

답 (1) 2 (2) $-\frac{1}{4}$

033

(1) $x=-t$로 치환하면 $t\to\infty$

$\therefore$ (주어진 식)$=\lim_{t\to\infty}\frac{\sqrt{t^2+2019}-2019}{-2019t+2019}$ ⬅ $\frac{\infty}{\infty}$ 꼴

$=\lim_{t\to\infty}\frac{\sqrt{1+\frac{2019}{t^2}}-\frac{2019}{t}}{-2019+\frac{2019}{t}}$

$=\frac{\sqrt{1+0}-0}{-2019+0}$

$=-\frac{1}{2019}$

(2) $x=-t$로 치환하면 $t\to\infty$

$\therefore$ (주어진 식)

$=\lim_{t\to\infty}(\sqrt{t^2+2t}-\sqrt{t^2-2t})$ ⬅ $\infty-\infty$꼴

$=\lim_{t\to\infty}\frac{\sqrt{t^2+2t}-\sqrt{t^2-2t}}{1}$

$=\lim_{t\to\infty}\frac{(\sqrt{t^2+2t}-\sqrt{t^2-2t})(\sqrt{t^2+2t}+\sqrt{t^2-2t})}{\sqrt{t^2+2t}+\sqrt{t^2-2t}}$

$=\lim_{t\to\infty}\frac{4t}{\sqrt{t^2+2t}+\sqrt{t^2-2t}}$ ⬅ $\frac{\infty}{\infty}$ 꼴

$=\lim_{t\to\infty}\frac{4}{\sqrt{1+\frac{2}{t}}+\sqrt{1-\frac{2}{t}}}=\frac{4}{2}=2$

답 (1) $-\frac{1}{2019}$ (2) 2

035

$\lim_{x\to1}(x-1)=0$이므로

$\lim_{x\to1}(x^2+ax+b)=0$

$1+a+b=0$

$\therefore b=-a-1$

$\therefore$ (주어진 식)$=\lim_{x\to1}\frac{x^2+ax-a-1}{x-1}$

$=\lim_{x\to1}\frac{(x-1)(x+1+a)}{x-1}$

$=\lim_{x\to1}(x+1+a)$

$=2+a=2$

$\therefore a=0,\ b=-1$

답 $a=0,\ b=-1$

037

$\lim_{x\to1}(x-1)=0$이므로 $\lim_{x\to1}(a\sqrt{x}-b)=0$

$a-b=0$

$\therefore b=a$

$\therefore$ (주어진 식)$=\lim_{x\to1}\frac{x-1}{a\sqrt{x}-a}$

$=\lim_{x\to1}\frac{(x-1)(\sqrt{x}+1)}{a(\sqrt{x}-1)(\sqrt{x}+1)}$

$=\lim_{x\to1}\frac{(x-1)(\sqrt{x}+1)}{a(x-1)}$

$=\lim_{x\to1}\frac{\sqrt{x}+1}{a}$

$=\frac{2}{a}=\frac{1}{2}$

$\therefore a=4,\ b=4$

답 $a=4,\ b=4$

039

[1단계] $\lim_{x\to\infty}\frac{f(x)}{3x^2-x+1}=1$이려면 $f(x)$는

이차항의 계수가 3인 이차식이어야 하므로

$f(x)=3x^2+bx+c$로 놓을 수 있다. (b, c는 상수)

[2단계] $\lim_{x\to2}\frac{f(x)}{x-2}=3$에서 $x\to2$일 때, (분모) $\to$ 0이므로 (분자) $\to$ 0이어야 한다.

즉, $\lim_{x\to 2}(3x^2+bx+c)=0$이어야 하므로

$12+2b+c=0$

$\therefore c=-2b-12$

$$\therefore \lim_{x\to 2}\frac{f(x)}{x-2}=\lim_{x\to 2}\frac{3x^2+bx-2b-12}{x-2}$$
$$=\lim_{x\to 2}\frac{(x-2)(3x+6+b)}{x-2}$$
$$=\lim_{x\to 2}(3x+6+b)$$
$$=12+b=3$$

$\therefore b=-9,\ c=6$

$\therefore f(x)=3x^2-9x+6$

답 $f(x)=3x^2-9x+6$

041

$\frac{x-1}{2x^2+1}<f(x)<\frac{x+1}{2x^2+1}$에서

$\lim_{x\to\infty}\frac{x-1}{2x^2+1}=\lim_{x\to\infty}\frac{x+1}{2x^2+1}=0$이므로

함수의 극한의 대소 관계에 의하여

$\lim_{x\to\infty}f(x)=0$

답 0

042

[1단계] 주어진 극한이 0이 아닌 값에 수렴하고, $x \to 2$일 때 (분자) $\to$ 0이므로 (분모) $\to$ 0이어야 한다.

$\lim_{x\to 2}(x^2-b)=0$에서 $4-b=0$

$b=4$ …… ㉠

[2단계] ㉠을 주어진 식에 대입하면

$$\lim_{x\to 2}\frac{x^2-(a+2)x+2a}{x^2-4}$$
$$=\lim_{x\to 2}\frac{(x-2)(x-a)}{(x-2)(x+2)}$$
$$=\lim_{x\to 2}\frac{x-a}{x+2}=\frac{2-a}{4}=3$$

$2-a=12\qquad \therefore a=-10$

$\therefore a+b=-6$

답 -6

043

[1단계] 주어진 극한이 수렴하고, $x \to 1$일 때 (분모) $\to$ 0이므로 (분자) $\to$ 0이어야 한다.

$\lim_{x\to 1}(\sqrt{2x+a}-\sqrt{x+3})=0$에서

$\sqrt{2+a}-2=0$

$\therefore a=2$ …… ㉠

[2단계] ㉠을 주어진 식에 대입하면

$$b=\lim_{x\to 1}\frac{\sqrt{2x+2}-\sqrt{x+3}}{x^2-1}$$
$$=\lim_{x\to 1}\frac{(\sqrt{2x+2}-\sqrt{x+3})(\sqrt{2x+2}+\sqrt{x+3})}{(x^2-1)(\sqrt{2x+2}+\sqrt{x+3})}$$
$$=\lim_{x\to 1}\frac{x-1}{(x-1)(x+1)(\sqrt{2x+2}+\sqrt{x+3})}$$
$$=\lim_{x\to 1}\frac{1}{(x+1)(\sqrt{2x+2}+\sqrt{x+3})}$$
$$=\frac{1}{2(\sqrt{4}+\sqrt{4})}=\frac{1}{8}$$

$\therefore ab=2\cdot\frac{1}{8}=\frac{1}{4}$

답 $\frac{1}{4}$

044

[1단계] 주어진 극한은 $\frac{\infty}{\infty}$ 꼴이고, 0이 아닌 값에 수렴하므로 분자, 분모의 차수가 같아야 한다.

$a=0$

[2단계] 분자, 분모의 차수가 같으므로 극한값은

$\frac{(\text{분자의 최고차항의 계수})}{(\text{분모의 최고차항의 계수})}$이다.

$\lim_{x\to\infty}\frac{bx^2+2x+3}{2x^2-3x+4}$에서 $\frac{b}{2}=5\qquad \therefore b=10$

$\therefore a+b=10$

답 10

045

[1단계] 주어진 극한이 수렴하고, $x \to 1$일 때 (분모) $\to$ 0이므로 (분자) $\to$ 0이어야 한다.

$\lim_{x\to 1}(x^2+ax+b)=0$에서 $1+a+b=0$

$\therefore b=-(a+1)$ …… ㉠

[2단계] ㉠을 주어진 식에 대입하면

$$\lim_{x\to 1}\frac{f(x)}{x-1}=\lim_{x\to 1}\frac{x^2+ax-(a+1)}{x-1}$$
$$=\lim_{x\to 1}\frac{(x-1)(x+1+a)}{x-1}$$
$$=\lim_{x\to 1}(x+1+a)$$
$$=2+a=3$$

$\therefore a=1,\ b=-2$

[3단계] 따라서 $f(x)=x^2+x-2$이므로

$f(2)=4+2-2=4$

답 4

046

[1단계] $\lim_{x\to\infty}\frac{2x^2-3x+4}{f(x)}=3$이려면 $f(x)$는 이차식이어야 한다. 이때 이차항의 계수를 a라 하면

$\frac{2}{a}=3$에서 $a=\frac{2}{3}$

따라서 $f(x)$는 이차항의 계수가 $\frac{2}{3}$인 이차식이다.

[2단계] $\lim_{x\to 2}\frac{x^2-3x+2}{f(x)}=\frac{1}{2}$에서 $x\to 2$일 때,

(분자) $\to 0$이므로 (분모) $\to 0$이어야 한다.

$\lim_{x\to 2}f(x)=0$에서 $f(2)=0$

따라서 $f(x)=\frac{2}{3}(x-2)(x+k)$로 놓을 수 있다.

[3단계] $\lim_{x\to 2}\frac{x^2-3x+2}{f(x)}$

$=\lim_{x\to 2}\frac{(x-2)(x-1)}{\frac{2}{3}(x-2)(x+k)}$

$=\lim_{x\to 2}\frac{3(x-1)}{2(x+k)}$

$=\frac{3}{2(2+k)}$

$=\frac{1}{2}$

$6=2(2+k)$, $2+k=3$

$\therefore k=1$

따라서 $f(x)=\frac{2}{3}(x-2)(x+1)$이므로

$f(5)=\frac{2}{3}\cdot 3\cdot 6$

$=12$

답 12

047

주어진 부등식의 각 변에 $\lim_{x\to\infty}$를 취하면 등호가 생겨난다.

즉, $\lim_{x\to\infty}\frac{(3x+3)^3}{x^3+3}\le\lim_{x\to\infty}f(x)\le\lim_{x\to\infty}\frac{(3x+33)^3}{x^3+3}$

$\lim_{x\to\infty}\frac{(3x+3)^3}{x^3+3}$에서 $\frac{3^3}{1}=27$

$\lim_{x\to\infty}\frac{(3x+33)^3}{x^3+3}$에서 $\frac{3^3}{1}=27$

$\therefore 27\le\lim_{x\to\infty}f(x)\le 27$

$\therefore \lim_{x\to\infty}f(x)=27$

답 27

048

ㄱ. $x=1$에서 $\lim_{x\to 1-}f(x)=-2$, $\lim_{x\to 1+}f(x)=1$로 좌극한과 우극한이 다르므로 극한값이 존재하지 않는다. (거짓)

ㄴ. $\lim_{x\to 2-}f(x)=1$, $\lim_{x\to 2+}f(x)=1$이므로

$\lim_{x\to 2}f(x)=1$ (거짓)

ㄷ. $-1<a<1$에서는 좌극한과 우극한이 같으므로 극한값이 존재한다. (참)

따라서 보기 중 옳은 것은 ㄷ이다.

답 ②

049

$\lim_{x\to 1}\frac{8(x^4-1)}{(x^2-1)f(x)}=\lim_{x\to 1}\frac{8(x^2-1)(x^2+1)}{(x^2-1)f(x)}$

$=\lim_{x\to 1}\frac{8(x^2+1)}{f(x)}=\frac{8(1^2+1)}{f(1)}=1$

$\therefore f(1)=16$

답 16

050

$\lim_{x\to\infty}\frac{\sqrt{x+\alpha^2}-\sqrt{x+\beta^2}}{\sqrt{4x+\alpha}-\sqrt{4x+\beta}}$

$=\lim_{x\to\infty}\left(\frac{\sqrt{x+\alpha^2}-\sqrt{x+\beta^2}}{\sqrt{4x+\alpha}-\sqrt{4x+\beta}}\times\frac{\sqrt{x+\alpha^2}+\sqrt{x+\beta^2}}{\sqrt{4x+\alpha}+\sqrt{4x+\beta}}\times\frac{\sqrt{4x+\alpha}+\sqrt{4x+\beta}}{\sqrt{x+\alpha^2}+\sqrt{x+\beta^2}}\right)$

$=\lim_{x\to\infty}\frac{(\alpha^2-\beta^2)(\sqrt{4x+\alpha}+\sqrt{4x+\beta})}{(\alpha-\beta)(\sqrt{x+\alpha^2}+\sqrt{x+\beta^2})}$

$=\lim_{x\to\infty}\frac{(\alpha+\beta)\left(\sqrt{4+\frac{\alpha}{x}}+\sqrt{4+\frac{\beta}{x}}\right)}{\sqrt{1+\frac{\alpha^2}{x}}+\sqrt{1+\frac{\beta^2}{x}}}$ $(\because \alpha\ne\beta)$

$=1\cdot\frac{2+2}{1+1}=2$ $(\because \alpha+\beta=1)$

답 2

051

$\lim_{x\to 1}(x-1)(x^2+b)=0$이므로

$\lim_{x\to 1}(\sqrt{x+a}-3)=0$에서 $\sqrt{1+a}=3$

$1+a=9$ $\quad\therefore a=8$

주어진 식에 $a=8$을 대입하면

$$\lim_{x\to1}\frac{(x-1)(x^2+b)}{\sqrt{x+8}-3}$$
$$=\lim_{x\to1}\frac{(x-1)(x^2+b)(\sqrt{x+8}+3)}{(\sqrt{x+8}-3)(\sqrt{x+8}+3)}$$
$$=\lim_{x\to1}\frac{(x-1)(x^2+b)(\sqrt{x+8}+3)}{x-1}$$
$$=\lim_{x\to1}(x^2+b)(\sqrt{x+8}+3)$$
$$=(1+b)(\sqrt{9}+3)=12$$
$(1+b)\cdot6=12$에서 $b=1$

$\therefore ab=8\cdot1=8$

답 8

052

$\lim_{x\to0}x=0$이므로 $\lim_{x\to0}\left(\frac{x^2+1}{x+1}+a\right)=0$

$\frac{1}{1}+a=0 \qquad \therefore a=-1$

$$\therefore (\text{주어진 식})=\lim_{x\to0}\frac{1}{x}\left(\frac{x^2+1}{x+1}-1\right)$$
$$=\lim_{x\to0}\frac{x^2+1-(x+1)}{x(x+1)}$$
$$=\lim_{x\to0}\frac{x(x-1)}{x(x+1)}$$
$$=\lim_{x\to0}\frac{x-1}{x+1}=-1$$

따라서 $b=-1$이므로

$a+b=-1+(-1)=-2$

답 -2

053

[1단계] $\lim_{x\to\infty}\frac{2x^2-2x+1}{f(x)}=1$이려면 $f(x)$는 이차항의 계수가 2인 이차식이어야 하므로

$f(x)=2x^2+ax+b$ (a, b는 상수)

로 놓을 수 있다.

[2단계] $\lim_{x\to\infty}\frac{g(x)}{3x+1}=1$이려면 $g(x)$는 일차항의 계수가 3인 일차식이어야 하므로

$g(x)=3x+c$ (c는 상수)

로 놓을 수 있다.

$$\lim_{x\to\infty}\frac{f(x)}{xg(x)}=\lim_{x\to\infty}\frac{2x^2+ax+b}{3x^2+cx}=\frac{2}{3}$$

답 $\frac{2}{3}$

054

$3x-1\le f(x)\le3x+2$의 각 변을 제곱하면

$(3x-1)^2\le\{f(x)\}^2\le(3x+2)^2$

$x^2+2>0$이므로 각 변을 x^2+2로 나누면

$$\frac{(3x-1)^2}{x^2+2}\le\frac{\{f(x)\}^2}{x^2+2}\le\frac{(3x+2)^2}{x^2+2}$$

이때 $\lim_{x\to\infty}\frac{(3x-1)^2}{x^2+2}=\lim_{x\to\infty}\frac{(3x+2)^2}{x^2+2}=9$이므로

$$\lim_{x\to\infty}\frac{\{f(x)\}^2}{x^2+1}=9$$

답 9

055

① $-1\le x<0$일 때, $[x]=-1$이므로

$\lim_{x\to0-}\frac{x}{[x]}=\lim_{x\to0-}\frac{x}{-1}=0$

② $0\le x<1$일 때, $[x]=0$이므로

$\lim_{x\to0+}\frac{[x]}{x}=\lim_{x\to0+}\frac{0}{x}=0$

③ $-1\le x<0$일 때, $-2\le x-1<-1$이므로

$[x-1]=-2$

$\therefore \lim_{x\to0-}\frac{[x-1]}{x-1}=\lim_{x\to0-}\frac{-2}{x-1}=2$

④ $0\le x<1$일 때, $-1\le x-1<0$이므로

$[x-1]=-1$

$\therefore \lim_{x\to0+}\frac{[x-1]}{x-1}=\lim_{x\to0+}\frac{-1}{x-1}=1$

⑤ $-1\le x<0$일 때, $-3\le x-2<-2$이므로

$[x-2]=-3$

$\therefore \lim_{x\to0-}\frac{x-2}{[x-2]}=\lim_{x\to0-}\frac{x-2}{-3}=\frac{2}{3}$

따라서 극한값이 가장 큰 것은 ③이다.

답 ③

056

[1단계] $\lim_{x\to1}f(x)=\infty$이므로

$$\lim_{x\to1}\frac{1}{f(x)}=0$$

$\lim_{x\to1}\{f(x)-3g(x)\}=1$이므로

$$\lim_{x\to1}\frac{f(x)-3g(x)}{f(x)}=\lim_{x\to1}\left\{1-3\cdot\frac{g(x)}{f(x)}\right\}=0$$

$$\therefore \lim_{x\to1}\frac{g(x)}{f(x)}=\frac{1}{3}$$

[2단계] $\lim_{x\to1}\frac{f(x)-6g(x)}{2f(x)+9g(x)}$

$$=\lim_{x\to1}\frac{1-6\cdot\frac{g(x)}{f(x)}}{2+9\cdot\frac{g(x)}{f(x)}}$$

$$=\frac{1-6\cdot\frac{1}{3}}{2+9\cdot\frac{1}{3}}=-\frac{1}{5}$$

답 $-\frac{1}{5}$

057

ㄱ. $x\to0$일 때, $g(x)\to3-$, 즉 3보다 작은 수에서 3으로 접근하므로 $g(x)=z$로 놓으면 $x\to0$일 때 $z\to3-$이다.

$\therefore \lim_{x\to0}f(g(x))=\lim_{z\to3-}f(z)=3$

ㄴ. $x\to0-$일 때, $f(x)=0$

$x\to0+$일 때, $f(x)=3$

$\lim_{x\to0-}g(f(x))=g(0)=1$

$\lim_{x\to0+}g(f(x))=g(3)=3$

좌극한과 우극한이 다르므로 극한값은 존재하지 않는다.

ㄷ. $x\to3$일 때, $g(x)\to0+$, 즉 0보다 큰 수에서 0으로 접근하므로 $g(x)=z$로 놓으면 $x\to3$일 때 $z\to0+$이다.

$\therefore \lim_{x\to3}f(g(x))=\lim_{z\to0+}f(z)=3$

ㄹ. $x\to3-$일 때, $f(x)=3$

$x\to3+$일 때, $f(x)=5$이므로

$\lim_{x\to3-}g(f(x))=g(3)=3$

$\lim_{x\to3+}g(f(x))=g(5)=3$

좌극한과 우극한이 모두 3이므로

$\lim_{x\to3}g(f(x))=3$

따라서 극한값이 존재하는 것은 ㄱ, ㄷ, ㄹ이다.

답 ④

2 함수의 연속

059

(1) $\lim_{x\to3}f(x)=\lim_{x\to3}\frac{x^2-9}{x-3}=\lim_{x\to3}(x+3)=6$이고,

$f(3)=4$이므로

$\lim_{x\to3}f(x)\neq f(3)$

따라서 함수 $f(x)$는 $x=3$에서 불연속이다.

(2) $\lim_{x\to3}g(x)=\lim_{x\to3}\frac{x^2-9}{x-3}=\lim_{x\to3}(x+3)=6$이고,

$g(3)=6$이므로

$\lim_{x\to3}g(x)=g(3)$

따라서 함수 $g(x)$는 $x=3$에서 연속이다.

답 (1) 불연속 (2) 연속

061

[1단계] 함수 $f(x)$가 모든 실수 x에서 연속이려면 $x=-2$에서 연속이어야 하므로

$\lim_{x\to-2}f(x)=f(-2)$

$\therefore \lim_{x\to-2}\frac{x^2-x+a}{x+2}=b$ …… ㉠

[2단계] ㉠이 수렴하고, $x\to-2$일 때 (분모) $\to0$이므로 (분자) $\to0$이어야 한다.

$\lim_{x\to-2}(x^2-x+a)=0$에서 $4+2+a=0$

$\therefore a=-6$ …… ㉡

[3단계] ㉡을 ㉠에 대입하면

$$b=\lim_{x\to-2}\frac{x^2-x-6}{x+2}=\lim_{x\to-2}\frac{(x+2)(x-3)}{x+2}$$

$$=\lim_{x\to-2}(x-3)=-5$$

$\therefore a=-6,\ b=-5$

답 $a=-6,\ b=-5$

063

ㄱ. (반례) $f(x)=x+1$, $g(x)=\begin{cases}0 & (x=a+1)\\ x & (x\neq a+1)\end{cases}$이면

$f(x)$, $g(x)$는 $x=a$에서 연속이다.

하지만 $g(f(a))=g(a+1)=0$이고

$\lim_{x\to a}g(f(x))=\lim_{z\to a+1}g(z)=a+1$이므로 $g(f(x))$는 $x=a$에서 연속이 아니다.

즉, ㄱ은 항상 연속이라 할 수 없다.

ㄷ. 유리함수는 분모가 0일 때는 불연속이다. 즉, $g(a)=0$이면 불연속이므로 ㄷ은 항상 연속이라 할 수 없다.

ㄴ, ㄹ. 연속함수의 합과 차, 곱 그리고 합성함수는 연속이다. 이때 $y=|x|$, $y=x^2$이 연속이므로 이들과 짬뽕한 ㄴ, ㄹ는 연속이다.

따라서 $x=a$에서 항상 연속인 함수는 ㄴ, ㄹ이다.

답 ㄴ, ㄹ

065

(1) $f(x)$는 닫힌구간 $[1, 2]$에서 연속이고

$f(1)=3$, $f(2)=0$

따라서 $x=1$일 때 최댓값 3, $x=2$일 때 최솟값 0을 갖는다.

(2) $f(x)$는 구간 $[1, 2)$에서 연속이고, $f(1)=3$이지만 $x=2$는 구간에 속하지 않으므로 최솟값은 정의되지 않는다.

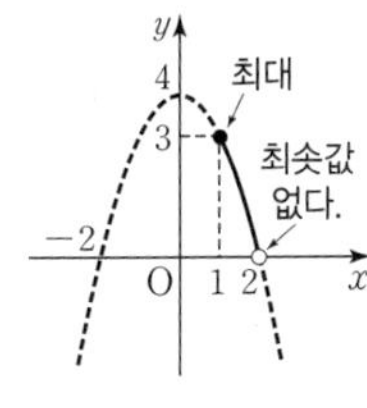

따라서 $x=1$일 때 최댓값 3을 갖고, 최솟값은 없다.

답 (1) 최댓값: 3, 최솟값: 0
(2) 최댓값: 3, 최솟값은 없다.

067

$f(x)=x^3+x-3$으로 놓으면 $f(x)$는 모든 실수 x에 대하여 연속이므로 닫힌구간 $[1, 2]$에서 연속이고

$f(1)=-1<0$, $f(2)=7>0$이므로 $f(1)f(2)<0$

따라서 사잇값의 정리에 의하여 방정식 $f(x)=0$은 열린구간 $(1, 2)$에서 적어도 하나의 실근을 갖는다.

답 풀이 참조

069

$g(x)=f(x)-x$로 놓으면 함수 $g(x)$는 연속함수이므로 $g(1)g(3)<0$일 때 방정식 $g(x)=0$은 1과 3 사이에서 적어도 하나의 실근을 갖는다.

$g(1)=f(1)-1=(a^2+a+1)-1=a^2+a$

$g(3)=f(3)-3=a-3$

이므로

$(a^2+a)(a-3)<0$, $a(a+1)(a-3)<0$

이때 양수 a에 대하여 $a(a+1)>0$이므로

$a-3<0$ $\quad\therefore 0<a<3$ ($\because a>0$)

답 $0<a<3$

070

(i) $x=p$에서는 $\lim_{x\to p} f(x)$의 값이 존재하지 않으므로 불연속이다.

(ii) $x=q$에서는 $\lim_{x\to q} f(x)\neq f(q)$이므로 불연속이다.

(iii) $x=r$에서는 $f(r)$의 값이 존재하지 않으므로 불연속이다.

따라서 순서대로 적으면 ㄴ, ㄷ, ㄱ이다.

답 ④

071

ㄱ. 모든 실수 x에 대하여 $x^2+2\neq 0$이므로 함수 $f(x)$는 모든 실수 x에서 연속이다.

ㄴ. $x>0$일 때 $g(x)=x^2$은 연속이고,

$x<0$일 때 $g(x)=x$는 연속이므로

$x=0$일 때 연속인지만 조사하면 된다.

$\lim_{x\to 0+} g(x)=\lim_{x\to 0+} x^2=0$

$\lim_{x\to 0-} g(x)=\lim_{x\to 0-} x=0$

$\therefore \lim_{x\to 0} g(x)=0$

또, $g(0)=0$이므로 $\lim_{x\to 0} g(x)=g(0)$

즉, 함수 $g(x)$는 $x=0$에서 연속이므로 모든 실수 x에서 연속이다.

ㄷ. $x\neq 2$일 때, $h(x)=\dfrac{x^2-4}{x-2}=x+2$는 연속이므로

$x=2$일 때 연속인지만 조사하면 된다.

$\lim_{x\to 2} h(x)=\lim_{x\to 2}\dfrac{x^2-4}{x-2}=\lim_{x\to 2}(x+2)=4$

이때 $h(2)=2$이므로

$\lim_{x\to 2} h(x)\neq h(2)$

즉, 함수 $h(x)$는 $x=2$에서 불연속이다.

따라서 모든 실수 x에서 연속인 함수는 ㄱ, ㄴ이다.

답 ②

072

$x=2$에서 연속이려면

$\lim_{x\to 2+} f(x)=\lim_{x\to 2-} f(x)=f(2)$이어야 하므로

$\lim_{x\to 2+}(x^2+x+a)=\lim_{x\to 2-}(x+b)=f(2)$

$4+2+a=2+b$

$\therefore a-b=-4$

답 -4

073

[1단계] 함수 $f(x)$가 $x=2$에서 연속이려면

$\lim_{x\to 2} f(x)=f(2)$이어야 하므로

$$\lim_{x\to 2} \frac{a\sqrt{x+2}-b}{x-2}=3 \quad \cdots\cdots ㉠$$

[2단계] ㉠이 수렴하고, $x \to 2$일 때 (분모) $\to$ 0이므로 (분자) $\to$ 0이어야 한다.

$\lim_{x\to 2}(a\sqrt{x+2}-b)=0$에서

$2a-b=0$

$\therefore b=2a \quad \cdots\cdots ㉡$

[3단계] ㉡을 ㉠에 대입하면

$$\lim_{x\to 2} \frac{a\sqrt{x+2}-2a}{x-2}$$

$$=\lim_{x\to 2} \frac{a(\sqrt{x+2}-2)(\sqrt{x+2}+2)}{(x-2)(\sqrt{x+2}+2)}$$

$$=\lim_{x\to 2} \frac{a(x-2)}{(x-2)(\sqrt{x+2}+2)}$$

$$=\lim_{x\to 2} \frac{a}{\sqrt{x+2}+2}$$

$$=\frac{a}{4}=3$$

따라서 $a=12$, $b=24$이므로

$a+b=36$

답 36

074

$f(x)=x^3+3x-5$로 놓으면

함수 $f(x)$는 모든 실수 x에서 연속이고

$f(-2)=-8-6-5=-19<0$

$f(-1)=-1-3-5=-9<0$

$f(0)=0+0-5=-5<0$

$f(1)=1+3-5=-1<0$

$f(2)=8+6-5=9>0$

$f(3)=27+9-5=31>0$

따라서 $f(1)f(2)<0$이므로 사잇값의 정리에 의하여 주어진 방정식의 실근이 존재하는 구간은 $(1, 2)$이다.

답 ④

075

ㄱ. $\lim_{x\to 2} f(x)=3$ (거짓)

ㄴ. $\lim_{x\to 1-} f(x)=1$, $\lim_{x\to 1+} f(x)=2$로 좌극한과 우극한이 다르므로 $x=1$에서 함수 $f(x)$의 극한값은 존재하지 않는다. (참)

ㄷ. 함수 $f(x)$는 $x=1$, $x=2$의 두 개의 점에서 불연속이다. (참)

따라서 보기 중 옳은 것은 ㄴ, ㄷ이다.

답 ⑤

076

[1단계] $f(x)$가 모든 실수 x에 대하여 연속이려면 $x=-2$에서 연속이어야 하므로

$\lim_{x\to -2} f(x)=f(-2)$

$$\lim_{x\to -2} \frac{x^2-a}{x+2}=b \quad \cdots\cdots ㉠$$

[2단계] ㉠이 수렴하고, $x \to -2$일 때 (분모) $\to$ 0이므로 (분자) $\to$ 0이어야 한다.

$\lim_{x\to -2}(x^2-a)=0$에서 $4-a=0$

$\therefore a=4 \quad \cdots\cdots ㉡$

[3단계] ㉡을 ㉠에 대입하면

$$b=\lim_{x\to -2} \frac{x^2-4}{x+2}=\lim_{x\to -2} \frac{(x-2)(x+2)}{x+2}$$

$$=\lim_{x\to -2}(x-2)=-4$$

따라서 $a=4$, $b=-4$이므로

$a+b=4+(-4)=0$

답 0

077

[1단계] $f(x)$가 모든 실수 x에 대하여 연속이려면 $x=-1$에서 연속이어야 하므로

$\lim_{x\to -1} f(x)=f(-1)$

$$\lim_{x\to -1} \frac{\sqrt{x^2+a}+b}{x+1}=-1 \quad \cdots\cdots ㉠$$

[2단계] ㉠이 수렴하고, $x \to -1$일 때 (분모) $\to$ 0이므로 (분자) $\to$ 0이어야 한다.

$\lim_{x\to -1}(\sqrt{x^2+a}+b)=0$에서

$\sqrt{1+a}+b=0 \quad \therefore b=-\sqrt{1+a} \quad \cdots\cdots ㉡$

[3단계] ㉡을 ㉠에 대입하면

$$\lim_{x\to -1} \frac{\sqrt{x^2+a}-\sqrt{1+a}}{x+1}$$

$$=\lim_{x\to -1} \frac{(\sqrt{x^2+a}-\sqrt{1+a})(\sqrt{x^2+a}+\sqrt{1+a})}{(x+1)(\sqrt{x^2+a}+\sqrt{1+a})}$$

$$=\lim_{x\to -1} \frac{(x+1)(x-1)}{(x+1)(\sqrt{x^2+a}+\sqrt{1+a})}$$

$$=\lim_{x\to -1} \frac{x-1}{\sqrt{x^2+a}+\sqrt{1+a}}=\frac{-2}{2\sqrt{1+a}}$$

$$=-1$$

따라서 $\sqrt{1+a}=1$이므로 $a=0$, $b=-1$

$\therefore a^2+b^2=0+1=1$

답 1

078

함수 $f(x)$가 실수 전체의 집합에서 연속이려면 $x=a$, $x=b$에서 연속이어야 한다.

(i) $x=a$에서 연속이어야 하므로

$\lim_{x\to a-} f(x)=\lim_{x\to a+} f(x)$

$=f(a)$

$3=a^2-1 \quad \therefore a^2=4$

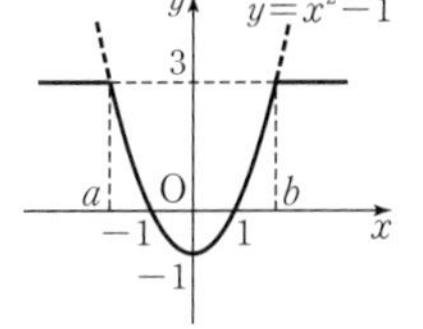

(ii) $x=b$에서 연속이어야 하므로

$\lim_{x\to b-} f(x)=\lim_{x\to b+} f(x)=f(b)$

$b^2-1=3 \quad \therefore b^2=4$

(i), (ii)에서 $a^2+b^2=4+4=8$

답 8

079

$g(x)=f(x)-x$로 놓으면 함수 $g(x)$는 연속함수이고

$g(0)=f(0)-0=-\frac{1}{2}<0$

$g\left(\frac{1}{3}\right)=f\left(\frac{1}{3}\right)-\frac{1}{3}=\frac{1}{2}-\frac{1}{3}=\frac{1}{6}>0$

$g\left(\frac{1}{2}\right)=f\left(\frac{1}{2}\right)-\frac{1}{2}=\frac{1}{3}-\frac{1}{2}=-\frac{1}{6}<0$

$g\left(\frac{2}{3}\right)=f\left(\frac{2}{3}\right)-\frac{2}{3}=\frac{3}{4}-\frac{2}{3}=\frac{1}{12}>0$

$g\left(\frac{3}{4}\right)=f\left(\frac{3}{4}\right)-\frac{3}{4}=\frac{4}{5}-\frac{3}{4}=\frac{1}{20}>0$

$g(1)=f(1)-1=\frac{5}{6}-1=-\frac{1}{6}<0$

이므로 사잇값의 정리에 의하여 방정식 $g(x)=0$은 열린 구간 $\left(0, \frac{1}{3}\right)$, $\left(\frac{1}{3}, \frac{1}{2}\right)$, $\left(\frac{1}{2}, \frac{2}{3}\right)$, $\left(\frac{3}{4}, 1\right)$에서 각각 적어도 한 개의 실근을 갖는다.

따라서 방정식 $f(x)=x$는 $0<x<1$에서 적어도 4개의 실근을 갖는다.

답 4개

080

ㄱ. $h(x)=\frac{1}{f(x)}$로 놓으면 $h(x)$가 연속함수이므로 $h(x)\neq 0$이다. 따라서 $\frac{1}{h(x)}$, 즉 $f(x)$도 연속함수이다. (참)

ㄴ. $h(x)=f(x)+g(x)$로 놓으면 $g(x)=h(x)-f(x)$이므로 $f(x)$, $h(x)$가 연속함수이면 $g(x)$도 연속함수이다. (참)

ㄷ. (반례) $f(x)=\begin{cases}-1 & (x<0)\\ 1 & (x\geq 0)\end{cases}$이면

$\{f(x)\}^2=1$은 연속함수이지만 $f(x)$는 $x=0$에서 연속이 아니다. (거짓)

따라서 보기 중 옳은 것은 ㄱ, ㄴ이다.

답 ④

081

함수 $f(x)$가 모든 실수 x에 대하여 연속이려면 $x=2$에서 연속이어야 하므로

$\lim_{x\to 2} f(x)=f(2)$

$\lim_{x\to 2}\frac{|x|-2}{x^2-4}=\lim_{x\to 2}\frac{|x|-2}{(|x|-2)(|x|+2)}$

$=\lim_{x\to 2}\frac{1}{|x|+2}=\frac{1}{4}$

$\therefore a=\frac{1}{4}$

답 $\frac{1}{4}$

082

[1단계] $x\neq 3$일 때, $f(x)=\frac{3x^2+ax-99}{2x-6}$

함수 $f(x)$가 모든 실수 x에서 연속이므로 $x=3$에서도 연속이어야 한다.

$\therefore f(3)=\lim_{x\to 3} f(x)$

$=\lim_{x\to 3}\frac{3x^2+ax-99}{2x-6}$ …… ㉠

[2단계] ㉠에서 $x\to 3$일 때, (분모) → 0이므로 (분자) → 0이어야 한다.

$\lim_{x\to 3}(3x^2+ax-99)=0$에서

$27+3a-99=0$, $3a=72$

$\therefore a=24$ …… ㉡

[3단계] ㉡을 ㉠에 대입하면

$f(3)=\lim_{x\to 3}\frac{3x^2+24x-99}{2x-6}$

$=\lim_{x\to 3}\frac{3(x-3)(x+11)}{2(x-3)}$

$=\frac{3}{2}\lim_{x\to 3}(x+11)=21$

답 21

083

함수 $f(x)$가 $x=1$을 기준으로 식이 나누어져 있으므로 합성함수 $(g\circ f)(x)$가 실수 전체의 집합에서 연속이려면 $x=1$에서 연속이어야 한다. 즉

$$\lim_{x\to 1-}(g\circ f)(x)=\lim_{x\to 1+}(g\circ f)(x)$$
$$=(g\circ f)(1)$$

이어야 한다.

$$\lim_{x\to 1-}(g\circ f)(x)=\lim_{x\to 1-}g(3x+a)$$
$$=(3+a)^2+a(3+a)+3$$
$$=2a^2+9a+12 \quad \cdots\cdots ㉠$$

$$\lim_{x\to 1+}(g\circ f)(x)=\lim_{x\to 1+}g(x^2-x+2a)$$
$$=(2a)^2+a\times 2a+3$$
$$=6a^2+3 \quad \cdots\cdots ㉡$$

$$(g\circ f)(1)=(g(f(1))$$
$$=g(2a)$$
$$=(2a)^2+a\times 2a+3$$
$$=6a^2+3 \quad \cdots\cdots ㉢$$

㉠, ㉡, ㉢에서

$2a^2+9a+12=6a^2+3$

이므로

$4a^2-9a-9=0$

이 이차방정식의 판별식을 D라 하면 $D>0$이므로 근과 계수의 관계에 의하여 모든 상수 a의 값의 합은

$$-\frac{-9}{4}=\frac{9}{4}$$

답 ⑤

084

ㄱ. $f(x)$가 구간 $(-\infty, \infty)$에서 연속이려면 $x=0$에서 연속이어야 하므로

$$\lim_{x\to 0}f(x)=f(0)$$

$$\lim_{x\to 0}\frac{g(x)-6}{x}=3 \quad \cdots\cdots ㉠$$

㉠이 수렴하고 (분모) → 0이므로 (분자) → 0이어야 한다.

$\lim_{x\to 0}\{g(x)-6\}=0$에서

$g(0)-6=0$

$\therefore\ g(0)=6$ (참)

ㄴ. 최대·최소 정리는 닫힌구간에서 성립한다. (거짓)

ㄷ. (반례) $g(x)=3x+6$일 때

$g(-3)g(3)=(-3)\times 15=-45<0$

그러나 $f(x)=3$이므로 실근이 없다. (거짓)

따라서 보기 중 옳은 것은 ㄱ이다.

답 ①

> **참고** ㄴ. 구간이 $[-3, 3]$이면 참이다.
> ㄷ. $f(-3)f(3)<0$이면 참이다.

II 미분

1 미분계수와 도함수

086

(1) $(\text{평균변화율})=\dfrac{f(4)-f(1)}{4-1}=\dfrac{-1-2}{4-1}=-1$

(2) $(\text{평균변화율})=\dfrac{f(1)-f(0)}{1-0}=\dfrac{2-0}{1-0}=2$

답 (1) -1 (2) 2

088

(1) $f'(1)=\lim\limits_{x\to1}\dfrac{f(x)-f(1)}{x-1}=\lim\limits_{x\to1}\dfrac{(3x-1)-2}{x-1}$

$=\lim\limits_{x\to1}\dfrac{3(x-1)}{x-1}=3$

(2) $f'(1)=\lim\limits_{x\to1}\dfrac{f(x)-f(1)}{x-1}=\lim\limits_{x\to1}\dfrac{(x^2+x)-2}{x-1}$

$=\lim\limits_{x\to1}\dfrac{(x-1)(x+2)}{x-1}$

$=\lim\limits_{x\to1}(x+2)=3$

답 (1) 3 (2) 3

> 다른 풀이

(1) $f'(1)=\lim\limits_{h\to0}\dfrac{f(1+h)-f(1)}{h}$

$=\lim\limits_{h\to0}\dfrac{(3h+2)-2}{h}$

$=\lim\limits_{h\to0}\dfrac{3h}{h}=3$

(2) $f'(1)=\lim\limits_{h\to0}\dfrac{f(1+h)-f(1)}{h}$

$=\lim\limits_{h\to0}\dfrac{(1+h)^2+(1+h)-2}{h}$

$=\lim\limits_{h\to0}\dfrac{h^2+3h}{h}$

$=\lim\limits_{h\to0}\dfrac{h(h+3)}{h}$

$=\lim\limits_{h\to0}(h+3)=3$

090

함수 $f(x)=x^2+5x$의 그래프 위의 점 $(-1,\ -4)$에서의 접선의 기울기는 $f(x)$의 $x=-1$에서의 미분계수와 같으므로

$f'(-1)=\lim\limits_{h\to0}\dfrac{f(-1+h)-f(-1)}{h}$

$=\lim\limits_{h\to0}\dfrac{(-1+h)^2+5(-1+h)+4}{h}$

$=\lim\limits_{h\to0}\dfrac{h^2+3h}{h}$

$=\lim\limits_{h\to0}(h+3)=3$

답 3

092

함수 $f(x)$의 구간 $[0,\ a]$에서의 평균변화율은

$\dfrac{f(a)-f(0)}{a-0}=\dfrac{(a^2-2a)-0}{a-0}$

$=\dfrac{a(a-2)}{a}$

$=a-2$ …… ㉠

함수 $f(x)$의 $x=3$에서의 미분계수는

$f'(3)=\lim\limits_{h\to0}\dfrac{f(3+h)-f(3)}{h}$

$=\lim\limits_{h\to0}\dfrac{(3+h)^2-2(3+h)-3}{h}$

$=\lim\limits_{h\to0}\dfrac{h^2+4h}{h}$

$=\lim\limits_{h\to0}(h+4)=4$ …… ㉡

㉠, ㉡이 같으므로

$a-2=4 \qquad \therefore a=6$

답 6

094

(1) $(\text{주어진 식})=\lim\limits_{h\to0}\dfrac{f(a+2h)-f(a)}{2h}\cdot2$

$=f'(a)\cdot2$

$=5\cdot2=10$

(2) $(\text{주어진 식})=\lim\limits_{h\to0}\left\{\dfrac{f(a+h^2)-f(a)}{h^2}\cdot h\right\}$

$=f'(a)\cdot0$

$=5\cdot0=0$

(3) (주어진 식)

$=\lim\limits_{h\to0}\dfrac{f(a+h)-f(a)+f(a)-f(a-h)}{h}$

$=\lim\limits_{h\to0}\left\{\dfrac{f(a+h)-f(a)}{h}-\dfrac{f(a-h)-f(a)}{-h}\cdot(-1)\right\}$

$=f'(a)-f'(a)\cdot(-1)$

$=2f'(a)$

$=2\cdot5=10$

답 (1) 10 (2) 0 (3) 10

096

(1) (주어진 식)$=\lim_{x\to2}\left\{\frac{f(x)-f(2)}{x-2}\cdot\frac{1}{x+2}\right\}$

$=f'(2)\cdot\frac{1}{4}=4\cdot\frac{1}{4}=1$

(2) (주어진 식)$=\lim_{x\to2}\left\{\frac{x-2}{f(x)-f(2)}\cdot(x^2+2x+4)\right\}$

$=\frac{1}{f'(2)}\cdot12=\frac{1}{4}\cdot12=3$

(3) (주어진 식)$=\lim_{x\to2}\left\{\frac{f(x^2)-f(4)}{x^2-4}\cdot(x+2)\right\}$

$=f'(4)\cdot4=4\cdot4=16$

(4) (주어진 식)

$=\lim_{x\to2}\frac{xf(2)-2f(2)+2f(2)-2f(x)}{x-2}$

$=\lim_{x\to2}\left\{\frac{(x-2)f(2)}{x-2}-\frac{f(x)-f(2)}{x-2}\cdot2\right\}$

$=f(2)-f'(2)\cdot2$

$=3-4\cdot2=-5$

답 (1) 1 (2) 3 (3) 16 (4) -5

098

(i) $\lim_{x\to1}f(x)=\lim_{x\to1}|x-1|=0$,

$f(1)=0$이므로

$\lim_{x\to1}f(x)=f(1)$

따라서 $f(x)$는 $x=1$에서 연속이다.

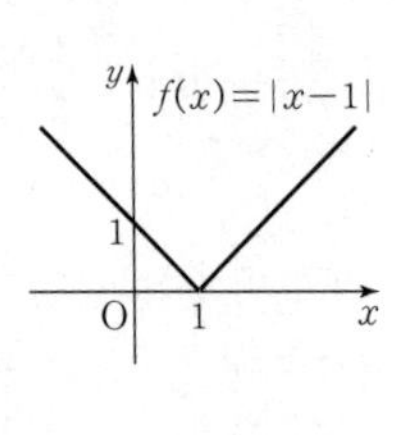

(ii) $f'(1)=\lim_{x\to1}\frac{f(x)-f(1)}{x-1}$

$=\lim_{x\to1}\frac{|x-1|-|0|}{x-1}$

$=\lim_{x\to1}\frac{|x-1|}{x-1}$

여기서 $\lim_{x\to1+}\frac{|x-1|}{x-1}=\lim_{x\to1+}\frac{x-1}{x-1}=1$

$\lim_{x\to1-}\frac{|x-1|}{x-1}=\lim_{x\to1-}\frac{-(x-1)}{x-1}=-1$

이므로 $f'(1)$이 존재하지 않는다.

따라서 $f(x)$는 $x=1$에서 연속이지만 미분가능하지 않다.

답 풀이 참조

099

x의 값이 -1에서 a까지 변할 때의 평균변화율은

$\frac{f(a)-f(-1)}{a-(-1)}=\frac{(a^3-3a)-2}{a+1}$

$=\frac{(a+1)(a^2-a-2)}{a+1}$

$=a^2-a-2$

$a^2-a-2=4$에서 $a^2-a-6=0$

$(a+2)(a-3)=0$ $\quad\therefore a=-2$ 또는 $a=3$

그런데 $a>-1$이므로 $a=3$

답 3

100

함수 $f(x)=x^2+2x$의 점 (a, b)에서의 접선의 기울기가 4이므로

$\lim_{h\to0}\frac{f(a+h)-f(a)}{h}$

$=\lim_{h\to0}\frac{(a+h)^2+2(a+h)-(a^2+2a)}{h}$

$=\lim_{h\to0}\frac{a^2+2ah+h^2+2a+2h-a^2-2a}{h}$

$=\lim_{h\to0}\frac{h(2a+h+2)}{h}$

$=\lim_{h\to0}(2a+h+2)=4$

따라서 $2a+2=4$이므로 $a=1$

$f(1)=b$이므로 $b=1+2=3$

$\therefore ab=1\cdot3=3$

답 3

101

$f'(a)=2$이므로

$\lim_{h\to0}\frac{f(a-h)-f(a)}{h}+\lim_{h\to0}\frac{f(a+h^3)-f(a)}{h}$

$=\lim_{h\to0}\frac{f(a-h)-f(a)}{-h}\cdot(-1)$

$+\lim_{h\to0}\left\{\frac{f(a+h^3)-f(a)}{h^3}\cdot h^2\right\}$

$=-f'(a)+f'(a)\cdot0=-2+0=-2$

답 -2

102

$f(1)=2$, $f'(1)=4$이므로

$\lim_{x\to1}\frac{xf(1)-f(x)}{x-1}$

$=\lim_{x\to1}\frac{xf(1)-f(1)+f(1)-f(x)}{x-1}$

$=\lim_{x\to1}\left\{\frac{(x-1)f(1)}{x-1}-\frac{f(x)-f(1)}{x-1}\right\}$

$=f(1)-f'(1)$

$=2-4=-2$

답 -2

103

[1단계] $\lim_{h\to0}\frac{f(1+h)-f(1-h)}{h}$

$=\lim_{h\to0}\frac{f(1+h)-f(1)+f(1)-f(1-h)}{h}$

$=\lim_{h\to0}\left\{\frac{f(1+h)-f(1)}{h}-\frac{f(1-h)-f(1)}{-h}\cdot(-1)\right\}$

$=f'(1)-f'(1)\cdot(-1)$

$=2f'(1)$

이므로

$2f'(1)=6$에서 $f'(1)=3$

[2단계] $\lim_{x\to1}\frac{x^2-1}{f(x)-f(1)}$

$=\lim_{x\to1}\left\{\frac{x-1}{f(x)-f(1)}\cdot(x+1)\right\}$

$=\lim_{x\to1}\left\{\frac{1}{\frac{f(x)-f(1)}{x-1}}\cdot(x+1)\right\}$

$=\frac{1}{f'(1)}\cdot2=\frac{2}{3}$

답 $\frac{2}{3}$

104

연속이면 이어져 있다.

미분가능하지 않은 점은 끊어져 있거나 뾰족점이다.

두 조건을 동시에 만족하는 점의 x좌표는 1이다.

답 1

106

(1) $f'(x)=\lim_{h\to0}\frac{f(x+h)-f(x)}{h}$

$=\lim_{h\to0}\frac{\{(x+h)^2-(x+h)\}-(x^2-x)}{h}$

$=\lim_{h\to0}\frac{h^2+2xh-h}{h}$

$=\lim_{h\to0}(h+2x-1)$

$=2x-1$

(2) $f'(x)=2x-1$

답 (1) $2x-1$ (2) $2x-1$

108

(1) $y'=4\cdot3x^2-6\cdot2x+3-0$

$=12x^2-12x+3$

(2) $y'=(2x-5)'(x^2-3x+1)+(2x-5)(x^2-3x+1)'$

$=2(x^2-3x+1)+(2x-5)(2x-3)$

$=(2x^2-6x+2)+(4x^2-16x+15)$

$=6x^2-22x+17$

(3) $y'=(x+1)'(x+2)(x+3)+(x+1)(x+2)'(x+3)+(x+1)(x+2)(x+3)'$

$=1\cdot(x+2)(x+3)+(x+1)\cdot1\cdot(x+3)+(x+1)(x+2)\cdot1$

$=(x^2+5x+6)+(x^2+4x+3)+(x^2+3x+2)$

$=3x^2+12x+11$

(4) $y'=5(2x-3)^4\cdot(2x-3)'$

$=5(2x-3)^4\cdot2$

$=10(2x-3)^4$

답 (1) $y'=12x^2-12x+3$ (2) $y'=6x^2-22x+17$
(3) $y'=3x^2+12x+11$ (4) $y'=10(2x-3)^4$

110

(주어진 식)

$=\lim_{h\to0}\frac{f(2+2h)-f(2)+f(2)-f(2+h)}{h}$

$=\lim_{h\to0}\left\{\frac{f(2+2h)-f(2)}{2h}\cdot2-\frac{f(2+h)-f(2)}{h}\right\}$

$=f'(2)\cdot2-f'(2)$

$=f'(2)$

한편, $f'(x)=4x^3-6x^2+2x$이므로

(주어진 식)$=f'(2)=4\cdot8-6\cdot4+2\cdot2=12$

답 12

112

$\lim_{x\to1}\frac{f(x)-f(1)}{x-1}=1$에서 $f'(1)=1$ …… ㉠

$\lim_{x\to2}\frac{x-2}{f(x)-f(2)}=\lim_{x\to2}\frac{1}{\frac{f(x)-f(2)}{x-2}}$

$=\frac{1}{f'(2)}=1$

에서 $f'(2)=1$ …… ㉡

한편, $f(x)=ax^2+bx$에서 $f'(x)=2ax+b$

㉠, ㉡에서

$f'(1)=2a+b=1$, $f'(2)=4a+b=1$

두 식을 연립하여 풀면 $a=0$, $b=1$

답 $a=0$, $b=1$

114

$f(x)=x^{10}+5x$로 놓으면 $f(1)=6$이므로

$$\lim_{x\to1}\frac{x^{10}+5x-6}{x-1}=\lim_{x\to1}\frac{f(x)-f(1)}{x-1}=f'(1)$$

한편, $f'(x)=10x^9+5$이므로

(주어진 식)$=f'(1)=10+5=15$

답 15

116

$$f(x)=\begin{cases} ax^3 & (x\ge1) \\ bx-2 & (x<1)\end{cases} \quad \cdots\cdots ㉠$$

에서 함수 $f(x)$가 $x=1$에서 미분가능하므로

$$f'(x)=\begin{cases} 3ax^2 & (x\ge1) \\ b & (x<1)\end{cases} \quad \cdots\cdots ㉡$$

와 같이 나타내고 $f(x)$는 $x=1$에서 연속이고, $f'(1)$이 존재한다.

(i) $x=1$에서 연속이므로 ㉠에서

$a=b-2 \quad \therefore a-b=-2 \quad \cdots\cdots ㉢$

(ii) $f'(1)$이 존재하므로 ㉡에서

$3a=b \quad \cdots\cdots ㉣$

㉢, ㉣을 연립하여 풀면

$a=1,\ b=3$

답 $a=1,\ b=3$

118

(1) x^{10}을 $(x+1)^2$으로 나눌 때의 몫을 $Q(x)$, 나머지를 $ax+b$라 하면

$x^{10}=(x+1)^2Q(x)+ax+b \quad \cdots\cdots ㉠$

㉠의 양변에 $x=-1$을 대입하면 $1=-a+b$

㉠의 양변을 x에 대하여 미분하면

$10x^9=2(x+1)Q(x)+(x+1)^2Q'(x)+a$

양변에 $x=-1$을 대입하면 $-10=a$

$\therefore a=-10,\ b=-9$

따라서 구하는 나머지는 $-10x-9$

(2) 다항식 x^5-ax+b를 $(x-1)^2$으로 나눌 때의 몫을 $Q(x)$라 하면

$x^5-ax+b=(x-1)^2Q(x) \quad \cdots\cdots ㉠$

㉠의 양변에 $x=1$을 대입하면 $1-a+b=0$

㉠의 양변을 x에 대하여 미분하면

$5x^4-a=2(x-1)Q(x)+(x-1)^2Q'(x)$

양변에 $x=1$을 대입하면 $5-a=0$

$\therefore a=5,\ b=4$

답 (1) $-10x-9$ (2) $a=5,\ b=4$

119

$f'(x)=10x^9+9x^8+8x^7+\cdots+2x+1$이므로

$x=1$에서의 미분계수는

$$f'(1)=10+9+8+\cdots+2+1=\frac{10\cdot11}{2}=55$$

답 55

120

$f(x)=x^3+ax^2+bx$로 놓으면 $f'(x)=3x^2+2ax+b$

곡선 $y=f(x)$가 점 $(1,\ 2)$를 지나므로 $f(1)=2$

$2=1+a+b$

$a+b=1 \quad \cdots\cdots ㉠$

또 이 점에서의 접선의 기울기가 2이므로

$f'(1)=2$

$f'(1)=3+2a+b=2$

$2a+b=-1 \quad \cdots\cdots ㉡$

㉠, ㉡을 연립하여 풀면 $a=-2,\ b=3$

답 $a=-2,\ b=3$

121

[1단계] $$\lim_{x\to1}\frac{f(x^2)-f(1)}{x-1}=\lim_{x\to1}\left\{\frac{f(x^2)-f(1)}{x^2-1}\cdot(x+1)\right\}=2f'(1)$$

이므로

$2f'(1)=6$에서 $f'(1)=3 \quad \cdots\cdots ㉠$

[2단계] $$\lim_{x\to2}\frac{x-2}{f(x)-f(2)}=\lim_{x\to2}\frac{1}{\frac{f(x)-f(2)}{x-2}}=\frac{1}{f'(2)}$$

이므로

$\frac{1}{f'(2)}=1$에서 $f'(2)=1 \quad \cdots\cdots ㉡$

[3단계] $f(x)=ax^2+bx$에서 $f'(x)=2ax+b$이므로

㉠, ㉡에서

$f'(1)=2a+b=3,\ f'(2)=4a+b=1$

두 식을 연립하여 풀면

$a=-1,\ b=5 \quad \therefore a+b=4$

답 4

122

[1단계] $\lim_{x\to 3}\frac{f(x)-2}{x-3}=1$에서 $x\to 3$일 때,

(분모) → 0이므로 (분자) → 0이어야 한다.

즉, $f(3)-2=0$에서 $f(3)=2$ …… ㉠

$\therefore \lim_{x\to 3}\frac{f(x)-2}{x-3}=\lim_{x\to 3}\frac{f(x)-f(3)}{x-3}$

$=f'(3)=1$ …… ㉡

[2단계] $\lim_{x\to 3}\frac{g(x)-1}{x-3}=2$에서 $x\to 3$일 때,

(분모) → 0이므로 (분자) → 0이어야 한다.

즉, $g(3)-1=0$에서 $g(3)=1$ …… ㉢

$\therefore \lim_{x\to 3}\frac{g(x)-1}{x-3}=\lim_{x\to 3}\frac{g(x)-g(3)}{x-3}$

$=g'(3)=2$ …… ㉣

[3단계] $y'=f'(x)g(x)+f(x)g'(x)$이므로 $x=3$을 대입하면 ㉠, ㉡, ㉢, ㉣에 의하여

$y'=f'(3)g(3)+f(3)g'(3)$

$=1\cdot 1+2\cdot 2=5$

답 5

123

$f(x)=\begin{cases} x^2 & (x<2) \\ a(x-4)^2+b & (x\ge 2)\end{cases}$ …… ㉠

에서 함수 $f(x)$가 모든 실수 x에서 미분가능하므로

$f'(x)=\begin{cases} 2x & (x<2) \\ 2a(x-4) & (x\ge 2)\end{cases}$ …… ㉡

$f(x)$는 $x=2$에서도 미분가능하므로 $x=2$에서 연속이고, $f'(2)$가 존재해야 한다.

(i) $x=2$에서 연속이므로 ㉠에서

$2^2=a(2-4)^2+b$ $\therefore 4a+b=4$ …… ㉢

(ii) $f'(2)$가 존재하므로 ㉡에서

$2\cdot 2=2a(2-4)$ $\therefore a=-1$ …… ㉣

㉢, ㉣에서 $a=-1$, $b=8$이므로 $ab=-8$

답 -8

124

다항식 x^5+ax^4+b를 $(x+1)^2$으로 나눌 때의 몫을 $Q(x)$라 하면

$x^5+ax^4+b=(x+1)^2Q(x)$ …… ㉠

㉠의 양변에 $x=-1$을 대입하면

$-1+a+b=0$ $\therefore a+b=1$ …… ㉡

㉠의 양변을 x에 대하여 미분하면

$5x^4+4ax^3=2(x+1)Q(x)+(x+1)^2Q'(x)$

양변에 $x=-1$을 대입하면

$5-4a=0$ $\therefore a=\frac{5}{4}$

$a=\frac{5}{4}$를 ㉡에 대입하면

$\frac{5}{4}+b=1$ $\therefore b=-\frac{1}{4}$

$\therefore ab=-\frac{5}{16}$

답 $-\frac{5}{16}$

125

x의 값이 0에서 2까지 변할 때의 함수 $f(x)$의 평균변화율이 3이므로

$\frac{f(2)-f(0)}{2-0}=\frac{(2^2+2a+b)-b}{2}$

$=\frac{2a+4}{2}=a+2$

$a+2=3$에서 $a=1$

답 1

126

x의 값이 -1에서 1까지 변할 때의 함수 $f(x)$의 평균변화율은

$\frac{f(1)-f(-1)}{1-(-1)}=\frac{(1-4)-(-1+4)}{2}=-3$

$f(x)=x^3-4x$에서 $f'(a)=3a^2-4$이고

$3a^2-4=-3$이므로 $a=\pm\frac{\sqrt{3}}{3}$

$a>0$이므로 $a=\frac{\sqrt{3}}{3}$

답 $\frac{\sqrt{3}}{3}$

127

[1단계] $f(a)=\lim_{x\to a}\frac{x^3-a^3}{x-a}$

$=\lim_{x\to a}\frac{(x-a)(x^2+ax+a^2)}{x-a}$

$=\lim_{x\to a}(x^2+ax+a^2)=3a^2$

$\therefore f(x)=3x^2$

[2단계] $\lim_{h\to 0}\frac{f(1+h)-f(1-h)}{h}$

$=\lim_{h\to 0}\frac{f(1+h)-f(1)+f(1)-f(1-h)}{h}$

$=\lim_{h\to 0}\left\{\frac{f(1+h)-f(1)}{h}-\frac{f(1-h)-f(1)}{h}\right\}$

$$=\lim_{h\to 0}\left\{\frac{f(1+h)-f(1)}{h}-\frac{f(1-h)-f(1)}{-h}\cdot(-1)\right\}$$

$$=f'(1)-f'(1)\cdot(-1)$$

$$=2f'(1)$$

[3단계] $f(x)=3x^2$에서 $f'(x)=6x$이므로

$f'(1)=6$

$\therefore$ (주어진 식)$=2f'(1)=2\cdot 6=12$

답 12

128

$f'(1)=1$이므로

$$\lim_{x\to 1}\frac{x-1}{f(x^2)-1}=\lim_{x\to 1}\frac{x^2-1}{f(x^2)-1}\cdot\frac{1}{x+1}$$

$$=\lim_{x\to 1}\frac{1}{\frac{f(x^2)-1}{x^2-1}}\cdot\frac{1}{x+1}$$

$$=\frac{1}{f'(1)}\cdot\frac{1}{1+1}=\frac{1}{2}$$

답 $\frac{1}{2}$

129

$f(x)=x^2+ax+b$에서 $f(0)=-3$이므로 $b=-3$

$\lim_{h\to 0}\frac{f(1+h)-f(1)}{h}=1$에서

$f'(1)=1$

$f'(x)=2x+a$이므로

$f'(1)=2+a=1$

$\therefore a=-1$

따라서 $f(x)=x^2-x-3$이므로

$f(1)=1-1-3=-3$

답 -3

130

$y=x^3-5x+4$에서 $y'=3x^2-5$이고 접선의 기울기가 7이므로

$3x^2-5=7,\ x^2=4$

$\therefore x=\pm 2$

따라서 접선의 기울기가 7인 두 점의 좌표는 $(2,\ 2)$, $(-2,\ 6)$이므로 두 점 사이의 거리는

$\sqrt{(-2-2)^2+(6-2)^2}=4\sqrt{2}$

답 $4\sqrt{2}$

131

$$\lim_{h\to 0}\frac{f(a+3h)-f(a-2h)}{h}$$

$$=\lim_{h\to 0}\frac{f(a+3h)-f(a)+f(a)-f(a-2h)}{h}$$

$$=\lim_{h\to 0}\frac{f(a+3h)-f(a)}{3h}\cdot 3-\lim_{h\to 0}\frac{f(a-2h)-f(a)}{-2h}\cdot(-2)$$

$$=3f'(a)+2f'(a)=5f'(a)$$

$\therefore k=5$

답 5

132

$f(x)=2x^3+ax^2+3bx$에서

$\lim_{x\to 1}f(x)=f(1)=-1$

즉, $f(1)=2+a+3b=-1$이므로

$a+3b=-3$ …… ㉠

또 $\lim_{x\to 1}\frac{f(x)-f(1)}{x-1}=f'(1)=3$에서

$f'(x)=6x^2+2ax+3b$이므로

$f'(1)=6+2a+3b=3$

$\therefore 2a+3b=-3$ …… ㉡

㉠, ㉡에서 $a=0$, $b=-1$이므로 $ab=0$

답 0

133

$$f'(-a)=\lim_{h\to 0}\frac{f(-a+h)-f(-a)}{h}$$

$$=\lim_{h\to 0}\frac{-f(a-h)+f(a)}{h}$$

⬅ $f(-x)=-f(x)$

$$=\lim_{h\to 0}\frac{-\{f(a-h)-f(a)\}}{h}$$

$$=\lim_{h\to 0}\frac{f(a-h)-f(a)}{-h}=f'(a)$$

$f'(-a)=f'(a)$이고 $f'(a)=3$이므로

$f'(a)+f'(-a)=2f'(a)=6$

답 6

134

① $f'(4)$는 $x=4$에서의 접선의 기울기이므로

$f'(4)<0$

② $x=3$에서 좌극한과 우극한이 같으므로

$\lim_{x\to3} f(x)$가 존재한다.

③ $f'(x)=0$인 점, 즉 접선의 기울기가 0인 점은 $x=0$ 또는 $x=6$의 2개이다.

④ $f(x)$의 불연속점은 $x=3$ 또는 $x=5$의 2개이다.

⑤ $f(x)$의 미분가능하지 않은 점은 $x=1$ 또는 $x=3$ 또는 $x=5$의 3개이다.

답 ③

135

① $f(0)=0$이므로

$$\lim_{h\to0}\frac{f(h)}{h}=\lim_{h\to0}\frac{f(h+0)-f(0)}{h}=f'(0)$$

그런데 함수 $f(x)$는 $x=0$에서 연속이 아니므로 $f'(0)$의 값은 존재하지 않는다.

② $\lim_{x\to0+} f(x)=\lim_{x\to0-} f(x)=1$에서 $\lim_{x\to0} f(x)=1$이다.

③ $x=2$에서 연속이 아니므로 미분가능하지 않다.

④ $\lim_{x\to3}\frac{f(x)-f(3)}{x-3}=f'(3)>0$

⑤ $f'(1)\neq0$, $f'(3)\neq0$이므로 $f'(1)f'(3)\neq0$

답 ④

136

$f(x+y)=f(x)+f(y)$에 $x=0$, $y=0$을 대입하면

$f(0)=f(0)+f(0)$에서 $f(0)=0$

$$\begin{aligned}\therefore f'(x)&=\lim_{h\to0}\frac{f(x+h)-f(x)}{h}\\&=\lim_{h\to0}\frac{f(x)+f(h)-f(x)}{h}\\&=\lim_{h\to0}\frac{f(h)}{h}\\&=\lim_{h\to0}\frac{f(h)-f(0)}{h}\\&=f'(0)=5\end{aligned}$$

답 5

137

$\lim_{x\to2}\frac{x^n-5x-6}{x(x-2)}=a$이고 $\lim_{x\to2} x(x-2)=0$이므로

$\lim_{x\to2}(x^n-5x-6)=0$이어야 한다.

즉, $2^n-10-6=0$에서 $2^n=16$

$\therefore n=4$

이때, $f(x)=x^4-5x$로 놓으면 $f(2)=6$이므로

$$\begin{aligned}\lim_{x\to2}\frac{x^4-5x-6}{x(x-2)}&=\lim_{x\to2}\frac{f(x)-f(2)}{x-2}\cdot\frac{1}{x}\\&=\lim_{x\to2}\frac{f(x)-f(2)}{x-2}\cdot\lim_{x\to2}\frac{1}{x}\\&=\frac{1}{2}f'(2)=a\end{aligned}$$

$f'(x)=4x^3-5$에서 $f'(2)=27$이므로

$a=\frac{1}{2}\times27=\frac{27}{2}$ $\quad\therefore na=4\times\frac{27}{2}=54$

답 54

138

$$f(x)=\begin{cases}x+1 & (x\le0)\\ ax^2+bx+c & (0<x<2)\\ 2 & (x\ge2)\end{cases}$$

라 하고 실수 전체에서 미분가능하다고 하면

$$f'(x)=\begin{cases}1 & (x\le0)\\ 2ax+b & (0<x<2)\\ 0 & (x\ge2)\end{cases}$$

(i) $x=0$에서 미분가능해야 하므로

$f(0)=1=c$, $f'(0)=1=b$

(ii) $x=2$에서 미분가능해야 하므로

$f(2)=4a+2b+c=2$, $f'(2)=4a+b=0$

(i), (ii)에서 $a=-\frac{1}{4}$, $b=1$, $c=1$

$\therefore 8a-4b+2c=-2-4+2=-4$

답 -4

139

$f(x)$를 n차식이라 하면 좌변은 $(n+1)$차식이고 우변은 n차식 또는 2차식이 된다.

그런데 $n+1\neq n$이므로 $n+1=2$ $\quad\therefore n=1$

따라서 $f(x)=ax+b$ $(a\neq0)$로 놓으면

$a(x^2+x+2)=(ax+b)+\frac{1}{2}x^2-3$이므로

$ax^2+ax+2a=\frac{1}{2}x^2+ax+b-3$

위의 식이 모든 실수 x에 대하여 성립하므로

$a=\frac{1}{2}$, $2a=b-3$ $\quad\therefore a=\frac{1}{2}$, $b=4$

따라서 $f(x)=\frac{1}{2}x+4$이므로

$f(2)=\frac{1}{2}\times2+4=5$

답 5

2 도함수의 활용

141

$f(x)=x^2-2x+1$로 놓으면 $f'(x)=2x-2$

이 곡선 위의 점 $(2, 1)$에서의 접선의 기울기는

$f'(2)=2\cdot 2-2=2$

이므로 이 점에서의 접선에 수직인 직선의 기울기는

$-\frac{1}{2}$이다.

따라서 기울기가 $-\frac{1}{2}$이고, 점 $(2, 1)$을 지나는 직선의 방정식은

$y-1=-\frac{1}{2}(x-2)$ $\therefore y=-\frac{1}{2}x+2$

답 $y=-\frac{1}{2}x+2$

143

(1) $f(x)=x^3-9x+2$로 놓으면 $f'(x)=3x^2-9$

접선의 기울기가 -6이므로

$3x^2-9=-6$, $x^2=1$

$\therefore x=\pm 1$

$x=1$일 때 $y=-6$, $x=-1$일 때 $y=10$

따라서 접점의 좌표는 $(1, -6)$, $(-1, 10)$이므로 구하는 접선의 방정식은

$y+6=-6(x-1)$, $y-10=-6(x+1)$

$\therefore y=-6x$, $y=-6x+4$

(2) $f(x)=x^3-9x+2$로 놓으면 $f'(x)=3x^2-9$

직선 $y=3x-2$에 평행한 직선의 기울기는 3이므로

$3x^2-9=3$, $x^2=4$

$\therefore x=\pm 2$

$x=2$일 때 $y=-8$, $x=-2$일 때 $y=12$

따라서 접점의 좌표는 $(2, -8)$, $(-2, 12)$이므로 구하는 접선의 방정식은

$y+8=3(x-2)$, $y-12=3(x+2)$

$\therefore y=3x-14$, $y=3x+18$

답 (1) $y=-6x$, $y=-6x+4$
(2) $y=3x-14$, $y=3x+18$

145

$f(x)=x^2+x-2$로 놓으면

$f'(x)=2x+1$

접점의 좌표를 (a, a^2+a-2)라 하면

기울기는 $f'(a)=2a+1$이므로 접선의 방정식은

$y-(a^2+a-2)=(2a+1)(x-a)$

$y=(2a+1)x-a^2-2$ …… ㉠

이 직선이 점 $(0, -3)$을 지나므로

$-3=-a^2-2$, $a^2=1$

$\therefore a=\pm 1$

$a=1$, $a=-1$을 ㉠에 각각 대입하면 구하는 접선의 방정식은

$y=3x-3$, $y=-x-3$

답 $y=3x-3$, $y=-x-3$

147

$f(x)=x^3-2ax+b$로 놓으면 $f'(x)=3x^2-2a$

(i) 점 $(1, 2)$가 곡선 위의 점이므로

$f(1)=1-2a+b=2$ $\therefore 2a-b=-1$

(ii) 점 $(1, 2)$에서의 접선의 기울기가 -3이므로

$f'(1)=3-2a=-3$ $\therefore a=3$

(i), (ii)에서 $a=3$, $b=7$

답 $a=3$, $b=7$

149

(1) $f(x)=x^3+1$, $g(x)=ax-1$로 놓으면

$f'(x)=3x^2$, $g'(x)=a$

곡선과 직선의 접점의 x좌표를 t라 하면

$f(t)=g(t)$에서 $t^3+1=at-1$ …… ㉠

$f'(t)=g'(t)$에서 $3t^2=a$ …… ㉡

㉡을 ㉠에 대입하여 정리하면 $t^3=1$ $\therefore t=1$

$t=1$을 ㉡에 대입하면 $a=3$

(2) $f(x)=x^3+ax-b$, $g(x)=bx^2+c$에서

$f'(x)=3x^2+a$, $g'(x)=2bx$

두 곡선 $y=f(x)$, $y=g(x)$가 점 $(1, 3)$을 지나므로

$f(1)=3$에서 $1+a-b=3$ $\therefore a-b=2$ …… ㉠

$g(1)=3$에서 $b+c=3$ …… ㉡

점 $(1, 3)$에서의 접선의 기울기가 같으므로

$f'(1)=g'(1)$에서 $3+a=2b$ …… ㉢

㉠, ㉡, ㉢을 연립하면 풀면

$a=7$, $b=5$, $c=-2$

답 (1) 3 (2) $a=7$, $b=5$, $c=-2$

150

$f(x)=x^2-ax+10$에서 $f'(x)=2x-a$이므로

$x=1$, $x=2$인 점에서의 접선의 기울기는 각각

$f'(1)=2-a$, $f'(2)=4-a$

두 접선이 서로 수직이므로

$(2-a)(4-a)=-1$, $a^2-6a+9=0$

$(a-3)^2=0$ $\quad\therefore a=3$

답 3

151

[1단계] $f(x)=2x^3-3x+10$으로 놓으면

$f'(x)=6x^2-3$

이 곡선 위의 점 $(1, 9)$에서의 접선의 기울기는

$f'(1)=6-3=3$

따라서 기울기가 3이고, 점 $(1, 9)$를 지나는 접선의 방정식은

$y-9=3(x-1)$

$\therefore y=3x+6$ $\quad\cdots\cdots$ ㉠

[2단계] 직선 ㉠의 x절편과 y절편이 각각 -2, 6이므로 이 직선과 x축 및 y축으로 둘러싸인 부분의 넓이는

$\frac{1}{2}\cdot 2\cdot 6=6$

답 6

152

[1단계] 직선 $x+3y+3=0$, 즉 $y=-\frac{1}{3}x-1$에 수직인 직선의 기울기는 3이므로 기울기가 3인 접선을 구하면 된다.

[2단계] $f(x)=2x^2-x+3$으로 놓으면

$f'(x)=4x-1$

접점의 x좌표를 a라 하면 기울기가 3이므로

$f'(a)=4a-1=3$ $\quad\therefore a=1$

따라서 $x=1$을 $f(x)$에 대입하면 접점의 좌표는 $(1, 4)$이므로 접선의 방정식은

$y-4=3(x-1)$

$\therefore y=3x+1$ $\quad\cdots\cdots$ ㉠

[3단계] 직선 ㉠이 x축과 만나는 점의 좌표는

$\left(-\frac{1}{3}, 0\right)$이므로

$k=-\frac{1}{3}$ $\quad\therefore 6k=-2$

답 -2

153

$f(x)=x^3-2x^2+x+8$로 놓으면

$f'(x)=3x^2-4x+1$

접점의 좌표를 (a, a^3-2a^2+a+8)이라 하면 기울기는 $f'(a)=3a^2-4a+1$이므로 접선의 방정식은

$y-(a^3-2a^2+a+8)=(3a^2-4a+1)(x-a)$

이 직선이 점 $(0, 0)$을 지나므로

$-(a^3-2a^2+a+8)=(3a^2-4a+1)(-a)$

$a^3-a^2-4=0$, $(a-2)(a^2+a+2)=0$

$\therefore a=2$

따라서 접점의 좌표는 $(2, 10)$이다.

답 $(2, 10)$

154

[1단계] $f(x)=x^3-9x$, $g(x)=-3x^2+k$로 놓으면

$f'(x)=3x^2-9$, $g'(x)=-6x$

두 곡선의 접점의 x좌표를 t라 하면

$f(t)=g(t)$에서 $t^3-9t=-3t^2+k$ $\quad\cdots\cdots$ ㉠

$f'(t)=g'(t)$에서 $3t^2-9=-6t$

$t^2+2t-3=0, (t+3)(t-1)=0$

$t=-3$ 또는 $t=1$ $\quad\cdots\cdots$ ㉡

[2단계] ㉡을 ㉠에 대입하면

$t=-3$일 때, $0=-27+k$ $\quad\therefore k=27$

$t=1$일 때, $-8=-3+k$ $\quad\therefore k=-5$

따라서 모든 상수 k의 값의 합은

$27+(-5)=22$

답 22

155

$f(x)=ax^2+bx$, $g(x)=x^3+c$에서

$f'(x)=2ax+b$, $g'(x)=3x^2$

(i) 두 곡선이 점 $(1, 1)$을 지나므로

$f(1)=1$에서 $a+b=1$ $\quad\cdots\cdots$ ㉠

$g(1)=1$에서 $1+c=1$ $\quad\therefore c=0$ $\quad\cdots\cdots$ ㉡

(ii) 두 곡선의 $x=1$에서의 접선이 서로 수직이므로

$f'(1)g'(1)=-1$에서 $(2a+b)\cdot 3=-1$

$\therefore 6a+3b=-1$ $\quad\cdots\cdots$ ㉢

㉠, ㉡, ㉢을 연립하여 풀면

$a=-\frac{4}{3}$, $b=\frac{7}{3}$, $c=0$

$\therefore 6a+3b+c=-8+7+0=-1$

답 -1

157

(1) 함수 $f(x)=x^2-6x+5$는 닫힌구간 $[0, 6]$에서 연속이고, 열린구간 $(0, 6)$에서 미분가능하다.

또 $f(0)=f(6)=5$이므로 롤의 정리에 의하여

$f'(c)=0\ (0<c<6)$인 c가 적어도 하나 존재한다.

$f'(x)=2x-6$이므로

$f'(c)=2c-6=0$

$\therefore c=3$

(2) 함수 $f(x)=(x+1)(x-2)^2$은 닫힌구간 $[-1,\ 2]$에서 연속이고, 열린구간 $(-1,\ 2)$에서 미분가능하다.

또 $f(-1)=f(2)=0$이므로 롤의 정리에 의하여

$f'(c)=0\ (-1<c<2)$인 c가 적어도 하나 존재한다.

$$\begin{aligned}f'(x)&=(x-2)^2+2(x+1)(x-2)\\&=(x-2)(x-2+2x+2)\\&=3x(x-2)\end{aligned}$$

이므로

$f'(c)=3c(c-2)=0 \qquad \therefore c=0$ 또는 $c=2$

이때 $-1<c<2$이므로 $c=0$

답 (1) 3 (2) 0

159

(1) 함수 $f(x)=x^2-2x$는 닫힌구간 $[-1,\ 2]$에서 연속이고, 열린구간 $(-1,\ 2)$에서 미분가능하므로 평균값 정리에 의하여

$\dfrac{f(2)-f(-1)}{2-(-1)}=f'(c)\ (-1<c<2)$

인 c가 적어도 하나 존재한다.

$f'(x)=2x-2$이므로 $\dfrac{0-3}{3}=2c-2$

$-1=2c-2 \qquad \therefore c=\dfrac{1}{2}$

(2) 함수 $f(x)=x^3-3x$는 닫힌구간 $[0,\ 2]$에서 연속이고, 열린구간 $(0,\ 2)$에서 미분가능하므로 평균값 정리에 의하여

$\dfrac{f(2)-f(0)}{2-0}=f'(c)\ (0<c<2)$

인 c가 적어도 하나 존재한다.

$f'(x)=3x^2-3$이므로 $\dfrac{2-0}{2}=3c^2-3$

$1=3c^2-3,\ c^2=\dfrac{4}{3} \qquad \therefore c=-\dfrac{2\sqrt{3}}{3}$ 또는 $c=\dfrac{2\sqrt{3}}{3}$

이때 $0<c<2$이므로 $c=\dfrac{2\sqrt{3}}{3}$

답 (1) $\dfrac{1}{2}$ (2) $\dfrac{2\sqrt{3}}{3}$

160

함수 $f(x)=2x(6-x)+3$은 닫힌구간 $[0,\ 6]$에서 연속이고 열린구간 $(0,\ 6)$에서 미분가능하다.

또 $f(0)=f(6)=3$이므로 롤의 정리에 의하여

$f'(c)=0\ (0<c<6)$인 c가 적어도 하나 존재한다.

$f(x)=12x-2x^2+3$에서 $f'(x)=12-4x$이므로

$f'(c)=12-4c=0 \qquad \therefore c=3$

답 3

161

구간 $[0,\ 1]$에서 롤의 정리가 성립하려면 닫힌구간 $[0,\ 1]$에서 연속이고 열린구간 $(0,\ 1)$에서 미분가능하여야 하며, $f(0)=f(1)$이어야 한다.

ㄱ. $f(x)=x^3(1-x)$는 다항함수이므로 닫힌구간 $[0,\ 1]$에서 연속이고 열린구간 $(0,\ 1)$에서 미분가능하며, $f(0)=f(1)=0$이다.

ㄴ. 함수 $g(x)=\left|x-\dfrac{1}{2}\right|$의 그래프는 그림과 같으므로 $f(x)$는 닫힌구간 $[0,\ 1]$에서 연속이고, $g(0)=g(1)=\dfrac{1}{2}$이지만 $x=\dfrac{1}{2}$에서 미분가능하지 않다.

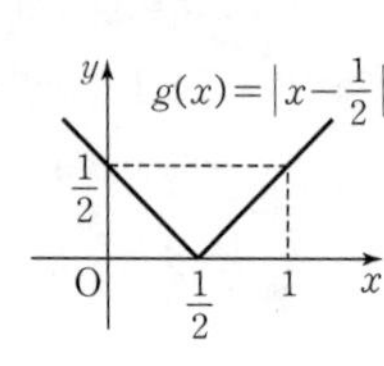

ㄷ. $0\le x\le 1$에서 $x+3>0$이므로

$h(x)=\dfrac{|x+3|}{x+3}=\dfrac{x+3}{x+3}=1$

따라서 $h(x)$는 닫힌구간 $[0,\ 1]$에서 연속이고 열린구간 $(0,\ 1)$에서 미분가능하며, $h(0)=h(1)=1$이다.

이상에서 롤의 정리가 성립하는 것은 ㄱ, ㄷ이다.

답 ㄱ, ㄷ

162

함수 $f(x)=x^3-2x$는 닫힌구간 $[1,\ 2]$에서 연속이고, 열린구간 $(1,\ 2)$에서 미분가능하므로 평균값 정리에 의하여

$\dfrac{f(2)-f(1)}{2-1}=f'(c)\ (1<c<2)$

인 c가 적어도 하나 존재한다.

$f'(x)=3x^2-2$이므로

$\dfrac{4-(-1)}{2-1}=3c^2-2,\ 3c^2=7$

이때 $1<c<2$이므로 $c=\dfrac{\sqrt{21}}{3}$

답 $\dfrac{\sqrt{21}}{3}$

163

함수 $f(x)=x^3-4x$는 닫힌구간 $[0, 3]$에서 연속이고 열린구간 $(0, 3)$에서 미분가능하므로 평균값 정리에 의하여

$\frac{f(3)-f(0)}{3-0}=f'(c)\ (0<c<3)$

인 c가 적어도 하나 존재한다.

$f'(x)=3x^2-4$이므로

$\frac{15-0}{3-0}=3c^2-4,\ c^2=3$

이때 $0<c<3$이므로 $c=\sqrt{3}$

답 $\sqrt{3}$

165

(1) $f(x)=x^3-3x$에서

$f'(x)=3x^2-3=3(x+1)(x-1)$

$f'(x)=0$에서 $x=-1$ 또는 $x=1$

함수 $f(x)$의 증가와 감소를 표로 나타내면 다음과 같다.

x	$\cdots$	-1	$\cdots$	1	$\cdots$
$f'(x)$	$+$	0	$-$	0	$+$
$f(x)$	↗	2	↘	-2	↗

따라서 함수 $f(x)$는 구간 $(-\infty, -1]$, $[1, \infty)$에서 증가하고, 구간 $[-1, 1]$에서 감소한다.

(2) $f(x)=-x^3-\frac{3}{2}x^2+6x+1$에서

$f'(x)=-3x^2-3x+6=-3(x+2)(x-1)$

$f'(x)=0$에서 $x=-2$ 또는 $x=1$

함수 $f(x)$의 증가와 감소를 표로 나타내면 다음과 같다.

x	$\cdots$	-2	$\cdots$	1	$\cdots$
$f'(x)$	$-$	0	$+$	0	$-$
$f(x)$	↘	-9	↗	$\frac{9}{2}$	↘

따라서 함수 $f(x)$는 구간 $[-2, 1]$에서 증가하고, 구간 $(-\infty, -2]$, $[1, \infty)$에서 감소한다.

답 (1) 구간 $(-\infty, -1]$, $[1, \infty)$에서 증가, 구간 $[-1, 1]$에서 감소
(2) 구간 $[-2, 1]$에서 증가, 구간 $(-\infty, -2]$, $[1, \infty)$에서 감소

167

함수 $f(x)=-\frac{1}{3}x^3+ax^2-(3a-2)x$가 감소하려면

$f'(x)=-x^2+2ax-(3a-2)\le 0$

즉, $x^2-2ax+(3a-2)\ge 0$

위의 이차부등식이 모든 실수 x에 대하여 성립해야 하므로 이차방정식 $x^2-2ax+(3a-2)=0$의 판별식을 D라 하면

$\frac{D}{4}=a^2-3a+2\le 0,\ (a-1)(a-2)\le 0$

$\therefore\ 1\le a\le 2$

답 $1\le a\le 2$

169

함수 $f(x)=-x^3+6x^2-ax+2$가 증가하려면

$f'(x)=-3x^2+12x-a\ge 0$

위의 이차부등식이 열린구간 $(1, 4)$에서 성립해야 한다.

따라서 이차함수 $f'(x)=-3x^2+12x-a$의 그래프가 그림과 같아야 하므로

$f'(1)\ge 0,\ f'(4)\ge 0$이어야 한다.

$f'(1)=-3+12-a\ge 0$에서

$a\le 9$ $\cdots\cdots$ ㉠

$f'(4)=-48+48-a\ge 0$에서

$a\le 0$ $\cdots\cdots$ ㉡

㉠, ㉡을 동시에 만족시키는 a의 값의 범위는

$a\le 0$

답 $a\le 0$

171

$f(x)=x^3-3x^2+3$에서

$f'(x)=3x^2-6x=3x(x-2)$

$f'(x)=0$에서 $x=0$ 또는 $x=2$

함수 $f(x)$의 증가와 감소를 표로 나타내면 다음과 같다.

x	$\cdots$	0	$\cdots$	2	$\cdots$
$f'(x)$	$+$	0	$-$	0	$+$
$f(x)$	↗	3	↘	-1	↗

따라서 $x=0$일 때, 극댓값: $f(0)=3$

$x=2$일 때, 극솟값: $f(2)=-1$

답 극댓값: 3, 극솟값: -1

173

$f(x)=x^3+\frac{1}{10}ax^2+bx$에서 $f'(x)=3x^2+\frac{1}{5}ax+b$

$x=-1$에서 극댓값을 갖고, $x=1$에서 극솟값을 가지므로

$f'(-1)=3-\frac{1}{5}a+b=0$

$f'(1)=3+\frac{1}{5}a+b=0$

두 식을 연립하여 풀면 $a=0$, $b=-3$

답 $a=0$, $b=-3$

175

$f(x)=x^4+ax^3+4x^2+b$에서

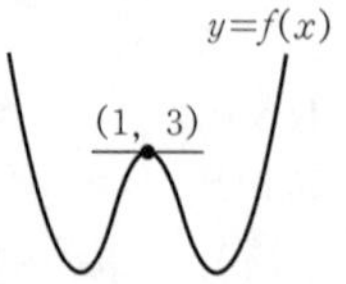

$f'(x)=4x^3+3ax^2+8x$

$x=1$에서 극댓값 3을 가지므로

$f(1)=1+a+4+b=3$

$f'(1)=4+3a+8=0$

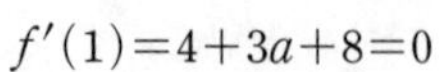

두 식을 연립하여 풀면 $a=-4$, $b=2$

답 $a=-4$, $b=2$

177

(1) $f(x)=x^3-6x^2+9x$에서

$f'(x)=3x^2-12x+9=3(x-1)(x-3)$

$f'(x)=0$에서 $x=1$ 또는 $x=3$

함수 $f(x)$의 증가와 감소를 표로 나타내면 다음과 같다.

x	$\cdots$	1	$\cdots$	3	$\cdots$
$f'(x)$	+	0	−	0	+
$f(x)$	↗	4	↘	0	↗

따라서

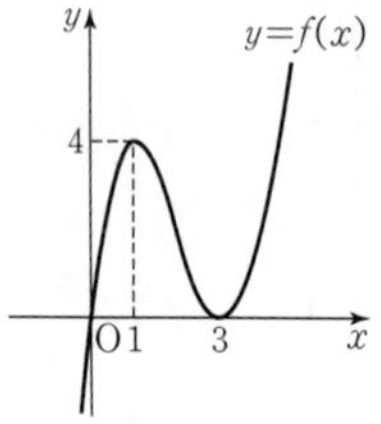

$x=1$일 때,

극댓값: $f(1)=4$

$x=3$일 때,

극솟값: $f(3)=0$

그러므로 함수 $y=f(x)$의 그래프는 그림과 같다.

(2) $f(x)=-2x^3+6x-3$에서

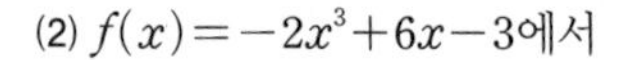

$f'(x)=-6x^2+6=-6(x+1)(x-1)$

$f'(x)=0$에서 $x=-1$ 또는 $x=1$

함수 $f(x)$의 증가와 감소를 표로 나타내면 다음과 같다.

x	$\cdots$	−1	$\cdots$	1	$\cdots$
$f'(x)$	−	0	+	0	−
$f(x)$	↘	−7	↗	1	↘

따라서

$x=-1$일 때,

극솟값: $f(-1)=-7$

$x=1$일 때,

극댓값: $f(1)=1$

그러므로 함수 $y=f(x)$의 그래프는 그림과 같다.

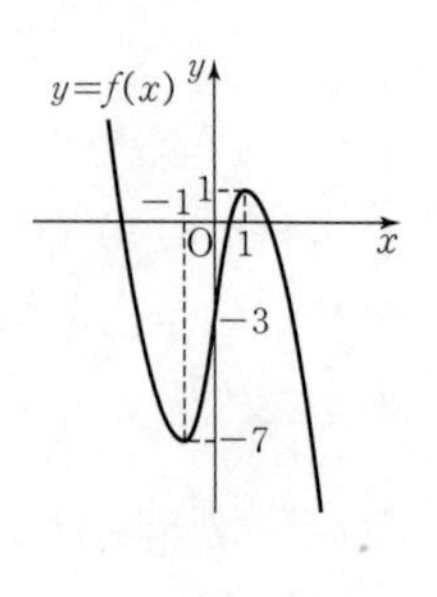

답 풀이 참조

179

(1) $f(x)=-x^4+2x^2+3$에서

$f'(x)=-4x^3+4x=-4x(x+1)(x-1)$

$f'(x)=0$에서 $x=-1$ 또는 $x=0$ 또는 $x=1$

함수 $f(x)$의 증가와 감소를 표로 나타내면 다음과 같다.

x	$\cdots$	−1	$\cdots$	0	$\cdots$	1	$\cdots$
$f'(x)$	+	0	−	0	+	0	−
$f(x)$	↗	4	↘	3	↗	4	↘

따라서 $x=-1$일 때,

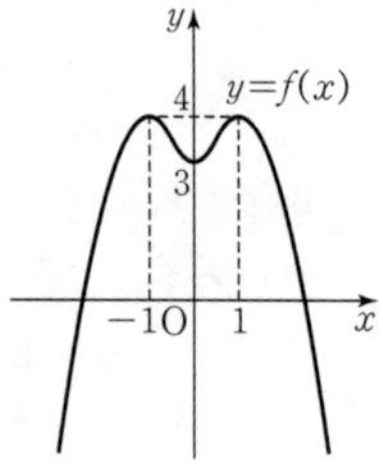

극댓값: $f(-1)=4$

$x=0$일 때,

극솟값: $f(0)=3$

$x=1$일 때,

극댓값: $f(1)=4$

그러므로 함수 $y=f(x)$의 그래프는 그림과 같다.

(2) $f(x)=x^4-4x^3+4$에서

$f'(x)=4x^3-12x^2=4x^2(x-3)$

$f'(x)=0$에서 $x=0$ 또는 $x=3$

함수 $f(x)$의 증가와 감소를 표로 나타내면 다음과 같다.

x	$\cdots$	0	$\cdots$	3	$\cdots$
$f'(x)$	−	0	−	0	+
$f(x)$	↘	4	↘	−23	↗

따라서 $x=3$일 때,

극솟값: $f(3)=-23$

극댓값은 없다.

그러므로 함수 $y=f(x)$의 그래프는 그림과 같다.

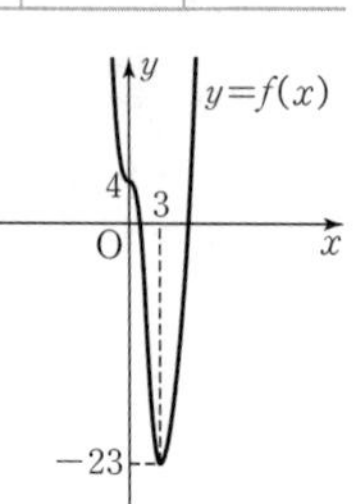

답 풀이 참조

181

$y=f'(x)$의 그래프가 x축과 만나는 점의 x좌표가 -1, 1이므로 이 값을 경계로 함수 $f(x)$의 증가와 감소를 표로 나타내면 다음과 같다.

x	$\cdots$	-1	$\cdots$	1	$\cdots$
$f'(x)$	$+$	0	$-$	0	$-$
$f(x)$	↗	극대	↘		↘

위의 증감표에 의하여 함수 $f(x)$의 그래프는 증가하다가 $x=-1$에서부터 감소하고, $x=1$에서 멈칫한 후 다시 감소한다.

따라서 $y=f(x)$의 그래프의 개형이 될 수 있는 것은 ④이다.

답 ④

183

(1) 삼차함수 $f(x)=x^3-3ax^2+(9a-6)x-5$가 극댓값과 극솟값을 갖기 위해서는 방정식 $f'(x)=0$이 서로 다른 두 실근을 가져야 하므로

$f'(x)=3x^2-6ax+(9a-6)=0$의 판별식을 D라 하면

$\frac{D}{4}=9a^2-3(9a-6)>0$, $a^2-3a+2>0$

$(a-1)(a-2)>0$ $\quad\therefore a<1$ 또는 $a>2$

(2) 삼차함수 $f(x)$가 극댓값과 극솟값을 갖지 않기 위해서는 방정식 $f'(x)=0$이 중근 또는 허근을 가져야 하므로 $f'(x)=3x^2-6ax+(9a-6)=0$의 판별식을 D라 하면

$\frac{D}{4}=9a^2-3(9a-6)\leq 0$, $a^2-3a+2\leq 0$

$(a-1)(a-2)\leq 0$ $\quad\therefore 1\leq a\leq 2$

답 (1) $a<1$ 또는 $a>2$ (2) $1\leq a\leq 2$

185

(1) $f(x)=x^4+2(a-1)x^2+4ax$에서

$f'(x)=4x^3+4(a-1)x+4a$

$=4(x+1)(x^2-x+a)$

$f'(x)=0$에서 $x=-1$ 또는 $x^2-x+a=0$

최고차항의 계수가 양수인 사차함수 $f(x)$가 극댓값을 가지려면 방정식 $f'(x)=0$이 서로 다른 세 실근을 가져야 한다.

그런데 $x=-1$이 방정식 $f'(x)=0$의 한 근이므로 이차방정식

$x^2-x+a=0$ $\quad\cdots\cdots$ ㉠

이 $x=-1$이 아닌 서로 다른 두 실근을 가져야 한다.

(i) ㉠이 $x=-1$이 아닌 근을 가져야 하므로

$f(1)=1+1+a\neq 0$ $\quad\therefore a\neq -2$

(ii) ㉠이 서로 다른 두 실근을 가져야 하므로 ㉠의 판별식을 D라 하면

$D=1-4a>0$ $\quad\therefore a<\frac{1}{4}$

따라서 $f(x)$가 극댓값을 가질 조건은

$a\neq -2$이고 $a<\frac{1}{4}$

$\therefore a<-2$ 또는 $-2<a<\frac{1}{4}$

(2) 극댓값을 갖지 않을 조건은 극댓값을 가질 조건을 부정하면 된다.

따라서 (1)에서 구한 결과의 여집합을 구하면 되므로

$a=-2$ 또는 $a\geq \frac{1}{4}$

답 (1) $a<-2$ 또는 $-2<a<\frac{1}{4}$

(2) $a=-2$ 또는 $a\geq\frac{1}{4}$

186

[1단계] $f(x)=-x^3+ax^2-3x+2$에서

$f'(x)=-3x^2+2ax-3$

함수 $f(x)$가 구간 $(-\infty, \infty)$에서 감소하려면 모든 실수 x에 대하여 $f'(x)\leq 0$이어야 한다.

[2단계] $f'(x)=-3x^2+2ax-3\leq 0$에서

$3x^2-2ax+3\geq 0$

위의 부등식이 모든 실수 x에 대하여 성립하려면 방정식 $3x^2-2ax+3=0$의 판별식을 D라 할 때

$\frac{D}{4}=a^2-9\leq 0$, $(a+3)(a-3)\leq 0$

$\therefore -3\leq a\leq 3$

따라서 $M=3$, $m=-3$이므로 $M+m=0$

답 0

187

$f(x)=-x^3+ax^2-1$에서 $f'(x)=-3x^2+2ax$

함수 $f(x)$가 $1<x<2$에서 증가하고, $x>3$에서 감소하려면 $f'(1)\geq 0$, $f'(2)\leq 0$, $f'(3)\leq 0$이어야 하므로 $y=f'(x)$의 그래프가 그림과 같아야 한다.

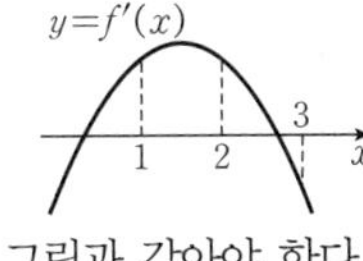

(i) $f'(1)=-3+2a\geq 0$에서 $a\geq\frac{3}{2}$ $\quad\cdots\cdots$ ㉠

(ii) $f'(2)=-12+4a\geq 0$에서 $a\geq 3$ $\quad\cdots\cdots$ ㉡

(iii) $f'(3)=-27+6a\leq 0$에서 $a\leq\frac{9}{2}$ $\quad\cdots\cdots$ ㉢

㉠, ㉡, ㉢을 동시에 만족시키는 a의 값의 범위는

$3 \le a \le \frac{9}{2}$

따라서 정수 a는 3, 4이므로 그 합은 $3+4=7$

답 7

188

그림과 같이 $y=f'(x)$의 그래프의 x절편을 작은 것부터 순서대로 a_1, a_2, a_3, a_4, a_5, a_6이라 하자.

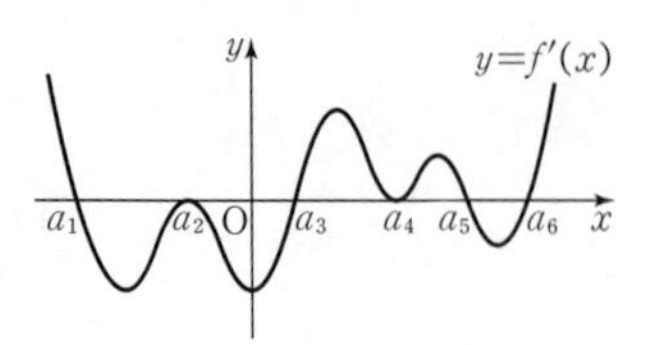

(i) $x=a_1$, $x=a_5$의 좌우에서 $f'(x)$의 부호가 양에서 음으로 바뀌므로 $x=a_1$, $x=a_5$에서 극대이다.

(ii) $x=a_3$, $x=a_6$의 좌우에서 $f'(x)$의 부호가 음에서 양으로 바뀌므로 $x=a_3$, $x=a_6$에서 극소이다.

(iii) $x=a_2$, $x=a_4$의 좌우에서 $f'(x)$의 부호가 바뀌지 않으므로 $x=a_2$, $x=a_4$에서 극대도 극소도 아니다.

따라서 함수 $y=f(x)$가 극대 또는 극소가 되는 점은 개수는 4이다.

답 4

189

[1단계] $f(x)=x^4-4x^3$으로 놓으면

$f'(x)=4x^3-12x^2$
$=4x^2(x-3)$

$f'(x)=0$에서

$x=0$ 또는 $x=3$

함수 $f(x)$의 증가와 감소를 표로 나타내면 다음과 같다.

x	$\cdots$	0	$\cdots$	3	$\cdots$
$f'(x)$	$-$	0	$-$	0	$+$
$f(x)$	↘	0	↘	-27	↗

따라서 $y=f(x)$의 그래프는 위의 그림과 같다.

[2단계] $y=|f(x)|$의 그래프는 $y=f(x)$의 그래프의 x축 아래쪽을 위쪽으로 접어 올린 것이므로 오른쪽 그림과 같다.

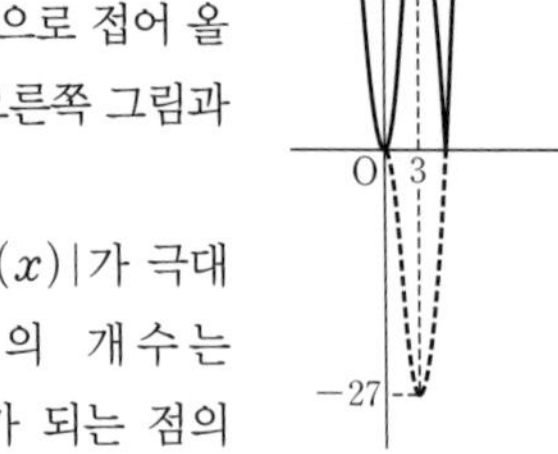

따라서 $y=|f(x)|$가 극대가 되는 점의 개수는 $m=1$, 극소가 되는 점의 개수는 $n=2$이므로 $m-n=-1$

답 -1

190

[1단계] $f(x)=2x^3+ax^2+bx+5$에서

$f'(x)=6x^2+2ax+b$

함수 $f(x)$가 $x=1$에서 극솟값 -2를 가지므로

$f(1)=2+a+b+5=-2$

$\therefore a+b=-9$ …… ㉠

$f'(1)=6+2a+b=0$

$\therefore 2a+b=-6$ …… ㉡

㉠, ㉡을 연립하여 풀면 $a=3$, $b=-12$

[2단계] $f(x)=2x^3+3x^2-12x+5$에서

$f'(x)=6x^2+6x-12=6(x+2)(x-1)$

$f'(x)=0$에서 $x=-2$ 또는 $x=1$

함수 $f(x)$의 증가와 감소를 표로 나타내면 다음과 같다.

x	$\cdots$	-2	$\cdots$	1	$\cdots$
$f'(x)$	$+$	0	$-$	0	$+$
$f(x)$	↗	극대	↘	극소	↗

따라서 함수 $f(x)$는 $x=-2$일 때 극대이므로 구하는 극댓값은

$f(-2)=-16+12+24+5=25$

답 25

191

$f(x)=x^3+ax^2+3x+4$에서

$f'(x)=3x^2+2ax+3$

함수 $f(x)$가 극값을 가지려면 방정식 $f'(x)=0$이 서로 다른 두 실근을 가져야 한다. 방정식 $f'(x)=0$의 판별식을 D라 하면

$\frac{D}{4}=a^2-9>0$, $(a+3)(a-3)>0$

$\therefore a<-3$ 또는 $a>3$

따라서 $\alpha=-3$, $\beta=3$이므로

$\alpha^2+\beta^2=9+9=18$

답 18

193

(1) $f(x)=2x^3-3x^2-12x$에서

$f'(x)=6x^2-6x-12=6(x+1)(x-2)$

$f'(x)=0$에서 $x=-1$ 또는 $x=2$

$-2 \le x \le 3$에서 함수 $f(x)$의 증가와 감소를 표로 나타내면 다음과 같다.

x	-2	$\cdots$	-1	$\cdots$	2	$\cdots$	3
$f'(x)$		$+$	0	$-$	0	$+$	
$f(x)$	-4	↗	7	↘	-20	↗	-9

따라서 양 끝값과 극값을 비교하면

최댓값: $f(-1)=7$

최솟값: $f(2)=-20$

(2) $f(x)=3x^4-4x^3-1$에서

$f'(x)=12x^3-12x^2=12x^2(x-1)$

$f'(x)=0$에서 $x=0$ 또는 $x=1$

구간 $[0, 2]$에서 함수 $f(x)$의 증가와 감소를 표로 나타내면 다음과 같다.

x	0	$\cdots$	1	$\cdots$	2
$f'(x)$	0	$-$	0	$+$	
$f(x)$	-1	↘	-2	↗	15

따라서 양 끝값과 극값을 비교하면

최댓값: $f(2)=15$

최솟값: $f(1)=-2$

답 (1) 최댓값: 7, 최솟값: -20

(2) 최댓값: 15, 최솟값: -2

195

$f(x)=x^3-3x+a$에서

$f'(x)=3x^2-3=3(x+1)(x-1)$

$f'(x)=0$에서 $x=-1$ 또는 $x=1$

$0 \le x \le 2$에서 함수 $f(x)$의 증가와 감소를 표로 나타내면 다음과 같다.

x	0	$\cdots$	1	$\cdots$	2
$f'(x)$		$-$	0	$+$	
$f(x)$	a	↘	$a-2$	↗	$a+2$

따라서 최댓값은 $f(2)=a+2$,

최솟값은 $f(1)=a-2$

주어진 조건에서 최댓값이 10이므로

$a+2=10 \quad \therefore a=8$

답 8

197

$f(x)=ax^3-6ax^2+b$에서

$f'(x)=3ax^2-12ax=3ax(x-4)$

$f'(x)=0$에서 $x=0$ 또는 $x=4$

$a>0$일 때, $-1 \le x \le 2$에서 함수 $f(x)$의 증가와 감소를 표로 나타내면 다음과 같다.

x	-1	$\cdots$	0	$\cdots$	2
$f'(x)$		$+$	0	$-$	
$f(x)$	$b-7a$	↗	b	↘	$b-16a$

따라서 최댓값은 $f(0)=b$, 최솟값은 $f(2)=b-16a$

주어진 조건에서 최댓값이 10, 최솟값이 -22이므로

$b=10$, $b-16a=-22 \quad \therefore a=2, b=10$

답 $a=2$, $b=10$

199

상자의 부피를 $f(x)$라 하면

$f(x)=(6-2x)^2x$

$=4x^3-24x^2+36x \ (0<x<3)$

$f'(x)=12x^2-48x+36=12(x-1)(x-3)$

$f'(x)=0$에서 $x=1$ 또는 $x=3$

$0<x<3$에서 함수 $f(x)$의 증가와 감소를 표로 나타내면 다음과 같다.

x	(0)	$\cdots$	1	$\cdots$	(3)
$f'(x)$		$+$	0	$-$	(0)
$f(x)$	(0)	↗	16	↘	(0)

따라서 $x=1$일 때 부피는 최대이고, 이때의 부피는 16이다.

답 $x=1$, 부피: 16

200

$f(x)=-2x^3-6x^2+10$에서

$f'(x)=-6x^2-12x=-6x(x+2)$

$f'(x)=0$에서 $x=-2$ 또는 $x=0$

구간 $[-3, 2]$에서 함수 $f(x)$의 증가와 감소를 표로 나타내면 다음과 같다.

x	-3	$\cdots$	-2	$\cdots$	0	$\cdots$	2
$f'(x)$		$-$	0	$+$	0	$-$	
$f(x)$	10	↘	2	↗	10	↘	-30

양 끝값과 극값을 비교하면

최댓값: $f(-3)=f(0)=10$, 최솟값: $f(2)=-30$

따라서 $M=10$, $m=-30$이므로

$M-m=10-(-30)=40$

답 40

201

[1단계] $f(x)=2x^3+3ax^2-12a^2x+50$에서

$f'(x)=6x^2+6ax-12a^2$

$=6(x+2a)(x-a)$

$f'(x)=0$에서 $x=-2a$ 또는 $x=a$

$a>0$이므로 $x>0$에서 함수 $f(x)$의 증가와 감소를 표로 나타내면 다음과 같다.

x	(0)	$\cdots$	a	$\cdots$
$f'(x)$		$-$	0	$+$
$f(x)$	(50)	↘	$-7a^3+50$	↗

따라서 최솟값은 $f(a)=-7a^3+50$

[2단계] 주어진 조건에서 $x>0$일 때, 최솟값이 -6이므로

$-7a^3+50=-6$, $a^3=8$ $\quad \therefore a=2$

답 2

202

$f(x)=x^4-4x^3-2x^2+12x-3$에서

$f'(x)=4x^3-12x^2-4x+12=4(x+1)(x-1)(x-3)$

$f'(x)=0$에서 $x=-1$ 또는 $x=1$ 또는 $x=3$

구간 $[0,\ 4]$에서 함수 $f(x)$의 증가와 감소를 표로 나타내면 다음과 같다.

x	0	$\cdots$	1	$\cdots$	3	$\cdots$	4
$f'(x)$		$+$	0	$-$	0	$+$	
$f(x)$	-3	↗	4	↘	-12	↗	13

양 끝값과 극값을 비교하면

최댓값: $f(4)=13$, 최솟값: $f(3)=-12$

따라서 $M=13$, $m=-12$이므로

$M+m=13+(-12)=1$

답 1

203

[1단계] $f(x)=x^4-4x^3+4x^2+a$에서

$f'(x)=4x^3-12x^2+8x$

$=4x(x-1)(x-2)$

$f'(x)=0$에서 $x=0$ 또는 $x=1$ 또는 $x=2$

$-1\le x\le 1$에서 함수 $f(x)$의 증가와 감소를 표로 나타내면 다음과 같다.

x	-1	$\cdots$	0	$\cdots$	1
$f'(x)$		$-$	0	$+$	0
$f(x)$	$a+9$	↘	a	↗	$a+1$

따라서 최댓값은 $f(-1)=a+9$,

최솟값은 $f(0)=a$

[2단계] 주어진 조건에서 최댓값이 79이므로

$a+9=79$ $\quad \therefore a=70$

따라서 $f(x)$의 최솟값은 $a=70$

답 70

204

[1단계] $f(x)=ax^3-3ax^2+b$에서

$f'(x)=3ax^2-6ax=3ax(x-2)$

$f'(x)=0$에서 $x=0$ 또는 $x=2$

$a>0$일 때, $0\le x\le 4$에서 함수 $f(x)$의 증가와 감소를 표로 나타내면 다음과 같다.

x	0	$\cdots$	2	$\cdots$	4
$f'(x)$	0	$-$	0	$+$	
$f(x)$	b	↘	$-4a+b$	↗	$16a+b$

따라서 최댓값은 $f(4)=16a+b$,

최솟값은 $f(2)=-4a+b$

[2단계] 주어진 조건에서 최솟값이 -2, 최댓값이 38이므로

$-4a+b=-2$, $16a+b=38$

두 식을 연립하여 풀면 $a=2$, $b=6$

$\therefore a+b=8$

답 8

205

[1단계] 그림과 같이 정삼각형의 꼭짓점으로부터 거리가 x $(0<x<6)$인 부분까지 자른다고 하자. 상자의 밑면은 한 변의 길이가 $12-2x$인 정삼각형이므로 그 넓이를 S라 하면

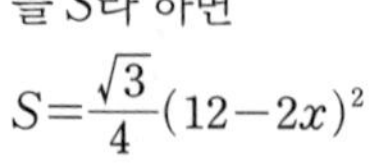

$S=\dfrac{\sqrt{3}}{4}(12-2x)^2$

또 상자의 높이를 h라 하면

$h=x\tan 30^\circ=\dfrac{1}{\sqrt{3}}x$

따라서 상자의 부피를 $f(x)$라 하면

$f(x)=Sh=\dfrac{\sqrt{3}}{4}(12-2x)^2\cdot\dfrac{1}{\sqrt{3}}x$

$=x^3-12x^2+36x$

[2단계] $f(x)=x^3-12x^2+36x$에서

$f'(x)=3x^2-24x+36=3(x-2)(x-6)$

$f'(x)=0$에서 $x=2$ 또는 $x=6$

$0<x<6$에서 함수 $f(x)$의 증가와 감소를 표로 나타내면 다음과 같다.

x	(0)	$\cdots$	2	$\cdots$	(6)
$f'(x)$		$+$	0	$-$	(0)
$f(x)$	(0)	↗	32	↘	(0)

따라서 상자의 부피는 $x=2$일 때 최대이고, 최댓값은 32이다.

답 ③

207

(1) $f(x)=x^3-3x-2$로 놓으면

$f'(x)=3x^2-3=3(x+1)(x-1)$

$f'(x)=0$에서 $x=-1$ 또는 $x=1$

함수 $f(x)$의 증가와 감소를 표로 나타내면 다음과 같다.

x	$\cdots$	-1	$\cdots$	1	$\cdots$
$f'(x)$	$+$	0	$-$	0	$+$
$f(x)$	↗	0	↘	-4	↗

따라서 함수 $y=f(x)$의 그래프는 그림과 같고 함수 $y=f(x)$의 그래프가 x축과 서로 다른 두 점에서 만나므로 주어진 방정식의 서로 다른 실근의 개수는 2이다.

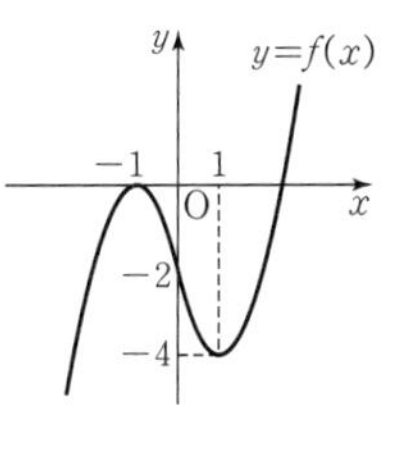

(2) $f(x)=x^4-2x^2-1$로 놓으면

$f'(x)=4x^3-4x=4x(x+1)(x-1)$

$f'(x)=0$에서 $x=-1$ 또는 $x=0$ 또는 $x=1$

함수 $f(x)$의 증가와 감소를 표로 나타내면 다음과 같다.

x	$\cdots$	-1	$\cdots$	0	$\cdots$	1	$\cdots$
$f'(x)$	$-$	0	$+$	0	$-$	0	$+$
$f(x)$	↘	-2	↗	-1	↘	-2	↗

따라서 함수 $y=f(x)$의 그래프는 그림과 같고 함수 $y=f(x)$의 그래프가 x축과 서로 다른 두 점에서 만나므로 주어진 방정식의 서로 다른 실근의 개수는 2이다.

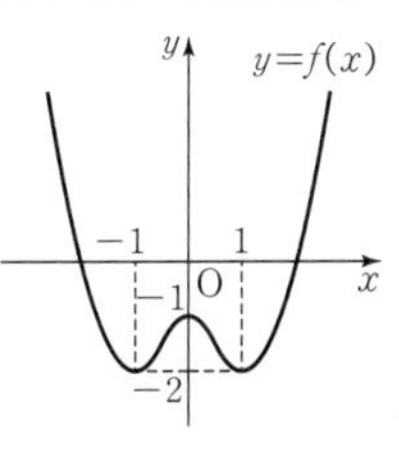

(3) $f(x)=2x^4-4x^2+1$로 놓으면

$f'(x)=8x^3-8x=8x(x+1)(x-1)$

$f'(x)=0$에서 $x=-1$ 또는 $x=0$ 또는 $x=1$

함수 $f(x)$의 증가와 감소를 표로 나타내면 다음과 같다.

x	$\cdots$	-1	$\cdots$	0	$\cdots$	1	$\cdots$
$f'(x)$	$-$	0	$+$	0	$-$	0	$+$
$f(x)$	↘	-1	↗	1	↘	-1	↗

따라서 함수 $y=f(x)$의 그래프는 그림과 같고 함수 $y=f(x)$의 그래프가 x축과 서로 다른 네 점에서 만나므로 주어진 방정식의 서로 다른 실근의 개수는 4이다.

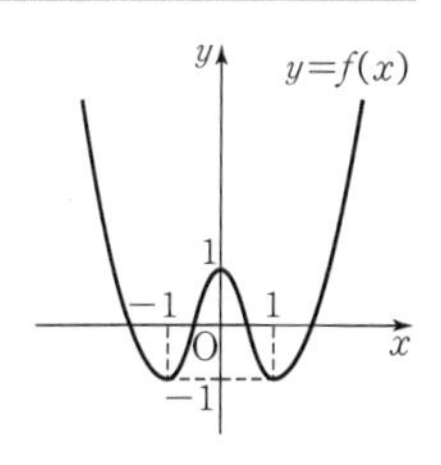

답 (1) 2 (2) 2 (3) 4

209

$f(x)=2x^3-6x^2+a+6$으로 놓으면

$f'(x)=6x^2-12x=6x(x-2)$

$f'(x)=0$에서 $x=0$ 또는 $x=2$

함수 $f(x)$의 증가와 감소를 표로 나타내면 다음과 같다.

x	$\cdots$	0	$\cdots$	2	$\cdots$
$f'(x)$	$+$	0	$-$	0	$+$
$f(x)$	↗	$a+6$	↘	$a-2$	↗

(1) (극댓값)$\times$(극솟값)<0이어야 하므로

$(a+6)(a-2)<0$ $\quad\therefore -6<a<2$

(2) (극댓값)$\times$(극솟값)$=0$이어야 하므로

$(a+6)(a-2)=0$ $\quad\therefore a=-6$ 또는 $a=2$

(3) (극댓값)$\times$(극솟값)>0이어야 하므로

$(a+6)(a-2)>0$ $\quad\therefore a<-6$ 또는 $a>2$

답 (1) $-6<a<2$ (2) $a=-6$ 또는 $a=2$ (3) $a<-6$ 또는 $a>2$

> 다른 풀이

$2x^3-6x^2+a+6=0$에서

$2x^3-6x^2+6=-a$이므로

$y=2x^3-6x^2+6$, $y=-a$로 놓고, 두 그래프의 교점의 개수를 조사해도 된다.

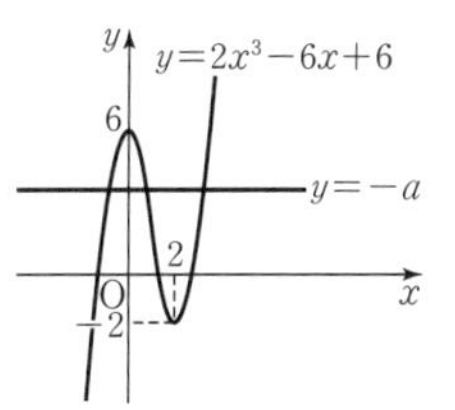

(1) $-2<-a<6$

$\therefore -6<a<2$

(2) $-a=6$ 또는 $-a=-2$

$\therefore$ $a=-6$ 또는 $a=2$

(3) $-a<-2$ 또는 $-a>6$

$\therefore$ $a<-6$ 또는 $a>2$

211

$f(x)=x^3-3x^2-9x+a$로 놓으면

$f'(x)=3x^2-6x-9=3(x+1)(x-3)$

$f'(x)=0$에서 $x=-1$ 또는 $x=3$

함수 $f(x)$의 증가와 감소를 표로 나타내면 다음과 같다.

x	$\cdots$	-1	$\cdots$	3	$\cdots$
$f'(x)$	$+$	0	$-$	0	$+$
$f(x)$	↗	$a+5$	↘	$a-27$	↗

따라서 극댓값: $f(-1)=a+5$, 극솟값: $f(3)=a-27$

(1) $y=f(x)$의 그래프가 그림과 같아야 하므로

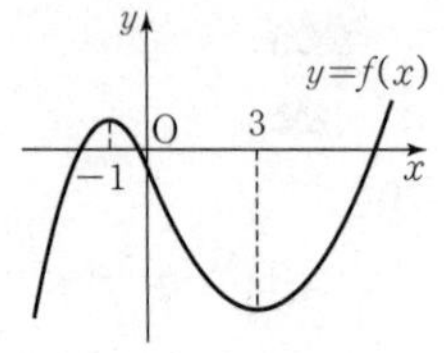

(극댓값)>0,

(극솟값)<0,

(y축과 만나는 점의 y좌표)<0에서

$a+5>0$, $a-27<0$, $a<0$

$\therefore$ $-5<a<0$

(2) $y=f(x)$의 그래프가 그림과 같아야 하므로

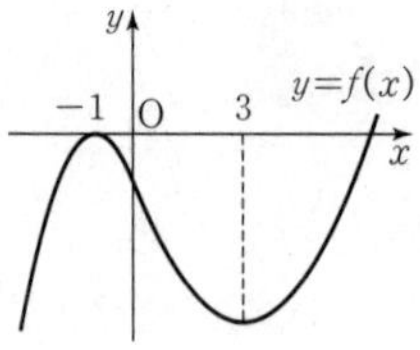

(극댓값)$=0$에서

$a+5=0$

$\therefore$ $a=-5$

(3) $y=f(x)$의 그래프가 그림과 같아야 하므로

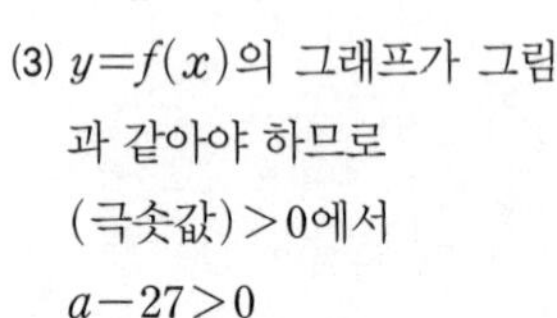

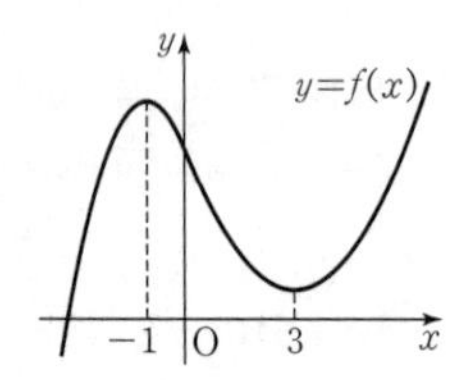

(극솟값)>0에서

$a-27>0$

$\therefore$ $a>27$

답 (1) $-5<a<0$ (2) $a=-5$ (3) $a>27$

213

(1) $f(x)=x^4-4x+a$로 놓으면

x	$\cdots$	1	$\cdots$
$f'(x)$	$-$	0	$+$
$f(x)$	↘	최소	↗

$f'(x)$

$=4x^3-4$

$=4(x-1)(x^2+x+1)$

그런데 $x^2+x+1=\left(x+\frac{1}{2}\right)^2+\frac{3}{4}>0$이므로 위의 증감표에 의해 $f(x)$는 $x=1$에서 최소이다.

따라서 모든 실수 x에 대하여 $f(x)>0$이 성립하려면

$f(1)=a-3>0$ $\qquad\therefore$ $a>3$

(2) $f(x)=x^3-3x^2+a$로 놓으면

x	(2)	$\cdots$
$f'(x)$	(0)	$+$
$f(x)$	(최소)	↗

$f'(x)$

$=3x^2-6x$

$=3x(x-2)$

그런데 $x>2$에서 $f'(x)>0$이므로 $f(x)$는 증가함수이고, 위의 증감표에 의해 $x>2$에서 $f(x)>0$이려면

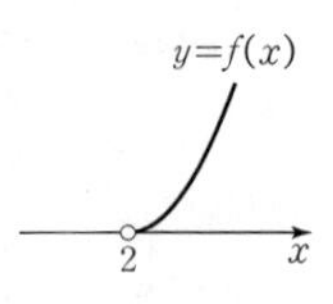

$f(2)=a-4\geq 0$ $\qquad\therefore$ $a\geq 4$

답 (1) $a>3$ (2) $a\geq 4$

214

$f(x)=x^3-6x^2-n$으로 놓으면

$f'(x)=3x^2-12x=3x(x-4)$

$f'(x)=0$에서 $x=0$ 또는 $x=4$

함수 $f(x)$의 증가와 감소를 표로 나타내면 다음과 같다.

x	$\cdots$	0	$\cdots$	4	$\cdots$
$f'(x)$	$+$	0	$-$	0	$+$
$f(x)$	↗	$-n$	↘	$-n-32$	↗

삼차방정식 $f(x)=0$이 서로 다른 세 실근을 가지려면 (극댓값)$\times$(극솟값)<0이어야 하므로

$(-n)(-n-32)<0$

$n(n+32)<0$ $\qquad\therefore$ $-32<n<0$

따라서 정수 n은 -31, -30, -29, $\cdots$, -2, -1로 그 개수는 31이다.

답 31

215

$f(x)=2x^3-3x^2-12x+p$로 놓으면

$f'(x)=6x^2-6x-12=6(x+1)(x-2)$

$f'(x)=0$에서 $x=-1$ 또는 $x=2$

함수 $f(x)$의 증가와 감소를 표로 나타내면 다음과 같다.

x	$\cdots$	-1	$\cdots$	2	$\cdots$
$f'(x)$	$+$	0	$-$	0	$+$
$f(x)$	↗	$p+7$	↘	$p-20$	↗

삼차방정식 $f(x)=0$이 서로 다른 두 개의 양근과 한 개의 음근을 가지려면 $y=f(x)$의 그래프가 그림과 같아야 한다.

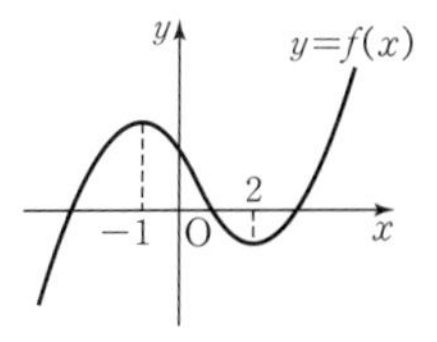

(극댓값)>0, (극솟값)<0,

(y축과 만나는 점의 y좌표)>0에서

$p+7>0$, $p-20<0$, $p>0$

$\therefore 0<p<20$

따라서 정수 p는 1, 2, 3, ⋯, 19로 그 개수는 19이다.

답 19

216

두 곡선 $y=x^3-3x^2+5x$, $y=3x^2-4x+m$이 서로 다른 세 점에서 만나려면 방정식

$x^3-3x^2+5x=3x^2-4x+m$, 즉

$x^3-6x^2+9x-m=0$이 서로 다른 세 실근을 가져야 한다.

$f(x)=x^3-6x^2+9x-m$으로 놓으면

$f'(x)=3x^2-12x+9=3(x-1)(x-3)$

$f'(x)=0$에서 $x=1$ 또는 $x=3$

함수 $f(x)$의 증가와 감소를 표로 나타내면 다음과 같다.

x	⋯	1	⋯	3	⋯
$f'(x)$	+	0	−	0	+
$f(x)$	↗	$-m+4$	↘	$-m$	↗

삼차방정식 $f(x)=0$이 서로 다른 세 실근을 가지려면

(극댓값)×(극솟값)<0이어야 하므로

$(-m+4)(-m)<0$, $m(m-4)<0$

$\therefore 0<m<4$

답 $0<m<4$

217

$x^3-8x+k>4x$에서 $x^3-12x+k>0$

$f(x)=x^3-12x+k$로 놓으면

$f'(x)=3x^2-12=3(x+2)(x-2)$

이때, $x>2$에서 $f'(x)>0$이므로 함수 $f(x)$는 $x>2$에서 증가함수이다.

$x>2$일 때 $f(x)>0$이려면

$f(2)=8-24+k\geq 0$

$\therefore k\geq 16$

따라서 상수 k의 최솟값은 16이다.

답 16

218

[1단계] $f(x)=3x^4-8x^3-18x^2+a$로 놓으면

$f'(x)=12x^3-24x^2-36x$

$=12x(x+1)(x-3)$

$f'(x)=0$에서 $x=-1$ 또는 $x=0$ 또는 $x=3$

함수 $f(x)$의 증가와 감소를 표로 나타내면 다음과 같다.

x	⋯	-1	⋯	0	⋯	3	⋯
$f'(x)$	−	0	+	0	−	0	+
$f(x)$	↘	$a-7$	↗	a	↘	$a-135$	↗

위의 표에 의하여 함수 $f(x)$는 $x=3$일 때, 최솟값 $a-135$를 갖는다.

[2단계] 모든 실수 x에 대하여 $f(x)\geq 0$이려면

(최솟값)≥ 0이어야 하므로

$a-135\geq 0$ $\therefore a\geq 135$

따라서 a의 최솟값은 135이다.

답 135

220

(1) (평균속도)$=\dfrac{-36-0}{3-0}=-12$

(2) 점 P의 시각 t에서의 위치가 $x=\dfrac{1}{3}t^3-5t^2$이므로

속도를 v, 가속도를 a라 하면

$v=\dfrac{dx}{dt}=t^2-10t$

$a=\dfrac{dv}{dt}=2t-10$

따라서 시각 $t=3$일 때의 점 P의 속도와 가속도는

$v=3^2-10\cdot 3=-21$, $a=2\cdot 3-10=-4$

(3) 점 P가 운동 방향을 바꿀 때의 속도는 0이므로

$v=t^2-10t=0$에서 $t(t-10)=0$

$\therefore t=10$ ($\because t>0$)

답 (1) -12 (2) 속도: -21, 가속도: -4 (3) 10

222

(1) $h=45+40t-5t^2$이므로

t초 후의 속도를 v, 가속도를 a라 하면

$v=\dfrac{dh}{dt}=-10t+40$, $a=\dfrac{dv}{dt}=-10$

따라서 $t=2$(초)일 때의 속도와 가속도는

$v=(-10)\cdot 2+40=20$(m/초)

$a=-10$(m/초^2)

(2) 최고 높이에 도달할 때, $v=0$이므로

$-10t+40=0$에서 $t=4$(초)

따라서 최고 높이에 도달할 때까지 걸린 시간은 4초이고, 그때의 높이는

$h=45+40\cdot4-5\cdot4^2=125$(m)

(3) 땅에 떨어질 때, $h=0$이므로

$45+40t-5t^2=0$에서

$t^2-8t-9=0$, $(t+1)(t-9)=0$

그런데 $t>0$이므로 $t=9$(초)

따라서 땅에 떨어질 순간의 속도는

$v=(-10)\cdot9+40=-50$(m/초)

답 (1) 속도: 20 m/초, 가속도: -10 m/초^2
(2) 걸린 시간: 4초, 높이: 125 m
(3) -50 m/초

224

그림과 같이 t분 후에 가로등을 기준으로 학생이 움직인 거리를 x m, 그림자의 끝이 움직인 거리를 y m라 하자. $\triangle ABC \backsim \triangle DEC$이므로

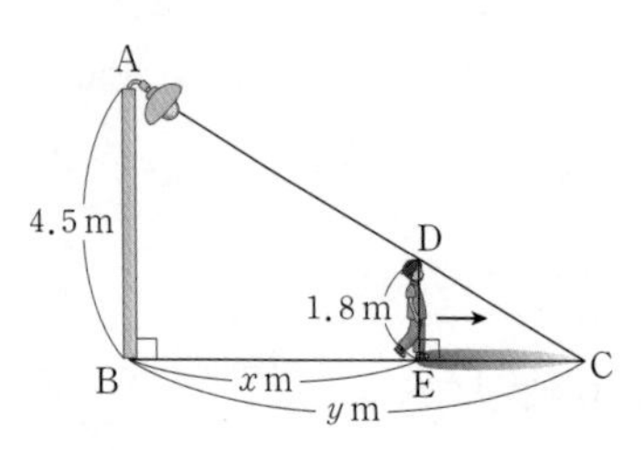

$4.5 : y=1.8 : (y-x)$

$1.8y=4.5y-4.5x$, $2.7y=4.5x$

$\therefore y=\dfrac{5}{3}x$ ...... ㉠

(1) 학생이 매분 72 m의 속도로 걸어가므로 t분 후

$x=72t$ ...... ㉡

㉡을 ㉠에 대입하면

$y=120t$

$\therefore \dfrac{dy}{dt}=120$(m/분)

(2) t분 후의 그림자의 길이를 l이라 하면

$l=y-x=120t-72t=48t$

$\therefore \dfrac{dl}{dt}=48$(m/분)

답 (1) 120 m/분 (2) 48 m/분

225

점 P의 시각 t에서의 위치가 $x=t^3-3t^2$이므로 속도를 v, 가속도를 a라 하면

$v=\dfrac{dx}{dt}=3t^2-6t$, $a=\dfrac{dv}{dt}=6t-6$

속도가 45인 순간의 시각을 구하면

$3t^2-6t=45$

$t^2-2t-15=0$, $(t+3)(t-5)=0$

$\therefore t=5$ ($\because t>0$)

따라서 속도가 45일 때, 즉 $t=5$일 때의 가속도는

$6\cdot5-6=24$

답 24

226

[1단계] 브레이크를 밟은 지 t초 후의 거리가 $s=60t-5t^2$이므로 열차의 속도를 v라 하면

$v=\dfrac{ds}{dt}=60-10t$

열차가 정지할 때의 속도는 0이므로

$60-10t=0$에서 $t=6$(초)

[2단계] 브레이크를 밟은 지 6초 후에 열차가 정지하므로 그때까지 움직인 거리는

$60\cdot6-5\cdot6^2=180$(m)

답 180 m

227

점 P의 시각 t에서의 위치가 $x=t^3-4t+1$이므로 속도를 v라 하면

$v=\dfrac{dx}{dt}=3t^2-4$ ...... ㉠

$1\le t\le3$에서 ㉠의 그래프는 그림과 같으므로

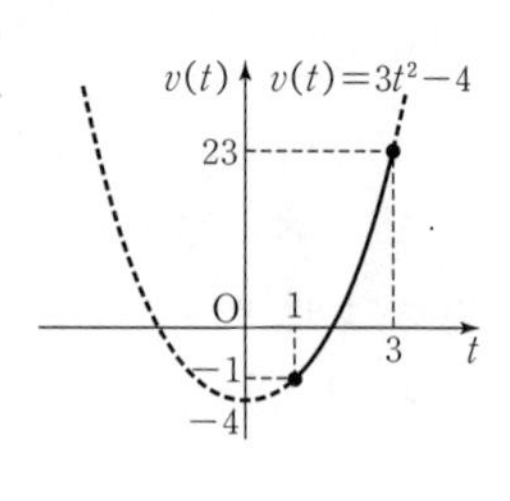

$-1\le v\le23$

$\therefore 0\le|v|\le23$

따라서 점 P의 속력의 최댓값은 23이다.

답 23

228

점 P의 시각 t에서의 위치가 $x=\dfrac{1}{3}t^3-\dfrac{7}{2}t^2+10t$이므로 속도를 v, 가속도를 a라 하면

$v=\dfrac{dx}{dt}=t^2-7t+10$

$a=\dfrac{dv}{dt}=2t-7$

점 P가 운동 방향을 바꿀 때의 속도는 0이므로

$t^2-7t+10=0$, $(t-2)(t-5)=0$

$\therefore t=2$ 또는 $t=5$

따라서 $t=2$일 때 처음으로 운동 방향을 바꾸므로 구하는 가속도는

$2\cdot2-7=-3$

답 -3

229

그림과 같이 t초 후에 가로등을 기준으로 선수가 움직인 거리를 x m, 그림자의 끝이 움직인 거리를 y m라 하자.

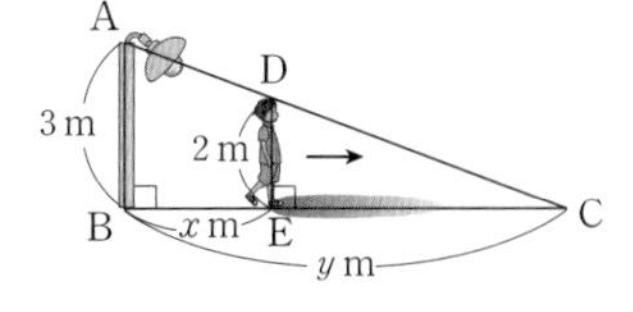

$\triangle ABC \backsim \triangle DEC$이므로

$3:y=2:(y-x) \qquad \therefore y=3x$ ...... ㉠

선수가 매초 10 m의 속도로 뛰어가므로 t초 후 선수가 움직인 거리는 $x=10t$ ...... ㉡

㉡을 ㉠에 대입하면 $\quad y=30t$

$\therefore \dfrac{dy}{dt}=30(\text{m/초})$

t초 후의 그림자의 길이를 l이라 하면

$l=y-x=30t-10t=20t \qquad \therefore \dfrac{dl}{dt}=20(\text{m/초})$

답 20 m/초

230

$f(x)=x^4+ax+b$로 놓으면 $f'(x)=4x^3+a$이고

$x=1$에서 접선의 기울기가 1이므로

$f'(1)=4+a=1 \qquad \therefore a=-3$

또 접점이 $(1,\ 1)$이므로

$f(1)=1+a+b=1 \qquad \therefore b=3$

$\therefore 2a+b=-6+3=-3$

답 -3

231

$f(x)=x^2+1$로 놓으면 $f'(x)=2x$

접점의 좌표를 $(t,\ t^2+1)$이라 하면 접선의 기울기는

$\tan 135°=-1$이므로

$f'(t)=2t=-1 \qquad \therefore t=-\dfrac{1}{2}$

즉, 접점의 좌표는 $\left(-\dfrac{1}{2},\ \dfrac{5}{4}\right)$이므로 구하는 접선의 방정식은

$y-\dfrac{5}{4}=-\left\{x-\left(-\dfrac{1}{2}\right)\right\} \qquad \therefore y=-x+\dfrac{3}{4}$

답 $y=-x+\dfrac{3}{4}$

232

$f(x)=x^2-4$로 놓으면 $f'(x)=2x$

접점의 좌표를 $(t,\ t^2-4)$라 하면 이 점에서의 접선의 기울기는 $f'(t)=2t$이므로 접선의 방정식은

$y-(t^2-4)=2t(x-t)$

$\therefore y=2tx-t^2-4$

이 직선이 점 $(0,\ -5)$를 지나므로

$-5=-t^2-4,\ t^2=1 \qquad \therefore t=-1$ 또는 $t=1$

따라서 두 접선의 기울기의 곱은

$f'(-1)f'(1)=(-2)\cdot2=-4$

답 -4

233

$f(x)=x^3+kx^2-k+2$에서 $f'(x)=3x^2+2kx$이므로

$f'(1)=3+2k$

이때 $k=-7,\ -6,\ -4,\ -2$이면 $f'(1)<0$이고,

$k=0$이면 $f'(1)>0$이다.

따라서 $f(x)$가 $x=1$에서 증가할 때 k의 값이 될 수 있는 것은 ⑤이다.

답 ⑤

234

$f(x)=x^3,\ g(x)=ax^2+bx$로 놓으면

$f'(x)=3x^2,\ g'(x)=2ax+b$

두 곡선 $y=f(x),\ y=g(x)$가 점 $(1,\ 1)$을 지나므로 $f(1)=g(1)$에서

$a+b=1$ ...... ㉠

점 $(1,\ 1)$에서 두 곡선에 그은 접선의 기울기가 같으므로 $f'(1)=g'(1)$에서

$3=2a+b$ ...... ㉡

㉠, ㉡을 연립하여 풀면 $a=2,\ b=-1$

$\therefore ab=-2$

답 ③

235

$f(x)=-x^3+ax+b$에서 $f'(x)=-3x^2+a$

함수 $f(x)$가 $x=-1$에서 극솟값 0을 가지므로

$f(-1)=1-a+b=0$ ...... ㉠

$f'(-1)=-3+a=0$ ...... ㉡

㉠, ㉡을 연립하여 풀면 $a=3,\ b=2$

$\therefore f(x)=-x^3+3x+2$

$\therefore f'(x)=-3x^2+3=-3(x-1)(x+1)$

$f'(x)=0$에서 $x=-1$ 또는 $x=1$

함수 $f(x)$의 증가와 감소를 표로 나타내면 다음과 같다.

x	$\cdots$	-1	$\cdots$	1	$\cdots$
$f'(x)$	$-$	0	$+$	0	$-$
$f(x)$	↘	극소	↗	극대	↘

따라서 함수 $f(x)$는 $x=1$에서 극댓값을 갖는다.

따라서 $f(x)=-x^3+3x+2$이므로 구하는 극댓값은

$f(1)=-1+3+2=4$

답 4

236

$f(x)=x^3+ax^2+bx+1$에서

$f'(x)=3x^2+2ax+b$

함수 $f(x)$가 $x=3$에서 극솟값 1을 가지므로

$f(3)=27+9a+3b+1=1$ …… ㉠

$f'(3)=27+6a+b=0$ …… ㉡

㉠, ㉡을 연립하여 풀면 $a=-6$, $b=9$

$\therefore f(x)=x^3-6x^2+9x+1$

$\therefore f'(x)=3x^2-12x+9=3(x-3)(x-1)$

$f'(x)=0$에서 $x=1$ 또는 $x=3$

$-1\le x\le 3$에서 함수 $f(x)$의 증가와 감소를 표로 나타내면 다음과 같다.

x	-1	$\cdots$	1	$\cdots$	3
$f'(x)$		$+$	0	$-$	0
$f(x)$	-15	↗	5	↘	1

따라서 함수 $f(x)$는 $x=1$일 때 최댓값 5를 갖는다.

답 5

237

$f(x)=x^3-3x-k$로 놓으면

$f'(x)=3x^2-3=3(x-1)(x+1)$

$f'(x)=0$에서 $x=-1$ 또는 $x=1$

삼차방정식 $f(x)=0$이 오직 한 개의 실근을 가지려면

$f(-1)f(1)>0$, 즉 $(2-k)(-2-k)>0$

$\therefore k<-2$ 또는 $k>2$

답 ②

238

$2x^3-3x^2-12x+1-k=0$에서

$2x^3-3x^2-12x+1=k$

$f(x)=2x^3-3x^2-12x+1$로 놓으면

$f'(x)=6x^2-6x-12=6(x+1)(x-2)$

$f'(x)=0$에서 $x=-1$ 또는 $x=2$

함수 $f(x)$의 증가와 감소를 표로 나타내면 다음과 같다.

x	$\cdots$	-1	$\cdots$	2	$\cdots$
$f'(x)$	$+$	0	$-$	0	$+$
$f(x)$	↗	8	↘	-19	↗

따라서 함수 $y=f(x)$의 그래프는 그림과 같으므로 구하는 실수 k의 값의 범위는 $1<k<8$

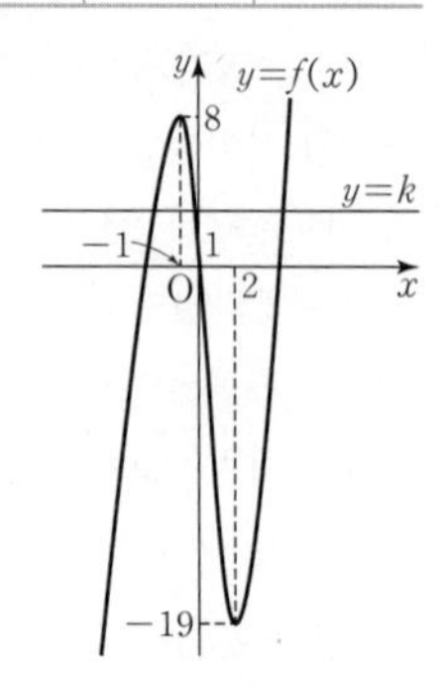

답 $1<k<8$

239

$f(x)=-x^3+ax^2+bx$에서 $f'(x)=-3x^2+2ax+b$

$-1<x<3$에서 $f(x)$가 증가하려면 $f'(x)\ge 0$이어야 하고 $x<-1$ 또는 $x>3$에서 $f(x)$가 감소하려면 $f'(x)\le 0$이어야 하므로 $f'(x)=-3(x+1)(x-3)$으로 놓을 수 있다.

$\therefore f'(x)=-3x^2+2ax+b=-3(x+1)(x-3)$

$=-3x^2+6x+9$

$\therefore a=3$, $b=9$

답 $a=3$, $b=9$

240

함수 $f(x)$의 역함수가 존재하려면 $f(x)$가 일대일대응이어야 하므로 실수 전체의 집합에서 $f(x)$는 증가하거나 감소해야 한다. 그런데 최고차항의 계수가 양수이므로 $f(x)$는 증가해야 한다.

즉, 모든 실수 x에 대하여 $f'(x)\ge 0$이어야 하므로

$f(x)=x^3+2x^2+kx+3$에서

$f'(x)=3x^2+4x+k\ge 0$

방정식 $f'(x)=0$의 판별식을 D라 할 때,

$\frac{D}{4}=4-3k\le 0 \qquad \therefore k\ge\frac{4}{3}$

답 $k\ge\frac{4}{3}$

241

$f(x)=ax^3+6x^2+(15-3a)x+1$에서

$f'(x)=3ax^2+12x+15-3a$

삼차함수 $f(x)$가 극댓값과 극솟값을 모두 가지려면 방정식 $f'(x)=0$이 서로 다른 두 실근을 가져야 하므로 판별식을 D라 할 때,

$\frac{D}{4}=36-3a(15-3a)>0$, $9(a-1)(a-4)>0$

$\therefore$ $a<0$ 또는 $0<a<1$ 또는 $a>4$ ($\because$ $a\neq0$)

답 $a<0$ 또는 $0<a<1$ 또는 $a>4$

242

$f(x)=-\frac{1}{3}x^3+ax^2+bx+c$에서

$f'(x)=-x^2+2ax+b$

함수 $f(x)$가 $x=2$에서 극댓값 $\frac{4}{3}$를 갖고, $x=-2$에서 극솟값을 가지므로

$f(2)=-\frac{8}{3}+4a+2b+c=\frac{4}{3}$ …… ㉠

$f'(2)=-4+4a+b=0$ …… ㉡

$f'(-2)=-4-4a+b=0$ …… ㉢

㉠, ㉡, ㉢을 연립하여 풀면 $a=0$, $b=4$, $c=-4$

따라서 $f(x)=-\frac{1}{3}x^3+4x-4$이므로 구하는 극솟값은

$k=f(-2)=\frac{8}{3}-8-4=-\frac{28}{3}$

답 $-\frac{28}{3}$

243

두 곡선이 서로 다른 세 점에서 만나려면

$x^3-4x^2+3x=2x^2-6x+a$

즉, $x^3-6x^2+9x-a=0$이 서로 다른 세 실근을 가져야 한다.

$f(x)=x^3-6x^2+9x-a$로 놓으면

$f'(x)=3x^2-12x+9=3(x-1)(x-3)$

$f'(x)=0$에서 $x=1$ 또는 $x=3$

함수 $f(x)$의 증가와 감소를 표로 나타내면 다음과 같다.

x	…	1	…	3	…
$f'(x)$	+	0	−	0	+
$f(x)$	↗	$4-a$	↘	$-a$	↗

삼차방정식 $f(x)=0$이 서로 다른 세 실근을 가지려면

$f(1)f(3)<0$, 즉 $(4-a)(-a)<0$ $\therefore$ $0<a<4$

따라서 모든 정수 a의 값의 합은 $1+2+3=6$

답 6

244

$x\geq0$에서 함수 $y=f(x)$의 그래프가 $y=g(x)$의 그래프보다 항상 위쪽에 있으므로 $f(x)>g(x)$이어야 한다.

$h(x)=f(x)-g(x)$로 놓으면

$h(x)=5x^3-10x^2+a-(5x^2+10)$

$=5x^3-15x^2+a-10$

$\therefore$ $h'(x)=15x^2-30x=15x(x-2)$

$h'(x)=0$에서 $x=0$ 또는 $x=2$

함수 $f(x)$의 증가와 감소를 표로 나타내면 다음과 같다.

x	0	…	2	…
$h'(x)$	0	−	0	+
$h(x)$	극대	↘	극소	↗

따라서 함수 $h(x)$는 $x=2$에서 극소이면서 최소이므로 $x\geq0$에서 $h(x)>0$이려면

$h(2)=a-30>0$ $\therefore$ $a>30$

답 ②

245

ㄱ. $f'(a)>0$, $f(a)<0$에서 $f'(a)+f(a)$의 부호는 알 수 없다. (거짓)

ㄴ. $f'(b)<0$, $f(b)<0$이므로 $f'(b)+f(b)<0$ (참)

ㄷ. $f'(c)>0$, $f(c)>0$이므로 $f'(c)f(c)>0$ (참)

따라서 옳은 것은 ㄴ, ㄷ이다.

답 ⑤

246

ㄱ. $t=2$, $t=4$, $t=7$일 때, $v(t)=0$이므로 점 P는 출발하고 나서 세 번 멈춘다. (거짓)

ㄴ. $t=2$, $t=4$일 때, $v(t)$의 부호가 바뀌므로 점 P는 출발하고 나서 운동 방향을 두 번 바꾼다. (거짓)

ㄷ. $v(t)=1$ 또는 $v(t)=-1$인 경우는 6번 있다. (참)

따라서 옳은 것은 ㄷ이다.

답 ③

적분

1 부정적분

248

(1) $f(x)=(x^2+3x+C)'$

$\therefore f(x)=2x+3$

(2) $f(x)=(x^3+2x^2-4x+C)'$

$\therefore f(x)=3x^2+4x-4$

답 (1) $f(x)=2x+3$ (2) $f(x)=3x^2+4x-4$

250

(1) $(-x)'=-1$이므로 $\int(-1)dx=-x+C$

(단, C는 적분상수)

(2) $(x^5)'=5x^4$이므로 $\int 5x^4dx=x^5+C$

(단, C는 적분상수)

(3) $(x^6)'=6x^5$이므로 $\int 6x^5dx=x^6+C$

(단, C는 적분상수)

답 (1) $-x+C$ (2) x^5+C (3) x^6+C

252

(1) (주어진 식)$=-2x+C$

(2) (주어진 식)$=\frac{1}{10+1}x^{10+1}+C$

$=\frac{1}{11}x^{11}+C$

(3) (주어진 식)$=8\int x^3dx=8\cdot\frac{1}{4}x^4+C$

$=2x^4+C$

답 (1) $-2x+C$ (2) $\frac{1}{11}x^{11}+C$ (3) $2x^4+C$

254

(1) (주어진 식)$=\int 3x^2dx-\int 2xdx+\int dx$

$=3\int x^2dx-2\int xdx+\int dx$

$=x^3-x^2+x+C$

(2) (주어진 식)$=\int(6x^2-6x)dx$

$=6\int x^2\,dx-6\int xdx$

$=2x^3-3x^2+C$

(3) (주어진 식)

$=\int(x^3+6x^2+12x+8)dx$

$=\int x^3dx+6\int x^2dx+12\int xdx+\int 8dx$

$=\frac{1}{4}x^4+2x^3+6x^2+8x+C$

답 (1) x^3-x^2+x+C

(2) $2x^3-3x^2+C$

(3) $\frac{1}{4}x^4+2x^3+6x^2+8x+C$

› 다른 풀이

(3) (주어진 식)$=\frac{1}{3+1}(x+2)^{3+1}+C$

$=\frac{1}{4}(x+2)^4+C$

256

(1) (주어진 식)$=\int(t^3+1)dt=\frac{1}{4}t^4+t+C$

(2) (주어진 식)$=\int\frac{(y+2)(y-2)}{y-2}dy$

$=\int(y+2)dy=\frac{1}{2}y^2+2y+C$

(3) (주어진 식)$=\int\{(x+2)^2-(x-2)^2\}dx$

$=\int 8xdx=4x^2+C$

답 (1) $\frac{1}{4}t^4+t+C$ (2) $\frac{1}{2}y^2+2y+C$ (3) $4x^2+C$

258

$\frac{d}{dx}\left\{\int(ax^2+2x+3)dx\right\}=4x^2+bx+c$에서

$ax^2+2x+3=4x^2+bx+c$

$\therefore a=4,\ b=2,\ c=3$

답 $a=4,\ b=2,\ c=3$

260

$f'(x)=6x^2-2x+5$에서

$f(x)=\int(6x^2-2x+5)dx$

$=2x^3-x^2+5x+C$

이때 $f(1)=2$이므로

$6+C=2 \quad \therefore C=-4$

$\therefore f(x)=2x^3-x^2+5x-4$

답 $f(x)=2x^3-x^2+5x-4$

262

곡선 $y=f(x)$ 위의 점 $(x,\ y)$에서의 접선의 기울기가 $x-1$이므로

$f'(x)=x-1$

$\therefore\ f(x)=\int(x-1)dx=\frac{1}{2}x^2-x+C$

한편, 곡선 $y=f(x)$가 점 $(1,\ 0)$을 지나므로

$f(1)=0,\ -\frac{1}{2}+C=0 \qquad \therefore\ C=\frac{1}{2}$

$\therefore\ f(x)=\frac{1}{2}x^2-x+\frac{1}{2}$

답 $f(x)=\frac{1}{2}x^2-x+\frac{1}{2}$

263

$\int\{6-2f(x)\}dx=-\frac{2}{3}x^3+x^2+C$에서

$6-2f(x)=\left(-\frac{2}{3}x^3+x^2+C\right)'=-2x^2+2x$

$2f(x)=2x^2-2x+6$

따라서 $f(x)=x^2-x+3$이므로

$f(2)=4-2+3=5$

답 5

264

$f(x)=\int(x-3)^2dx-\int(x+1)^2dx$

$=\int\{(x-3)^2-(x+1)^2\}dx$

$=\int\{(x^2-6x+9)-(x^2+2x+1)\}dx$

$=\int(-8x+8)dx$

$=-4x^2+8x+C$

이때 $f(1)=6$이므로

$-4+8+C=6 \qquad \therefore\ C=2$

따라서 $f(x)=-4x^2+8x+2$이므로

$f(2)=-16+16+2=2$

답 2

265

$\lim_{h\to 0}\frac{f(1+h)-f(1-h)}{h}$

$=\lim_{h\to 0}\frac{f(1+h)-f(1)+f(1)-f(1-h)}{h}$

$=\lim_{h\to 0}\left\{\frac{f(1+h)-f(1)}{h}-\frac{f(1-h)-f(1)}{h}\right\}$

$=\lim_{h\to 0}\left\{\frac{f(1+h)-f(1)}{h}-\frac{f(1-h)-f(1)}{-h}\cdot(-1)\right\}$

$=f'(1)-f'(1)\cdot(-1)$

$=2f'(1)$

이때 $f(x)=\int(x^2+x-5)dx$에서

$f'(x)=x^2+x-5$이므로 $f'(1)=1+1-5=-3$

따라서 구하는 값은

$2f'(1)=2\cdot(-3)=-6$

답 -6

266

$f(x)=\int\left\{\frac{d}{dx}(x^2+8x)\right\}dx=x^2+8x+C$

$f(0)=1$이므로 $C=1$

$\therefore\ f(x)=x^2+8x+1$

답 $f(x)=x^2+8x+1$

267

$f'(x)=3x^2+4x-1$에서

$f(x)=\int(3x^2+4x-1)dx=x^3+2x^2-x+C$

이때 $f(2)=17$이므로

$8+8-2+C=17$

$\therefore\ C=3$

따라서 $f(x)=x^3+2x^2-x+3$이므로

$f(1)=1+2-1+3=5$

답 5

268

[1단계] 곡선 $y=f(x)$ 위의 점 $(x,\ y)$에서의 접선의 기울기가 ax^2이므로

$f'(x)=ax^2$

$\therefore\ f(x)=\int ax^2dx=\frac{1}{3}ax^3+C$

[2단계] 곡선 $y=f(x)$가 두 점 $(-1,\ 6)$, $(-2,\ -1)$을 지나므로

$-\frac{1}{3}a+C=6,\ -\frac{8}{3}a+C=-1$

두 식을 연립하여 풀면 $a=3,\ C=7$

따라서 $f(x)=x^3+7$이므로

$f(0)=7$

답 7

269

$\int f(x)dx=F(x)+C$ (C는 적분상수),

$\frac{d}{dx}f(x)=f'(x)$라 하면

①, ② $\int\left\{\frac{d}{dx}f(x)\right\}dx=\int f'(x)dx$

$=f(x)+C$

④ $\frac{d}{dx}\int f(x)dx=\frac{d}{dx}\{F(x)+C\}$

$=f(x)$

⑤ $\frac{d}{dx}\int\left\{\frac{d}{dx}f(x)\right\}dx=\frac{d}{dx}\int f'(x)dx$

$=\frac{d}{dx}(f(x)+C)=f'(x)$

답 ③

270

x^4-2x^2+1이 $f(x)$의 부정적분 중의 하나이므로

$f(x)=(x^4-2x^2+1)'$

$=4x^3-4x$

$f(x)=4x^3-4x$가 $g(x)$의 부정적분 중의 하나이므로

$g(x)=(4x^3-4x)'$

$=12x^2-4$

$\therefore\ g(1)=12-4=8$

답 8

271

$\frac{d}{dx}\int(2x-1)^2dx=(2x-1)^2=4x^2-4x+1$이므로

$ax^2+bx+c=4x^2-4x+1$

위의 등식이 모든 실수 x에 대하여 성립해야 하므로

$a=4,\ b=-4,\ c=1$

$\therefore\ a+b+c=4-4+1=1$

답 1

272

$F(x)=xf(x)+x^2$의 양변을 x에 대하여 미분하면

$f(x)=f(x)+xf'(x)+2x$

$xf'(x)=-2x$

즉, $f'(x)=-2$이므로

$f(x)=\int f'(x)dx=\int -2dx=-2x+C$

$f(0)=1$이므로 $C=1$

$\therefore\ f(x)=-2x+1$

답 $f(x)=-2x+1$

273

$f'(x)=ax(x-1)(x+1)$ $(a>0)$로 놓으면

$f(x)=\int a(x^3-x)dx=\frac{a}{4}x^4-\frac{a}{2}x^2+C$

$f'(x)=0$에서 $x=-1$ 또는 $x=0$ 또는 $x=1$

x	$\cdots$	-1	$\cdots$	0	$\cdots$	1	$\cdots$
$f'(x)$	$-$	0	$+$	0	$-$	0	$+$
$f(x)$	↘	극소	↗	극대	↘	극소	↗

따라서 $f(x)$는 $x=0$에서 극댓값을 가지므로

$f(0)=C=3$

따라서 $f(x)=\frac{a}{4}x^4-\frac{a}{2}x^2+3$

$f(1)=2$에서 $\frac{a}{4}-\frac{a}{2}+3=2$ $\quad\therefore\ a=4$

$\therefore\ f(x)=x^4-2x^2+3=(x^2-1)^2+2>0$

따라서 $f(x)=0$의 실근은 없다.

답 ①

2 정적분

275

(1) $\int_2^3 3x^2dx=\Big[x^3\Big]_2^3=3^3-2^3=19$

(2) $\int_1^3(4x+3)dx$

$=\Big[2x^2+3x\Big]_1^3=(2\cdot3^2+3\cdot3)-(2\cdot1^2+3\cdot1)$

$=22$

(3) $\int_1^2(3x^2-2x+2)dx$

$=\Big[x^3-x^2+2x\Big]_1^2$

$=(2^3-2^2+2\cdot2)-(1^3-1^2+2\cdot1)=6$

(4) $\int_0^3(x+1)(x-1)dx=\int_0^3(x^2-1)dx$

$=\Big[\frac{1}{3}x^3-x\Big]_0^3$

$=\frac{1}{3}\cdot3^3-3=6$

답 (1) 19 (2) 22 (3) 6 (4) 6

277

(1) $\int_3^3(x^2-3x-4)dx=0$

(2) $\int_2^0(6x-2)dx=-\int_0^2(6x-2)dx$

$=-\Big[3x^2-2x\Big]_0^2$

$=-(8-0)=-8$

답 (1) 0 (2) -8

› 다른 풀이

(2) $\int_2^0(6x-2)dx=\Big[3x^2-2x\Big]_2^0$

$=0-(3\cdot2^2-2\cdot2)=-8$

279

(1) (주어진 식)$=\int_0^1(x^2+4x+4-x^2+4x-4)dx$

$=\int_0^1 8xdx=\Big[4x^2\Big]_0^1=4$

(2) (주어진 식)$=\int_0^2(x^2-2x)dx$

$=\Big[\frac{1}{3}x^3-x^2\Big]_0^2$

$=\frac{8}{3}-4=-\frac{4}{3}$

(3) (주어진 식)$=\int_0^2(x^2-1)dx+\int_0^2(x^2+1)dx$

$=\int_0^2 2x^2dx=\Big[\frac{2}{3}x^3\Big]_0^2=\frac{16}{3}$

답 (1) 4 (2) $-\frac{4}{3}$ (3) $\frac{16}{3}$

281

$\int_0^2 f(x)dx=\int_0^1 3x^2dx+\int_1^2(6x-3)dx$

$=\Big[x^3\Big]_0^1+\Big[3x^2-3x\Big]_1^2=1+6=7$

답 7

283

(1) $|x-2|=\begin{cases}-x+2 & (x<2)\\ x-2 & (x\geq2)\end{cases}$

이므로

$\int_0^6|x-2|dx$

$=\int_0^2(-x+2)dx+\int_2^6(x-2)dx$

$=\Big[-\frac{x^2}{2}+2x\Big]_0^2+\Big[\frac{x^2}{2}-2x\Big]_2^6=2+8=10$

(2) $|x^2-2x|=\begin{cases}-x^2+2x & (0<x<2)\\ x^2-2x & (x\leq0 \text{ 또는 } x\geq2)\end{cases}$ 이므로

$\int_0^3|x^2-2x|dx$

$=\int_0^2(-x^2+2x)dx$

$+\int_2^3(x^2-2x)dx$

$=\Big[-\frac{1}{3}x^3+x^2\Big]_0^2+\Big[\frac{1}{3}x^3-x^2\Big]_2^3$

$=\frac{4}{3}+\frac{4}{3}=\frac{8}{3}$

답 (1) 10 (2) $\frac{8}{3}$

284

(1) (주어진 식)$=\int_0^3\frac{x^3+8}{x+2}dx$

$=\int_0^3\frac{(x+2)(x^2-2x+4)}{x+2}dx$

$=\int_0^3(x^2-2x+4)dx$

$=\Big[\frac{1}{3}x^3-x^2+4x\Big]_0^3$

$=9-9+12=12$

(2) (주어진 식)

$$=\int_{-1}^{2}(3x^2-3x)dx+\int_{2}^{3}(3x^2-3x)dx$$

$$=\int_{-1}^{3}(3x^2-3x)dx=\left[x^3-\frac{3}{2}x^2\right]_{-1}^{3}$$

$$=\frac{27}{2}-\left(-\frac{5}{2}\right)=16$$

(3) (주어진 식)

$$=\int_{1}^{-2}(3x^2+2x)dx+\int_{-2}^{0}(3x^2+2x)dx$$

$$=\int_{1}^{0}(3x^2+2x)dx=-\int_{0}^{1}(3x^2+2x)dx$$

$$=-\left[x^3+x^2\right]_{0}^{1}=-(2-0)$$

$$=-2$$

(4) (주어진 식)

$$=\int_{0}^{3}(-2x+6)dx+\int_{3}^{8}(2x-6)dx$$

$$=\left[-x^2+6x\right]_{0}^{3}+\left[x^2-6x\right]_{3}^{8}$$

$$=9+(16+9)=34$$

답 (1) 12 (2) 16 (3) -2 (4) 34

285

(주어진 식)

$$=\int_{-1}^{0}(x^3-2x+1)dx+\int_{0}^{1}(x^3-2x+1)dx+\int_{1}^{2}(x^3-2x+1)dx$$

$$=\int_{-1}^{2}(x^3-2x+1)dx$$

$$=\left[\frac{1}{4}x^4-x^2+x\right]_{-1}^{2}=2-\left(-\frac{7}{4}\right)=\frac{15}{4}$$

답 $\frac{15}{4}$

286

$$(\text{주어진 식})=\int_{0}^{2a}(2x-1)dx=\left[x^2-x\right]_{0}^{2a}=4a^2-2a$$

즉, $4a^2-2a=6$에서 $2a^2-a-3=0$

$(a+1)(2a-3)=0$ $\therefore a=\frac{3}{2}$ $(\because a>0)$

답 $\frac{3}{2}$

287

$$\int_{0}^{2}f(x)dx=\int_{0}^{1}f(x)dx+\int_{1}^{2}f(x)dx$$

$$=\int_{0}^{1}(x+2)dx+\int_{1}^{2}(-x^2+4)dx$$

$$=\left[\frac{1}{2}x^2+2x\right]_{0}^{1}+\left[-\frac{1}{3}x^3+4x\right]_{1}^{2}$$

$$=\left(\frac{5}{2}-0\right)+\left\{\left(-\frac{8}{3}+8\right)-\left(-\frac{1}{3}+4\right)\right\}$$

$$=\frac{5}{2}+\left(\frac{16}{3}-\frac{11}{3}\right)=\frac{25}{6}$$

답 $\frac{25}{6}$

288

$$x^3+2x+1+|x-1|=\begin{cases}x^3+x+2 & (x\le1)\\ x^3+3x & (x>1)\end{cases}$$

$$\therefore \int_{0}^{2}(x^3+2x+1+|x-1|)dx$$

$$=\int_{0}^{1}(x^3+x+2)dx+\int_{1}^{2}(x^3+3x)dx$$

$$=\left[\frac{1}{4}x^4+\frac{1}{2}x^2+2x\right]_{0}^{1}+\left[\frac{1}{4}x^4+\frac{3}{2}x^2\right]_{1}^{2}$$

$$=\left\{\left(\frac{1}{4}+\frac{1}{2}+2\right)-0\right\}+\left\{(4+6)-\left(\frac{1}{4}+\frac{3}{2}\right)\right\}=11$$

답 11

290

(1) (주어진 식)

$$=\int_{-2}^{2}(x^5-5x^3-3x)dx+\int_{-2}^{2}(3x^2+2)dx$$

$$=0+2\int_{0}^{2}(3x^2+2)dx$$

$$=2\left[x^3+2x\right]_{0}^{2}=24$$

(2) (주어진 식)

$$=\int_{-1}^{0}(x^5+2x^3-6x^2-x+2)dx+\int_{0}^{1}(x^5+2x^3-6x^2-x+2)dx$$

$$=\int_{-1}^{1}(x^5+2x^3-6x^2-x+2)dx$$

$$=\int_{-1}^{1}(x^5+2x^3-x)dx+\int_{-1}^{1}(-6x^2+2)dx$$

$$=0+2\int_{0}^{1}(-6x^2+2)dx$$

$$=2\left[-2x^3+2x\right]_{0}^{1}=0$$

답 (1) 24 (2) 0

292

[1단계] (다)에서 $f(x)$는 주기가 4인 주기함수이다.

$\int_{-12}^{12}f(x)dx$는 여섯 주기의 정적분. 따라서 한

주기의 정적분만 구해 6배하면 된다.

[2단계] 주어진 그림은 구간 [0, 2]이므로 (나)조건에 맞게 한 주기를 만들어야 한다.

$f(-x)=f(x)$에서 $f(x)$는 y축 대칭이므로 주어진 그래프를 y축에 대칭시키면 그림과 같다.

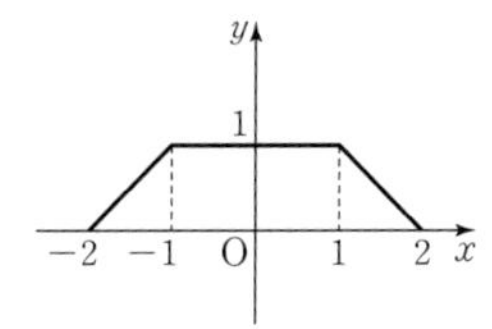

[3단계] 따라서 구간 $[-2, 2]$에서의 넓이는

$(4+2)\times 1\times \frac{1}{2}=3$이므로

여섯 주기의 넓이는

$3\times 6=18$

답 18

294

(1) $f(x)=4x^3-3x^2\int_0^1 f(x)dx$에서

$\int_0^1 f(x)dx=a$ (a는 상수) ······ ㉠

로 놓으면

$f(x)=4x^3-3ax^2$ ······ ㉡

㉡을 ㉠에 대입하면

$a=\int_0^1 f(x)dx=\int_0^1 (4x^3-3ax^2)dx$

$=\left[x^4-ax^3\right]_0^1=1-a$

$a=1-a$에서 $a=\frac{1}{2}$

이것을 ㉡에 대입하면

$f(x)=4x^3-\frac{3}{2}x^2$

(2) $f(x)=3x^2-2x+\int_0^1 xf'(x)dx$에서

$\int_0^1 xf'(x)dx=a$ (a는 상수) ······ ㉠

로 놓으면

$f(x)=3x^2-2x+a$ ······ ㉡

㉡에서 $f'(x)=6x-2$이므로 ㉠에 대입하면

$a=\int_0^1 (6x^2-2x)dx=\left[2x^3-x^2\right]_0^1=1$

이것을 ㉡에 대입하면

$f(x)=3x^2-2x+1$

답 (1) $f(x)=4x^3-\frac{3}{2}x^2$
(2) $f(x)=3x^2-2x+1$

296

(1) $\int_3^x f(t)dt=x^3-ax+3$의 양변에 $x=3$을 대입하면

$0=27-3a+3$ $\therefore a=10$

$\therefore \int_3^x f(t)dt=x^3-10x+3$

양변을 x에 대하여 미분하면 $f(x)=3x^2-10$

(2) [1단계] $xf(x)=2x^3+x^2+14+\int_2^x f(t)dt$의 양변을 x에 대하여 미분하면

$f(x)+xf'(x)=6x^2+2x+f(x)$

$xf'(x)=x(6x+2)$

이 식이 모든 실수 x에 대하여 성립하므로

$f'(x)=6x+2$

$\therefore f(x)=\int(6x+2)dx$

$=3x^2+2x+C$

(단, C는 적분상수) ······ ㉠

[2단계] 주어진 식의 양변에 $x=2$를 대입하면

$2f(2)=16+4+14+0$ $\therefore f(2)=17$

이때 ㉠에서 $f(2)=12+4+C=17$

$\therefore C=1$

이것을 ㉠에 대입하면 $f(x)=3x^2+2x+1$

답 (1) $f(x)=3x^2-10$
(2) $f(x)=3x^2+2x+1$

298

$\int(t^2-t-1)dt=F(t)+C$ ······ ㉠로 놓으면

$\int_1^x (t^2-t-1)dt=\left[F(t)\right]_1^x=F(x)-F(1)$

$\therefore$ (주어진 식)$=\lim_{x\to 1}\frac{F(x)-F(1)}{x-1}=F'(1)$

㉠에서 $F'(t)=t^2-t-1$이므로

$F'(1)=-1$

$\therefore$ (주어진 식)$=-1$

답 -1

300

$\int(x^2+3)dx=F(x)+C$ ······ ㉠로 놓으면

$\int_1^{1+3h}(x^2+3)dx=\left[F(x)\right]_1^{1+3h}$

$=F(1+3h)-F(1)$

$\therefore$ (주어진 식)$=\lim_{h\to0}\frac{F(1+3h)-f(1)}{h}$

$=\lim_{h\to0}\frac{F(1+3h)-f(1)}{3h}\cdot3$

$=3F'(1)$

㉠에서 $F'(x)=x^2+3$이므로

$F'(1)=1+3=4$

$\therefore$ (주어진 식)$=3F'(1)=3\cdot4=12$

답 12

302

$f(x)=\int_{-1}^{x}t(t-1)dt$의 양변을 x에 대하여 미분하면

$f'(x)=x(x-1)$

$f'(x)=0$에서 $x=0$ 또는 $x=1$

x	$\cdots$	0	$\cdots$	1	$\cdots$
$f'(x)$	$+$	0	$-$	0	$+$
$f(x)$	↗	극대	↘	극소	↗

$x=0$일 때, $f(x)$는 극대이므로 극댓값은

$f(0)=\int_{-1}^{0}t(t-1)dt$

$=\int_{-1}^{0}(t^2-t)dt$

$=\left[\frac{1}{3}t^3-\frac{1}{2}t^2\right]_{-1}^{0}=\frac{5}{6}$

$x=1$일 때 $f(x)$는 극소이므로 극솟값은

$f(1)=\int_{-1}^{1}t(t-1)dt=2\int_{0}^{1}t^2dt$ ⬅ $\int_{-1}^{1}(-t)dt=0$

$=2\left[\frac{1}{3}t^3\right]_{0}^{1}=\frac{2}{3}$

$\therefore$ 극댓값: $\frac{5}{6}$, 극솟값: $\frac{2}{3}$

답 극댓값: $\frac{5}{6}$, 극솟값: $\frac{2}{3}$

303

(주어진 식)

$=\int_{-2}^{2}(5x^4-6x^3+2x+1)dx$

$=\int_{-2}^{2}(5x^4+1)dx+\int_{-2}^{2}(-6x^3+2x)dx$

$=2\int_{0}^{2}(5x^4+1)dx+0$

$=2\left[x^5+x\right]_{0}^{2}$

$=2\cdot34=68$

답 68

304

(주어진 식)

$=\int_{-3}^{1}f(x)dx+\int_{1}^{4}f(x)dx+\int_{4}^{3}f(x)dx$

$=\int_{-3}^{3}f(x)dx=\int_{-3}^{3}(3x^2+2x)dx$

$=\int_{-3}^{3}3x^2dx+\int_{-3}^{3}2xdx$

$=2\int_{0}^{3}3x^2dx+0$

$=2\left[x^3\right]_{0}^{3}=2\cdot27=54$

답 54

305

(가)에서 $f(-x)=f(x)$이므로

$\int_{0}^{2}f(x)dx=\int_{-2}^{0}f(x)dx$ …… ㉠

(나)에서 $f(x)=f(x+4)$이므로

$\int_{0}^{2}f(x)dx=\int_{-4}^{-2}f(x)dx$ …… ㉡

㉠, ㉡에서

$\int_{-4}^{-2}f(x)dx=\int_{-2}^{0}f(x)dx=\int_{0}^{2}f(x)dx=8$

이므로 $\int_{-4}^{0}f(x)dx=16$

$\therefore \int_{-4}^{12}f(x)dx$

$=\int_{-4}^{0}f(x)dx+\int_{0}^{4}f(x)dx+\int_{4}^{8}f(x)dx+\int_{8}^{12}f(x)dx$

$=4\int_{-4}^{0}f(x)dx=4\times16=64$

답 64

306

[1단계] $\int_{0}^{1}f(t)dt=a$ (a는 상수) …… ㉠로 놓으면

$f(x)=3x^2-6x-a$ …… ㉡

㉡을 ㉠에 대입하면

$a=\int_{0}^{1}f(t)dt$

$=\int_{0}^{1}(3t^2-6t-a)dt$

$=\left[t^3-3t^2-at\right]_{0}^{1}=-a-2$

$a=-a-2$에서 $2a=-2$

$\therefore a=-1$

[2단계] 이것을 ㉡에 대입하면

$f(x)=3x^2-6x+1$이므로

$f(x)=0$에서 $3x^2-6x+1=0$

따라서 방정식 $f(x)=0$의 모든 근의 곱은 이차방정식의 근과 계수의 관계에 의하여 $\frac{1}{3}$이다.

답 $\frac{1}{3}$

307

[1단계] $\int_1^x f(t)dt=x^3-2ax^2+ax$의 양변에 $x=1$을 대입하면

$0=1-2a+a \quad \therefore a=1$

$\int_1^x f(t)dt=x^3-2x^2+x \quad \cdots\cdots$ ㉠

[2단계] ㉠의 양변을 x에 대하여 미분하면

$f(x)=3x^2-4x+1$

$\therefore f(3)=27-12+1=16$

답 16

308

함수 $f(x)=x^3-3x+a$의 부정적분 중 하나를 $F(x)$라 하면

$\lim_{x\to1}\frac{1}{x-1}\int_1^{x^3} f(t)dt$

$=\lim_{x\to1}\frac{F(x^3)-F(1)}{x-1}$

$=\lim_{x\to1}\left\{\frac{F(x^3)-F(1)}{x^3-1}\cdot(x^2+x+1)\right\}$

$=3F'(1)$

$=3f(1)$

따라서 $3f(1)=6$이므로 $f(1)=2$에서

$1-3+a=2$

$\therefore a=4$

답 4

309

(주어진 식)

$=\int_{-3}^1 (x^2+x)dx+\int_1^3 (x^2+x)dx+\int_1^3 dx$

$=\int_{-3}^3 (x^2+x)dx+\int_1^3 dx$

$=2\int_0^3 x^2dx+\int_1^3 dx$

$=2\left[\frac{1}{3}x^3\right]_0^3+\left[x\right]_1^3$

$=18+2=20$

답 20

310

(주어진 식) $=\int_1^2 (x^2-2x)dx+\int_2^3 (x^2-2x)dx$

$=\int_1^3 (x^2-2x)dx=\left[\frac{1}{3}x^3-x^2\right]_1^3$

$=\frac{2}{3}$

답 $\frac{2}{3}$

311

$\int_{-2}^2 (|x|+1)^2dx$

$=\int_{-2}^2 (x^2+2|x|+1)dx$

$=\int_{-2}^2 (x^2+1)dx+2\int_{-2}^2 |x|dx$

$=2\int_0^2 (x^2+1)dx+2\int_{-2}^0 (-x)dx+2\int_0^2 x\,dx$

$=2\left[\frac{1}{3}x^3+x\right]_0^2+2\left[-\frac{1}{2}x^2\right]_{-2}^0+2\left[\frac{1}{2}x^2\right]_0^2$

$=\frac{28}{3}+4+4=\frac{52}{3}$

답 ⑤

312

$1<x\le3$일 때, $-|x|+2=-x+2$이므로

$\int_0^3 f(x)dx=\int_0^1 x^2dx+\int_1^3 (-x+2)dx$

$=\left[\frac{1}{3}x^3\right]_0^1+\left[-\frac{1}{2}x^2+2x\right]_1^3$

$=\frac{1}{3}+\left\{\left(-\frac{9}{2}+6\right)-\left(-\frac{1}{2}+2\right)\right\}=\frac{1}{3}$

답 $\frac{1}{3}$

313

$f(x)$의 한 부정적분을 $F(x)$라 하면

ㄱ. $\frac{d}{dx}\int_a^x f(t)dt=\frac{d}{dx}\{F(x)-F(a)\}=f(x)$ (참)

ㄴ. $\lim_{x\to a}\frac{\int_a^x f(t)dt}{x-a}=\lim_{x\to a}\frac{F(x)-F(a)}{x-a}$

$=F'(a)=f(a)$ (참)

ㄷ. $\int_a^x \lim_{t\to a}\frac{f(t)-f(a)}{t-a}dt=\int_a^x f'(a)dt$

$=f'(a)\int_a^x dt$

$=f'(a)\Big[t\Big]_a^x$

$=(x-a)f'(a)$ (거짓)

따라서 옳은 것은 ㄱ, ㄴ이다.

답 ②

314

$f(x)=\begin{cases}-x^2+2x & (0\le x<1)\\ -x+2 & (1\le x<2)\end{cases}$이고,

$f(x+2)=f(x)$이므로 $y=f(x)$의 그래프는 그림과 같다.

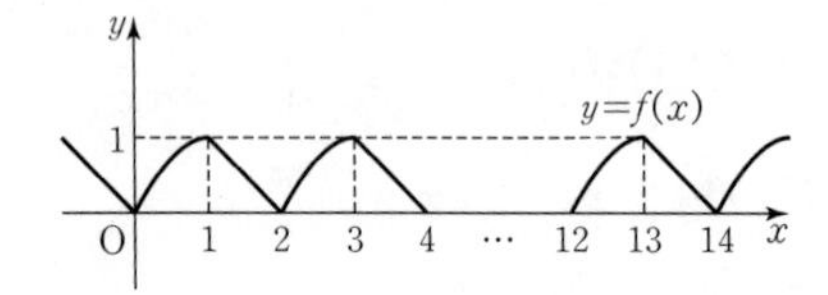

그림에서 알 수 있듯이 $0\le x\le 13$에서 $0\le x\le 1$의 모양은 7번, $1\le x\le 2$의 모양은 6번 나온다.

$\therefore \int_0^{13} f(x)dx$

$=7\int_0^1(-x^2+2x)dx+6\int_1^2(-x+2)dx$

$=7\Big[-\frac{1}{3}x^3+x^2\Big]_0^1+6\Big[-\frac{1}{2}x^2+2x\Big]_1^2$

$=7\times\frac{2}{3}+6\times\frac{1}{2}=\frac{23}{3}$

답 ④

315

$f(x)=x^3-16+\int_1^x f(t)dt$ ······ ㉠

㉠의 양변에 $x=1$을 대입하면

$f(1)=-15$

㉠의 양변을 x에 대하여 미분하면

$f'(x)=3x^2+f(x)$

$\therefore f'(1)=3+f(1)=3-15=-12$

답 ①

316

$\int_0^2 f(t)dt=a$ (a는 상수) ······ ㉠

로 놓으면 $f(x)=x^3-3x^2+a$ ······ ㉡

㉡을 ㉠에 대입하면

$a=\int_0^2(t^3-3t^2+a)dt$

$=\Big[\frac{1}{4}t^4-t^3+at\Big]_0^2=-4+2a$

$a=-4+2a$에서 $a=4$

따라서 $f(x)=x^3-3x^2+4$이므로 $f(1)=2$

답 2

317

$F'(t)=f(t)$로 놓으면

$\lim_{x\to 1}\frac{x+1}{x-1}\int_1^x f(t)dt$

$=\lim_{x\to 1}\frac{F(x)-F(1)}{x-1}\cdot(x+1)$

$=2F'(1)=2f(1)=2\cdot(-4)=-8$

답 ⑤

318

$f(x)$는 홀함수, $g(x)$는 짝함수이고

$f(-x)g(-x)=-f(x)g(x)$

이므로 $f(x)g(x)$는 홀함수이다.

$\therefore$ (주어진 식)

$=\int_{-a}^a f(x)dx+\int_{-a}^a g(x)dx-\int_{-a}^a f(x)g(x)dx$

$=2\int_0^a g(x)dx=2q$

답 ②

319

$y=f(x)$의 그래프와 직선 $y=g(x)$의 두 교점의 x좌표가 -1, 3이므로

$f(x)-g(x)=k(x+1)(x-3)$

으로 놓을 수 있다.

이때 $f(0)-g(0)=k(0+1)(0-3)=-2$이므로

$k=\frac{2}{3}$

이때 $f(x)-g(x)=\frac{2}{3}(x^2-2x-3)$

$\therefore \int_{-3}^3 f(x)dx-\int_{-3}^3 g(x)dx$

$=\int_{-3}^3\{f(x)-g(x)\}dx$

$=\int_{-3}^3\frac{2}{3}(x^2-2x-3)dx$

$=\frac{4}{3}\int_0^3 (x^2-3)dx=\frac{4}{3}\left[\frac{1}{3}x^3-3x\right]_0^3$

$=\frac{4}{3}(9-9)=0$

답 0

320

(나)에서 $\int_0^3 f(x)dx=6$, $\int_1^3 f(x)dx=4$이므로

$\int_0^1 f(x)dx=2$

또 (가)에서 $f(x)=f(4-x)$이므로 $y=f(x)$의 그래프는 직선 $x=2$에 대하여 대칭이다.

$\therefore \int_3^4 f(x)dx=\int_0^1 f(x)dx=2$

또 $\int_0^4 f(x)dx=\int_0^3 f(x)dx+\int_3^4 f(x)dx=8$이므로

$\int_0^2 f(x)dx=\frac{1}{2}\int_0^4 f(x)dx=\frac{1}{2}\times 8=4$

답 ⑤

321

$f(x)=\int_1^x (t-1)(t-3)dt$의 양변을 x에 대하여 미분하면 $f'(x)=(x-1)(x-3)$에서

$f'(x)=0$에서 $x=1$ 또는 $x=3$

함수 $f(x)$의 증가와 감소를 표로 나타내면 다음과 같다.

x	$\cdots$	1	$\cdots$	3	$\cdots$
$f'(x)$	$+$	0	$-$	0	$+$
$f(x)$	↗	극대	↘	극소	↗

따라서 $x=1$일 때 극대, $x=3$일 때 극소이므로

$M=f(1)=\int_1^1 (t-1)(t-3)dt=0$

$m=\int_1^3 (t^2-4t+3)dt=\left[\frac{1}{3}t^3-2t^2+3t\right]_1^3$

$=-\frac{4}{3}$

$\therefore M-m=0-\left(-\frac{4}{3}\right)=\frac{4}{3}$

답 $\frac{4}{3}$

322

$f(x)=3x^3-2x^2-4x+1$, $F'(x)=f(x)$로 놓으면

(주어진 식)

$=\lim_{h\to 0}\frac{1}{h}\int_{2-h}^{2+h} f(x)dx$

$=\lim_{h\to 0}\frac{F(2+h)-F(2-h)}{h}$

$=\lim_{h\to 0}\frac{F(2+h)-F(2)+F(2)-F(2-h)}{h}$

$=\lim_{h\to 0}\frac{F(2+h)-F(2)}{h}+\lim_{h\to 0}\frac{F(2-h)-F(2)}{-h}$

$=F'(2)+F'(2)=2F'(2)=2f(2)$

$=2\cdot 9=18$

답 18

323

$f(x)=\int_0^x t^2(t-1)dt$의 양변을 x에 대하여 미분하면

$f'(x)=x^2(x-1)$

$f'(x)=0$에서 $x=0$ 또는 $x=1$

함수 $f(x)$의 증가와 감소를 표로 나타내면 다음과 같다.

x	0	$\cdots$	1	$\cdots$	2
$f'(x)$		$-$	0	$+$	
$f(x)$		↘	극소	↗	

따라서 $0\le x\le 2$에서 함수 $f(x)$는 $x=1$에서 극소이며 최소이므로 구하는 최솟값은

$f(1)=\int_0^1 t^2(t-1)dt$

$=\int_0^1 (t^3-t^2)dt$

$=\left[\frac{1}{4}t^4-\frac{1}{3}t^3\right]_0^1=-\frac{1}{12}$

답 ②

324

$\int_a^b f(x)dx=1$, $\int_a^b xf(x)dx=3$이므로

$\int_a^b (x-k)^2 f(x)dx$

$=\int_a^b (x^2-2kx+k^2)f(x)dx$

$=k^2\int_a^b f(x)dx-2k\int_a^b xf(x)dx+\int_a^b x^2f(x)dx$

$=k^2-6k+\int_a^b x^2f(x)dx$

$=(k-3)^2-9+\int_a^b x^2f(x)dx$

따라서 주어진 값을 최소로 하는 k의 값은 3이다.

답 ⑤

325

[1단계] 주어진 식의 양변에 $x=1$을 대입하면

$$0=1-1-3+5+a \qquad \therefore a=-2$$

[2단계] $x\int_1^x f'(t)dt-\int_1^x tf'(t)dt$

$$=x^4-x^3-3x^2+5x+a$$

의 양변을 미분하면

$$\int_1^x f'(t)dt+xf'(x)-xf'(x)$$

$$=4x^3-3x^2-6x+5$$

$$\int_1^x f'(t)dt=4x^3-3x^2-6x+5$$

위 식의 양변을 x에 대하여 미분하면

$$f'(x)=12x^2-6x-6$$

[3단계] $f'(x)=12x^2-6x-6$이므로

$$f(x)=\int(12x^2-6x-6)dx$$

$$=4x^3-3x^2-6x+C$$

이때

$$f'(x)=12x^2-6x-6$$

$$=6(2x+1)(x-1)=0$$

함수 $f(x)$의 증가와 감소를 표로 나타내면 다음과 같다.

x	$\cdots$	$-\frac{1}{2}$	$\cdots$	1	$\cdots$
$f'(x)$	$+$	0	$-$	0	$+$
$f(x)$	↗	극대	↘	극소	↗

따라서 함수 $f(x)$는 $x=-\frac{1}{2}$일 때 극댓값을 갖고, $x=1$일 때 극솟값을 갖는다.

$$\therefore M=f\left(-\frac{1}{2}\right)$$

$$=4\left(-\frac{1}{2}\right)^3-3\left(-\frac{1}{2}\right)^2-6\left(-\frac{1}{2}\right)+C$$

$$=\frac{7}{4}+C$$

$$m=f(1)=4-3-6+C=-5+C$$

$$\therefore M-m=\frac{7}{4}+C-(-5+C)=\frac{27}{4}$$

답 $\frac{27}{4}$

3 정적분의 활용

327

$y=x^3-4x^2+3x$

$=x(x-1)(x-3)$

이므로 이 곡선은 x축과 $x=0,\ 1,\ 3$에서 만난다.

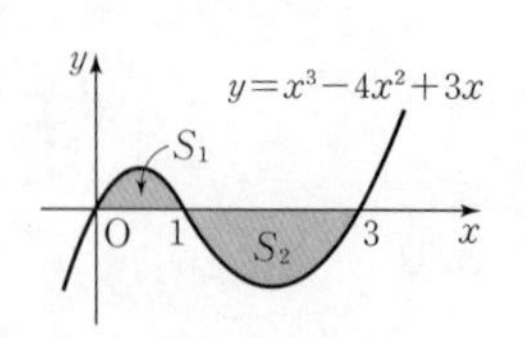

따라서 그림에서 구하는 넓이는

$$S_1=\int_0^1(x^3-4x^2+3x)dx$$

$$=\left[\frac{1}{4}x^4-\frac{4}{3}x^3+\frac{3}{2}x^2\right]_0^1=\frac{5}{12}$$

$$S_2=-\int_1^3(x^3-4x^2+3x)dx$$

$$=-\left[\frac{1}{4}x^4-\frac{4}{3}x^3+\frac{3}{2}x^2\right]_1^3=\frac{8}{3}$$

$$\therefore S=S_1+S_2=\frac{37}{12}$$

답 $\frac{37}{12}$

329

$y^2=x+4$에서

$x=(y+2)(y-2)$

이므로 이 곡선은 y축과 $y=-2,\ 2$에서 만난다.

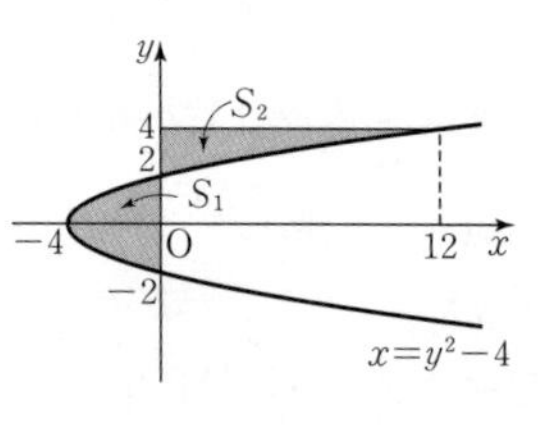

따라서 그림에서 구하는 넓이는

$$S_1=-\int_{-2}^2(y^2-4)dy=-\left[\frac{1}{3}y^3-4y\right]_{-2}^2$$

$$=\frac{16}{3}+\frac{16}{3}=\frac{32}{3}$$

$$S_2=\int_2^4(y^2-4)dy=\left[\frac{1}{3}y^3-4y\right]_2^4$$

$$=\frac{16}{3}-\left(-\frac{16}{3}\right)=\frac{32}{3}$$

$$\therefore S=S_1+S_2=\frac{64}{3}$$

답 $\frac{64}{3}$

331

곡선과 직선의 교점의 x좌표를 구하면

$x^3-x^2-x=x$에서

$x(x+1)(x-2)=0$

$\therefore x=-1$ 또는 $x=0$

또는 $x=2$

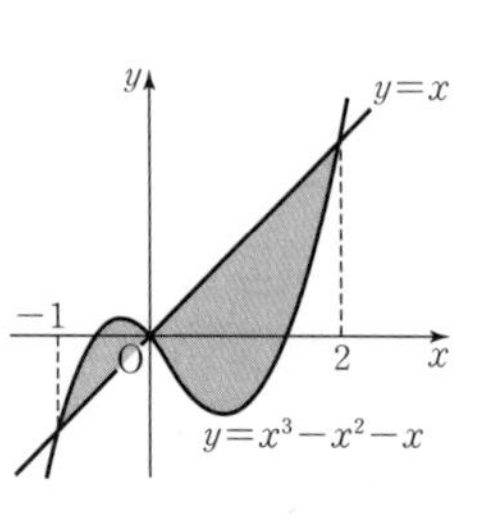

따라서 그림에서 구하는 넓이는

$$\int_{-1}^{0}(x^3-x^2-x-x)dx+\int_{0}^{2}\{x-(x^3-x^2-x)\}dx$$

$$=\left[\frac{1}{4}x^4-\frac{1}{3}x^3-x^2\right]_{-1}^{0}+\left[-\frac{1}{4}x^4+\frac{1}{3}x^3+x^2\right]_{0}^{2}$$

$$=\frac{5}{12}+\frac{8}{3}=\frac{37}{12}$$

답 $\frac{37}{12}$

333

곡선과 직선의 교점의 y좌표를 구하면

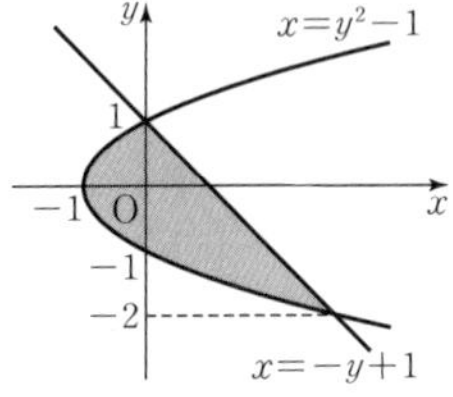

$y^2-1=-y+1$에서

$(y+2)(y-1)=0$

$\therefore y=-2$ 또는 $y=1$

따라서 그림에서 구하는 넓이는

$$\int_{-2}^{1}\{-y+1-(y^2-1)\}dy$$

$$=\int_{-2}^{1}(-y^2-y+2)dy$$

$$=\left[-\frac{1}{3}y^3-\frac{1}{2}y^2+2y\right]_{-2}^{1}=\frac{7}{6}-\left(-\frac{10}{3}\right)=\frac{9}{2}$$

답 $\frac{9}{2}$

335

(1) 포물선과 x축의 교점의 x좌표는

$-2x^2+2x+4=0$에서

$2(x+1)(x-2)=0$

$\therefore x=-1$ 또는 $x=2$

$\therefore S=\left|\frac{a}{6}(\beta-\alpha)^3\right|=\frac{2}{6}\{2-(-1)\}^3=9$

(2) 포물선과 직선의 교점의 x좌표는

$2x^2-x+1=x+5$에서

$2(x+1)(x-2)=0$

$\therefore x=-1$ 또는 $x=2$

$\therefore S=\left|\frac{a}{6}(\beta-\alpha)^3\right|=\frac{2}{6}\{2-(-1)\}^3=9$

(3) 두 포물선의 교점의 x좌표는

$x^2+3x-1=-x^2+5x+3$에서

$2(x+1)(x-2)=0$ $\quad\therefore x=-1$ 또는 $x=2$

$\therefore S=\left|\frac{a-a'}{6}(\beta-\alpha)^3\right|$

$=\frac{1-(-1)}{6}\{2-(-1)\}^3=9$

답 (1) 9 (2) 9 (3) 9

337

포물선과 직선의 교점의 x좌표는 $x^2-x=mx$에서

$x(x-1-m)=0$

$\therefore x=0$ 또는 $x=m+1$

포물선과 직선으로 둘러싸인 부분의 넓이는

$$\left|\frac{a}{6}(\beta-\alpha)^3\right|=\frac{1}{6}(m+1-0)^3=\frac{(m+1)^3}{6}$$

주어진 조건에서 위의 넓이가 $\frac{4}{3}$이므로

$\frac{(m+1)^3}{6}=\frac{4}{3}$, $(m+1)^3=8$

$m+1=2$ $\quad\therefore m=1$

답 1

338

곡선 $y=x(x-2)^2$은 x축과 $x=0$, 2에서 만난다.

따라서 그림에서 구하는 넓이는

$$\int_{0}^{2}x(x-2)^2dx$$

$$=\int_{0}^{2}(x^3-4x^2+4x)dx$$

$$=\left[\frac{1}{4}x^4-\frac{4}{3}x^3+2x^2\right]_{0}^{2}$$

$$=4-\frac{32}{3}+8=\frac{4}{3}$$

답 $\frac{4}{3}$

339

$$-\int_{-1}^{0}\{y(1-y^2)\}dy+\int_{0}^{1}\{y(1-y^2)\}dy$$

$$=-\int_{-1}^{0}(y-y^3)dy+\int_{0}^{1}(y-y^3)dy$$

$$=-\left[\frac{1}{2}y^2-\frac{1}{4}y^4\right]_{-1}^{0}+\left[\frac{1}{2}y^2-\frac{1}{4}y^4\right]_{0}^{1}$$

$$=\frac{1}{4}+\frac{1}{4}=\frac{1}{2}$$

답 $\frac{1}{2}$

> 다른 풀이

구하는 부분이 원점에 대하여 대칭임을 이용하면 넓이는

$$2\int_{0}^{1}(y-y^3)dy=2\left[\frac{1}{2}y^2-\frac{1}{4}y^4\right]_{0}^{1}$$

$$=2\cdot\frac{1}{4}=\frac{1}{2}$$

340

두 곡선 $y=x^2-4x+5$, $y=-x^2+6x-3$의 교점의 x좌표는 $x^2-4x+5=-x^2+6x-3$에서

$2x^2-10x+8=0$, $2(x-1)(x-4)=0$

$\therefore x=1$ 또는 $x=4$

따라서 그림에서 구하는 넓이는

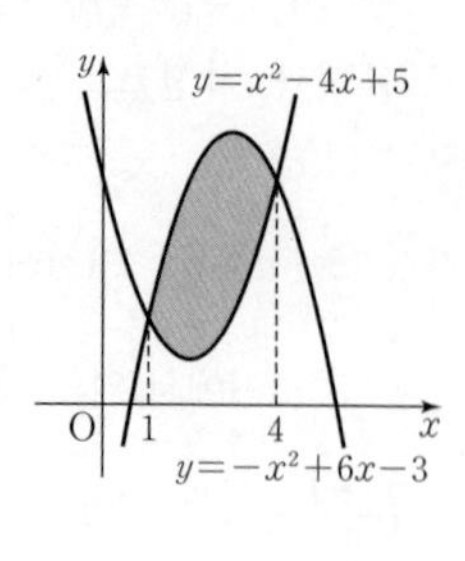

$$\int_1^4\{(-x^2+6x-3)-(x^2-4x+5)\}dx$$

$$=\int_1^4(-2x^2+10x-8)dx$$

$$=\left[-\frac{2}{3}x^3+5x^2-8x\right]_1^4=9$$

답 9

> 다른 풀이

포물선 킬러 공식에 의하여 구하는 넓이는

$$\left|\frac{a-a'}{6}(\beta-\alpha)^3\right|=\frac{1-(-1)}{6}(4-1)^3=9$$

341

[1단계] 두 곡선 $y^2=x+2$, $y^2=2x$의 교점의 x좌표는 $x+2=2x$

$\therefore x=2$

따라서 두 곡선 $y^2=x+2$, $y^2=2x$로 둘러싸인 부분은 그림과 같다.

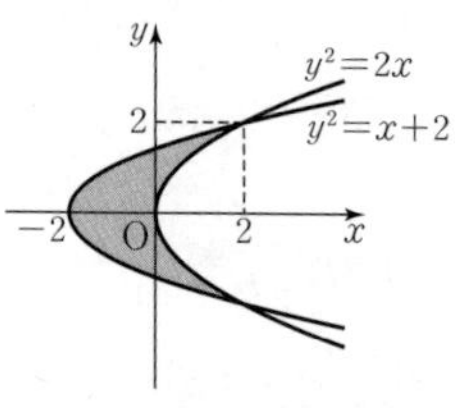

[2단계] $y^2=x+2$, $y^2=2x$에서

$x=y^2-2$, $x=\frac{1}{2}y^2$

이므로 색칠한 부분의 넓이는

$$S=\int_{-2}^2\left\{\frac{1}{2}y^2-(y^2-2)\right\}dy$$

$$=2\int_0^2\left(-\frac{1}{2}y^2+2\right)dy$$

$$=2\left[-\frac{1}{6}y^3+2y\right]_0^2=2\left(-\frac{4}{3}+4\right)=\frac{16}{3}$$

$$\therefore 3S=3\cdot\frac{16}{3}=16$$

답 16

342

[1단계] 포물선과 직선의 교점의 x좌표는

$x^2-x+m=mx$에서

$x^2-(m+1)x+m=0$

$(x-m)(x-1)=0$

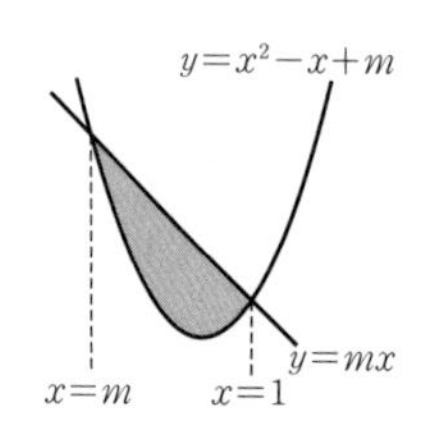

$\therefore x=m$ 또는 $x=1$

[2단계] 포물선과 직선 $y=mx$로 둘러싸인 부분의 넓이는

$$\left|\frac{a}{6}(\beta-\alpha)^3\right|=\frac{1}{6}(1-m)^3$$

주어진 조건에서 위의 넓이가 $\frac{32}{3}$이므로

$$\frac{1}{6}(1-m)^3=\frac{32}{3}$$

$(1-m)^3=64$, $1-m=4$ $\quad\therefore m=-3$

답 -3

343

[1단계] 곡선 $y=-3x^2+ax$와 x축의 교점의 x좌표는

$-3x^2+ax=0$에서

$-x(3x-a)=0$

$\therefore x=0$ 또는 $x=\frac{a}{3}$

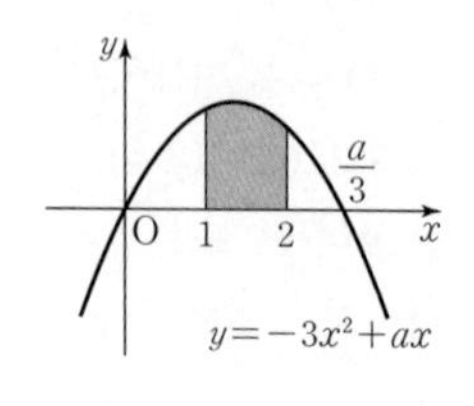

이때 $a>6$에서 $\frac{a}{3}>2$이므로 곡선 $y=-3x^2+ax$와 x축 및 두 직선 $x=1$, $x=2$로 둘러싸인 부분은 그림과 같다.

[2단계] 색칠한 부분의 넓이가 11이므로

$$\int_1^2(-3x^2+ax)dx=\left[-x^3+\frac{1}{2}ax^2\right]_1^2$$

$$=-7+\frac{3}{2}a=11$$

$\frac{3}{2}a=18$ $\quad\therefore a=12$

답 12

345

주어진 곡선은 x축과 $x=0$, 2, a에서 만나고, $a>2$이므로 그림과 같다.

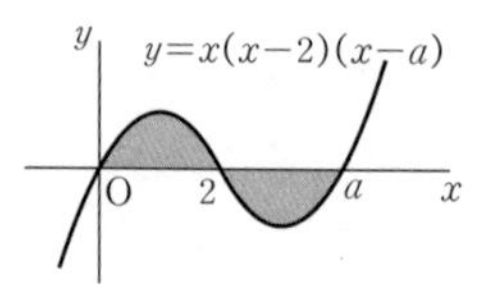

색칠한 두 부분의 넓이가 같으므로

$$\int_0^a x(x-2)(x-a)dx=0$$

$$\int_0^a\{x^3-(2+a)x^2+2ax\}dx$$

$$=\left[\frac{1}{4}x^4-\frac{2+a}{3}x^3+ax^2\right]_0^a=0$$

$-\frac{1}{12}a^4+\frac{1}{3}a^3=0$, $a^3(a-4)=0$

$\therefore a=4\ (\because a>2)$

답 4

347

[1단계] $f(x)=x^3$으로 놓으면

$f'(x)=3x^2 \qquad \therefore f'(1)=3$

따라서 점 (1, 1)에서의 접선의 방정식은

$y-1=3(x-1)$

$\therefore y=3x-2$

[2단계] 곡선과 접선의 교점의 x좌표는

$x^3=3x-2$에서

$(x-1)^2(x+2)=0$

$\therefore x=1$ 또는 $x=-2$

따라서 그림에서 구하는 넓이는

$$\int_{-2}^{1}\{x^3-(3x-2)\}dx$$

$$=\int_{-2}^{1}(x^3-3x+2)dx$$

$$=\left[\frac{1}{4}x^4-\frac{3}{2}x^2+2x\right]_{-2}^{1}=\frac{27}{4}$$

답 $\frac{27}{4}$

349

[1단계] 곡선 $y=x^3-x^2+x$와 직선 $y=x$의 교점의 x좌표는 $x^3-x^2+x=x$에서

$x^2(x-1)=0$

$\therefore x=0$ 또는 $x=1$

[2단계] 따라서 구하는 넓이는

$$2\int_{0}^{1}\{x-(x^3-x^2+x)\}dx$$

$$=2\int_{0}^{1}(-x^3+x^2)dx$$

$$=2\left[-\frac{1}{4}x^4+\frac{1}{3}x^3\right]_{0}^{1}=\frac{1}{6}$$

답 $\frac{1}{6}$

350

[1단계] 주어진 그림에서 (A의 넓이)=(B의 넓이)이므로

$$\int_{-1}^{k}(3x^2-3)dx=0$$

[2단계] $\int_{-1}^{k}(3x^2-3)dx=\left[x^3-3x\right]_{-1}^{k}$

$=k^3-3k-2$

$k^3-3k-2=0$에서

$(k+1)^2(k-2)=0$

$\therefore k=2$ ($\because k>1$)

답 2

351

[1단계] 주어진 그림에서 (A의 넓이)=(B의 넓이)이므로

$$\int_{0}^{2}f(x)dx=0$$

[2단계] $\int_{0}^{2}x^2(x-a)(x-2)dx$

$$=\int_{0}^{2}\{x^4-(a+2)x^3+2ax^2\}dx$$

$$=\left[\frac{1}{5}x^5-\frac{1}{4}(a+2)x^4+\frac{2a}{3}x^3\right]_{0}^{2}$$

$$=\frac{32}{5}-4a-8+\frac{16}{3}a=\frac{4}{3}a-\frac{8}{5}=0$$

$\therefore a=\frac{6}{5}$

답 $\frac{6}{5}$

352

[1단계] $y=-\frac{1}{4}x^2$에서

$y'=-\frac{1}{2}x$이므로

점 $(2, -1)$에서의 접선의 기울기는 -1이고, 접선의 방정식은

$y+1=-(x-2)$

$\therefore y=-x+1$

[2단계] 그림에서 구하는 넓이는

$$\int_{0}^{2}\left\{-x+1-\left(-\frac{1}{4}x^2\right)\right\}dx$$

$$=\int_{0}^{2}\left(\frac{1}{4}x^2-x+1\right)dx$$

$$=\left[\frac{1}{12}x^3-\frac{1}{2}x^2+x\right]_{0}^{2}=\frac{2}{3}$$

답 $\frac{2}{3}$

353

[1단계] $y=x^3-3x^2+x+2$에서

$y'=3x^2-6x+1$이므로 점 $(0, 2)$에서의 접선의 기울기는 1이고, 접선의 방정식은

$y=1\cdot(x-0)+2$

$\therefore y=x+2$

[2단계] 곡선과 접선의 교점의 x좌표는

$x^3-3x^2+x+2=x+2$

에서 $x^3-3x^2=0$,

$x^2(x-3)=0$

$\therefore\ x=0$ 또는 $x=3$

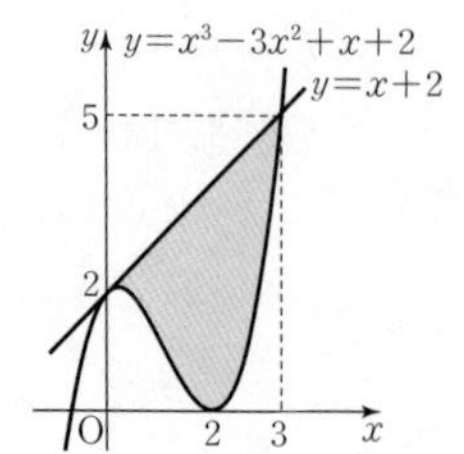

[3단계] 그림에서 구하는 넓이는

$$\int_0^3 \{(x+2)-(x^3-3x^2+x+2)\}dx$$

$$=\left[-\frac{1}{4}x^4+x^3\right]_0^3=\frac{27}{4}$$

답 $\frac{27}{4}$

354

[1단계] $y=x^3-x^2+x$에서

$y'=3x^2-2x+1=3\left(x-\frac{1}{3}\right)^2+\frac{2}{3}>0$이므로 증가함수이다.

또 두 곡선 $y=x^3-x^2+x$, $x=y^3-y^2+y$는 직선 $y=x$에 대하여 대칭이므로 서로 역함수 관계이다. 따라서 구하는 넓이는 곡선 $y=x^3-x^2+x$와 직선 $y=x$로 둘러싸인 부분의 넓이의 2배와 같다.

[2단계] 곡선 $y=x^3-x^2+x$와 직선 $y=x$의 교점의 x좌표는 $x^3-x^2+x=x$에서 $x^2(x-1)=0$

$\therefore\ x=0$ 또는 $x=1$

[3단계] 구간 $[0,\ 1]$에서 $x\geq x^3-x^2+x$이므로 구하는 넓이는

$$2\int_0^1 \{x-(x^3-x^2+x)\}dx$$

$$=2\left[-\frac{1}{4}x^4+\frac{1}{3}x^3\right]_0^1=\frac{1}{6}$$

답 $\frac{1}{6}$

356

(1) $t=0$에서 $t=3$까지 점 P의 위치의 변화량은

$$\int_0^3 (t^2-2t)dt=\left[\frac{1}{3}t^3-t^2\right]_0^3=0$$

(2) $t=0$에서 $t=3$까지 점 P가 실제로 움직인 거리는

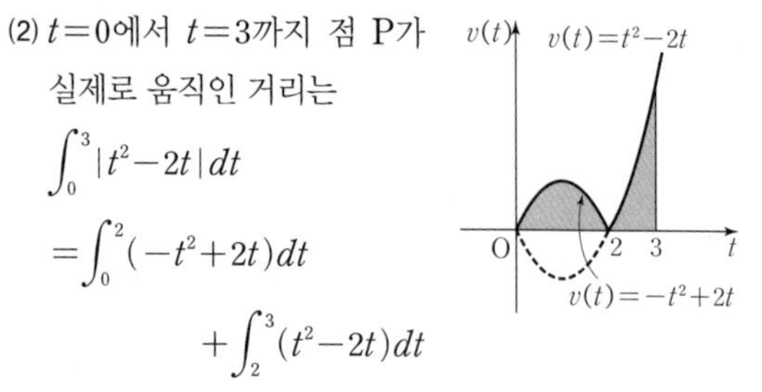
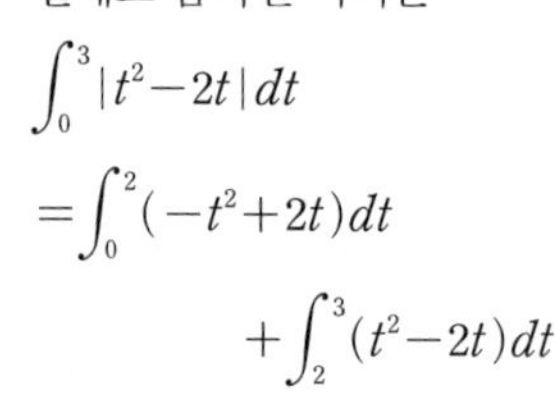

$$\int_0^3 |t^2-2t|dt$$

$$=\int_0^2 (-t^2+2t)dt+\int_2^3 (t^2-2t)dt$$

$$=\left[-\frac{1}{3}t^3+t^2\right]_0^2+\left[\frac{1}{3}t^3-t^2\right]_2^3$$

$$=\frac{4}{3}+\frac{4}{3}=\frac{8}{3}$$

(3) $t=0$일 때의 점 P의 위치가 4이므로 $t=6$일 때의 점 P의 위치는

$$4+\int_0^6 (t^2-2t)dt=4+\left[\frac{1}{3}t^3-t^2\right]_0^6$$

$$=4+36=40$$

답 (1) 0 (2) $\frac{8}{3}$ (3) 40

358

(1) 처음 높이는 50 m이므로

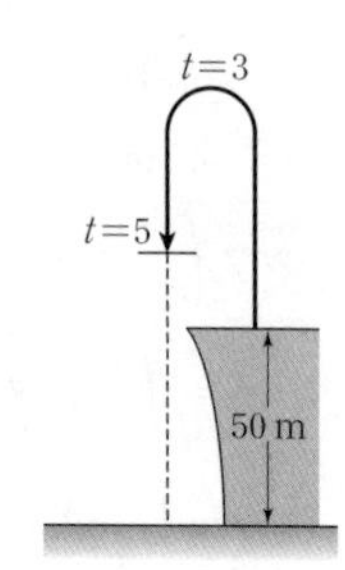

$$50+\int_0^5 (30-10t)dt$$

$$=50+\left[30t-5t^2\right]_0^5$$

$$=50+25$$

$$=75(\text{m})$$

(2) 최고점에 도달했을 때는

$v(t)=30-10t=0$에서 $t=3$(초)

따라서 $t=3$(초)일 때의 높이를 구하면 되므로

$$50+\int_0^3 (30-10t)dt=50+\left[30t-5t^2\right]_0^3$$

$$=50+45$$

$$=95(\text{m})$$

(3) $$\int_0^5 |v(t)|dt=\int_0^5 |30-10t|dt$$

$$=\int_0^3 (30-10t)dt+\int_3^5 \{-(30-10t)\}dt$$

$$=\left[30t-5t^2\right]_0^3-\left[30t-5t^2\right]_3^5$$

$$=45-(-20)$$

$$=65(\text{m})$$

답 (1) 75 m (2) 95 m (3) 65 m

360

(1) 시각 $t=3$일 때 운동 방향을 바꾸므로 이때까지 움직인 거리는

$$\int_0^3 v(t)dt=\frac{1}{2}\cdot 3\cdot 2=3$$

(2) 실제로 움직인 거리는 속도의 그래프와 t축 사이의 넓이와 같으므로

$$\int_0^4 |v(t)|dt=\int_0^3 |v(t)|dt+\int_3^4 |v(t)|dt$$

$$=\frac{1}{2}\cdot 3\cdot 2+\frac{1}{2}\cdot 1\cdot 2=4$$

(3) 출발점의 위치가 0이므로 시각 $t=4$일 때, 점 P의 위치는

$$0+\int_0^4 v(t)dt=\int_0^3 v(t)dt+\int_3^4 v(t)dt$$
$$=\frac{1}{2}\cdot 3\cdot 2+\left(-\frac{1}{2}\cdot 1\cdot 2\right)=2$$

답 (1) 3 (2) 4 (3) 2

361

시각 $t=5$일 때 점 P와 점 A 사이의 거리는 $t=0$에서 $t=5$까지 점 P의 위치의 변화량이므로

$$\int_0^5 v(t)dt=\int_0^5 (t^2-6t+8)dt$$
$$=\left[\frac{1}{3}t^3-3t^2+8t\right]_0^5$$
$$=\frac{125}{3}-75+40=\frac{20}{3}$$

답 $\frac{20}{3}$

362

t초 후의 위치를 $x(t)$라 하면 $x(1)=3$이어야 하므로

$$x(1)=x(0)+\int_0^1 v(t)dt$$
$$=1+\int_0^1 (2t+a)dt$$
$$=1+\left[t^2+at\right]_0^1=a+2=3$$

$\therefore a=1$

답 1

363

[1단계] 열차가 정지할 때는 속도가 0일 때이므로

$v(t)=20-2t=0$에서 $t=10$(초)

[2단계] 열차가 $t=0$(초)에서 $t=10$(초)까지 움직인 거리는

$$\int_0^{10}|v(t)|dt=\int_0^{10}|20-2t|dt$$
$$=\int_0^{10}(20-2t)dt$$
$$=\left[20t-t^2\right]_0^{10}=100(\text{m})$$

답 100 m

364

점 P가 실제로 움직인 거리는 속도의 그래프와 t축 사이의 넓이와 같고, $v(t)=0$일 때, 즉 $t=3$일 때 방향이 바뀌므로

$$\int_0^3 |v(t)|dt=\frac{1}{2}\times 3\times 1=\frac{3}{2}$$

답 $\frac{3}{2}$

365

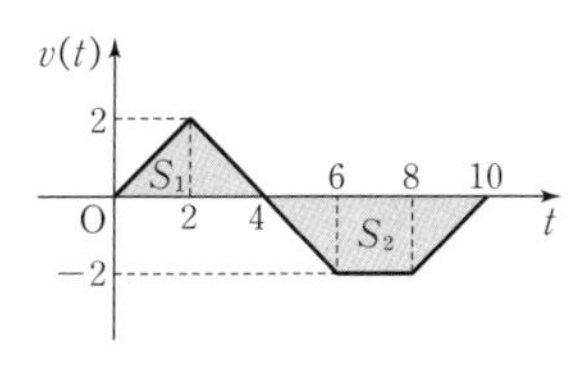

(i) 시각 $t=0$에서 $t=10$까지의 위치의 변화량은 그림에서 삼각형의 넓이 S_1에서 사다리꼴의 넓이 S_2를 빼면 되므로

$$a=\int_0^{10} v(t)dt=S_1-S_2$$
$$=\left(\frac{1}{2}\times 2\times 4\right)-\left\{\frac{1}{2}\times(2+6)\times 2\right\}=-4$$

(ii) 시각 $t=0$에서 $t=10$까지 물체가 움직인 거리는 삼각형의 넓이 S_1과 사다리꼴의 넓이 S_2를 합하면 되므로

$$b=\int_0^{10}|v(t)|dt=S_1+S_2$$
$$=\left(\frac{1}{2}\times 2\times 4\right)+\left\{\frac{1}{2}\times(2+6)\times 2\right\}=12$$

$\therefore a+b=-4+12=8$

답 8

366

그림에서 구하는 넓이는

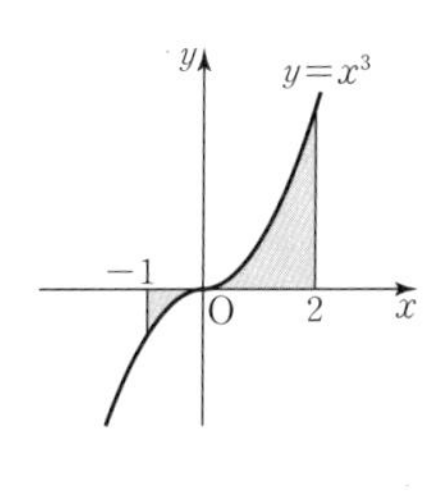

$$-\int_{-1}^0 x^3dx+\int_0^2 x^3dx$$
$$=-\left[\frac{1}{4}x^4\right]_{-1}^0+\left[\frac{1}{4}x^4\right]_0^2$$
$$=\frac{1}{4}+4=\frac{17}{4}$$

답 ⑤

367

색칠한 도형의 넓이는

$$\int_{-2}^1 (y^2+k)dy=\left[\frac{1}{3}y^3+ky\right]_{-2}^1$$
$$=\left(\frac{1}{3}+k\right)-\left(-\frac{8}{3}-2k\right)$$
$$=3+3k=6$$

따라서 $3k=3$이므로 $k=1$

답 1

368

두 곡선의 교점의 x좌표는

x^2-x-2

$=-2x^2+5x+7$

에서 $3x^2-6x-9=0$

$3(x+1)(x-3)=0$

$\therefore\ x=-1$ 또는 $x=3$

따라서 구하는 넓이는

$$\int_{-1}^{3}\{(-2x^2+5x+7)-(x^2-x-2)\}dx$$

$$=\int_{-1}^{3}(-3x^2+6x+9)dx$$

$$=\Big[-x^3+3x^2+9x\Big]_{-1}^{3}=27-(-5)=32$$

답 ③

369

$2x^2-12x+18+k=2x$

에서

$2x^2-14x+18+k=0$

$\cdots\cdots$ ㉠

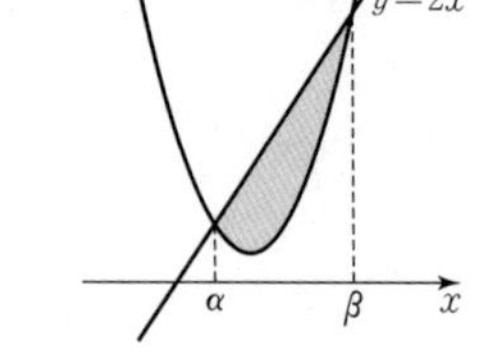

이차방정식 ㉠의 두 실근을 α, β $(\alpha<\beta)$라 하면 α, β가 곡선과 직선의 교점의 x좌표이므로 구하는 넓이는

$$\int_{\alpha}^{\beta}\{2x-(2x^2-12x+18+k)\}dx$$

$$=\int_{\alpha}^{\beta}(-2x^2+14x-18-k)dx$$

$$=\frac{|-2|}{6}(\beta-\alpha)^3=9$$

즉, $(\beta-\alpha)^3=27$이므로

$\beta-\alpha=3$ $\cdots\cdots$ ㉡

$-2x^2+14x-18-k=0$에서 근과 계수의 관계에 의하여

$\alpha+\beta=7$ $\cdots\cdots$ ㉢

$\alpha\beta=\dfrac{18+k}{2}$ $\cdots\cdots$ ㉣

㉡, ㉢에서 $\alpha=2$, $\beta=5$

㉣에 대입하면 $10=\dfrac{18+k}{2}$ $\quad\therefore\ k=2$

답 2

370

두 함수 $y=f(x)$와 $y=g(x)$의 그래프는 직선 $y=x$에 대하여 대칭이므로 구하는 넓이를 S라 하면 S는 곡선 $y=f(x)$와 직선 $y=x$로 둘러싸인 도형의 넓이의 2배와 같다. 곡선 $y=f(x)$와 직선 $y=x$의 교점의 x좌표는

$x^2=x$에서 $x(x-1)=0$

$\therefore\ x=0$ 또는 $x=1$

따라서 구하는 넓이 S는

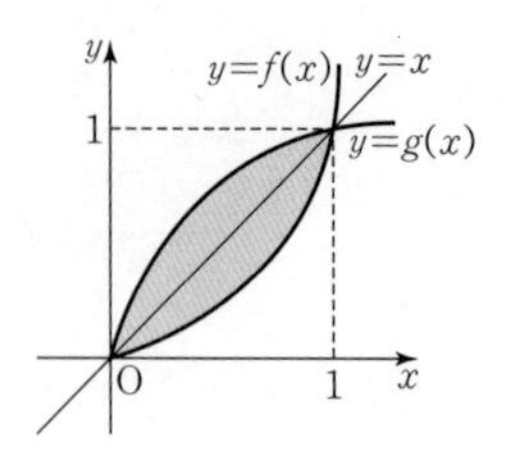

$$S=2\int_{0}^{1}(x-x^2)dx$$

$$=2\Big[\frac{x^2}{2}-\frac{x^3}{3}\Big]_{0}^{1}=\frac{1}{3}$$

답 $\dfrac{1}{3}$

371

$y=x^3+x$에서 $y'=3x^2+1$이므로 곡선 위의 점 $(1,\ 2)$에서의 접선의 기울기는 4이고, 접선의 방정식은

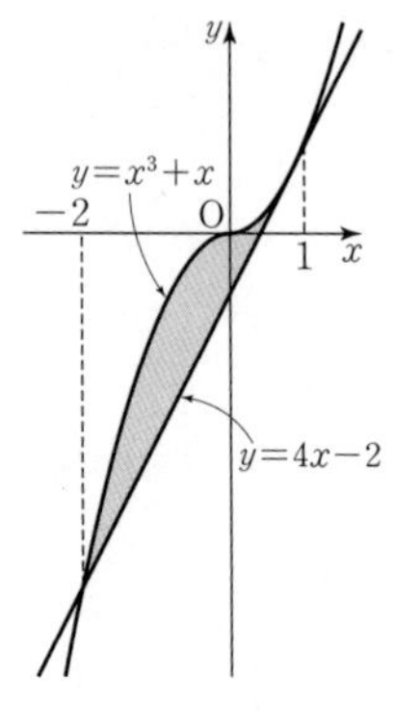

$y-2=4(x-1)$

$\therefore\ y=4x-2$

곡선 $y=x^3+x$와 직선 $y=4x-2$의 교점의 x좌표는

$x^3+x=4x-2$에서

$x^3-3x+2=0$

$(x-1)^2(x+2)=0$

$\therefore\ x=-2$ 또는 $x=1$

따라서 구하는 넓이는

$$\int_{-2}^{1}\{(x^3+x)-(4x-2)\}dx$$

$$=\int_{-2}^{1}(x^3-3x+2)dx$$

$$=\Big[\frac{x^4}{4}-\frac{3}{2}x^2+2x\Big]_{-2}^{1}=\frac{27}{4}$$

답 ③

372

$y=x^2-1$과 x축의 교점의 x좌표는

$x^2-1=0$에서 $x=\pm1$

곡선 $y=x^2-1$과 직선 $y=1$의 교점의 x좌표는 $x^2-1=1$에서

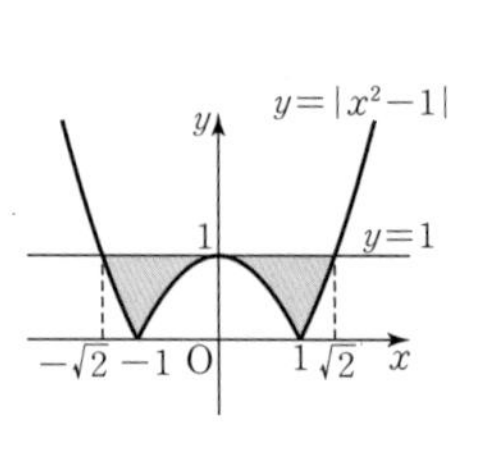

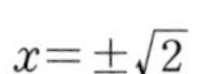

$x=\pm\sqrt{2}$

따라서 구하는 넓이는

$$2\left\{\sqrt{2}\times 1-\int_0^1(-x^2+1)dx-\int_1^{\sqrt{2}}(x^2-1)dx\right\}$$
$$=2\sqrt{2}-2\left[-\frac{x^3}{3}+x\right]_0^1-2\left[\frac{x^3}{3}-x\right]_1^{\sqrt{2}}$$
$$=2\sqrt{2}-\frac{4}{3}+\frac{2\sqrt{2}}{3}-\frac{4}{3}=\frac{8}{3}(\sqrt{2}-1)$$

답 $\frac{8}{3}(\sqrt{2}-1)$

373

$A=B$이므로

$\int_0^a (x^2-a)dx=0$에서

$\left[\frac{x^3}{3}-ax\right]_0^a=0$, $\frac{a^3}{3}-a^2=0$

$a^3-3a^2=0$, $a^2(a-3)=0$

$\therefore a=3\ (\because a>0)$

답 3

374

ㄱ. $f(t)=\int_0^t v(t)dt$는 점 P의 시각 t에서의 위치이므로 $f(4)=0$이다. (거짓)

ㄴ. $f(10)=\int_0^{10} v(t)dt$
$$=\int_0^2 v(t)dt+\int_2^{10} v(t)dt$$
$$=\int_0^2 v(t)dt=f(2)\ \text{(참)}$$

ㄷ. 점 P가 원점을 지나는 것은

$f(t)=\int_0^t v(t)dt=0\ (t>0)$

일 때, 즉 $t=4$ 또는 $t=8$일 때로 출발 후 2번 더 있다. (거짓)

ㄹ. 점 P가 10초 동안 실제로 움직인 거리는 속도 $v(t)$와 t축으로 둘러싸인 부분의 넓이이므로 5이다. (참)

따라서 옳은 것은 ㄴ, ㄹ이다.

답 ③

375

[1단계] $f(x)=ax^2-bx$에서

$f'(x)=2ax-b$

$f(x)=ax^2-bx$가 $x=\frac{1}{2}$에서 극대이므로

포물선의 모양이 위로 볼록이다.

따라서 $a<0$이고 $f'\left(\frac{1}{2}\right)=a-b=0$

$\therefore a=b$

[2단계] $f(x)=ax^2-bx=ax^2-ax$

$=ax(x-1)$

의 이차항의 계수가 a이고, 이 곡선이 x축과 $x=0$, 1에서 만나며, 이 곡선과 x축으로 둘러싸인 부분의 넓이가 $\frac{1}{6}$이므로

$\left|\frac{a}{6}(1-0)^3\right|=\frac{1}{6}$, $|a|=1$

$\therefore a=-1\ (\because a<0)$

따라서 $a=-1$, $b=-1$이므로

$a+b=-2$

답 -2

376

[1단계] 포물선과 직선의 교점의 x좌표는

$x^2+1=ax+2$에서

$x^2-ax-1=0$ …… ㉠

이차방정식 ㉠의 두 근을 α, β $(\alpha<\beta)$라고 하면 포물선과 직선으로 둘러싸인 부분의 넓이는 포물선 킬러 공식에 의하여

$\frac{1}{6}(\beta-\alpha)^3$

[2단계] 이차방정식 ㉠에서 근과 계수의 관계에 의하여

$\alpha+\beta=a$, $\alpha\beta=-1$

$\therefore \beta-\alpha=\sqrt{(\alpha+\beta)^2-4\alpha\beta}=\sqrt{a^2+4}$

[3단계] $\frac{1}{6}(\beta-\alpha)^3=\frac{1}{6}(\sqrt{a^2+4})^3$이므로 구하는 최솟값은 $a=0$일 때

$\frac{1}{6}(\sqrt{4})^3=\frac{1}{6}\cdot 2^3=\frac{4}{3}$

답 ④

377

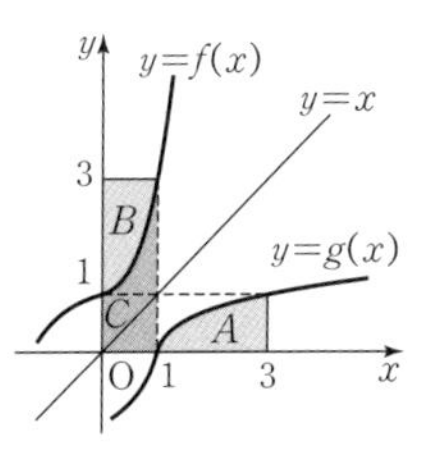

함수 $y=f(x)$와 그 역함수 $y=g(x)$의 그래프는 직선 $y=x$에 대하여 대칭이므로

(A의 넓이)=(B의 넓이)

$\therefore \int_0^1 f(x)dx+\int_1^3 g(x)dx$

=(C의 넓이)+(A의 넓이)

=(C의 넓이)+(B의 넓이)

$=1\cdot 3=3$

답 3

378

$$F(2)-F(-3)=\int_0^2 f(t)dt-\int_0^{-3} f(t)dt$$
$$=\int_0^2 f(t)dt+\int_{-3}^0 f(t)dt$$
$$=\int_{-3}^2 f(t)dt$$
$$=\int_{-3}^1 f(t)dt+\int_1^2 f(t)dt$$
$$=A-B=25-5=20$$

답 20

379

$\int_2^x f(t)dt=x^3-kx^2$의 양변에 $x=2$를 대입하면

$\int_2^2 f(t)dt=8-4k=0 \qquad \therefore k=2$

$\int_2^x f(t)dt=x^3-2x^2$의 양변을 x에 대하여 미분하면

$f(x)=3x^2-4x$

곡선 $f(x)=3x^2-4x$와 x축의 교점의 x좌표는

$3x^2-4x=0$에서 $x(3x-4)=0$

$\therefore x=0$ 또는 $x=\frac{4}{3}$

즉, 구하는 넓이는

$$\int_0^{\frac{4}{3}} |3x^2-4x|dx=\int_0^{\frac{4}{3}}(4x-3x^2)dx$$
$$=\Big[2x^2-x^3\Big]_0^{\frac{4}{3}}=\frac{32}{27}$$

따라서 $a=32$, $b=27$이므로

$a-b=5$

답 ⑤

380

처음에 지면에 정지해 있었으므로 $t=35$(분)일 때의 열기구의 높이는

$$(\text{처음 높이})+\int_0^{35} v(t)dt$$
$$=0+\int_0^{35} v(t)dt$$
$$=0+\int_0^{20} t\,dt+\int_{20}^{35}(60-2t)dt$$
$$=\Big[\frac{1}{2}t^2\Big]_0^{20}+\Big[60t-t^2\Big]_{20}^{35}$$
$$=200+75$$
$$=275(\text{m})$$

답 275 m

지학사는 좋은 책을 만들기 위해 최선을 다합니다.

완벽한 교재를 위한 노력

• 도서 오류 신고는 「홈페이지 〉 참고서 〉 해당 참고서 페이지 〉 오류 신고」에서 하실 수 있습니다.

• 발간 이후에 발견되는 오류는 「홈페이지 〉 참고서 〉 참고서 자료실 〉 정오표」에서 알려드립니다.

고객 만족 서비스

• 홈페이지에 문의하신 사항에 대한 답변이 등록되면 수신 체크가 되어 있는 경우 문자 메시지가 발송됩니다.

개념 학습 비법서

풍산자

수학Ⅱ

지은이 풍산자수학연구소
개발 책임 이성주 | **편집** 김영성, 남궁경숙, 금나은, 유미현, 이승화, 문상우
마케팅 김남우, 이혁주, 이상무, 김규리, 유은영
디자인 책임 김의수 | **표지 디자인** 김소민, 엄혜임 | **본문 디자인** 김소민, 이현경
컷 이도훈, 김상준 | **조제판** 테크디앤피 | **인쇄 제본** 벽호

발행인 권준구 | **발행처** (주)지학사 (등록번호 : 1957.3.18 제 13-11호)
04056 서울시 마포구 신촌로6길 5
발행일 2003년 1월 10일 [초판 1쇄] 2022년 9월 30일 [10판 2쇄]
구입 문의 TEL 02-330-5300 | FAX 02-325-8010
구입 후에는 철회되지 않으며, 잘못된 제품은 구입처에서 교환해 드립니다.
내용 문의 www.jihak.co.kr 전화번호는 홈페이지 〈고객센터 → 담당자 안내〉

53410
ISBN 978-89-05-05269-0

정가 13,000원